JN307749

オリガ・モリソヴナの反語法

米原万里

集英社文庫

目次

ロシア連邦と周辺

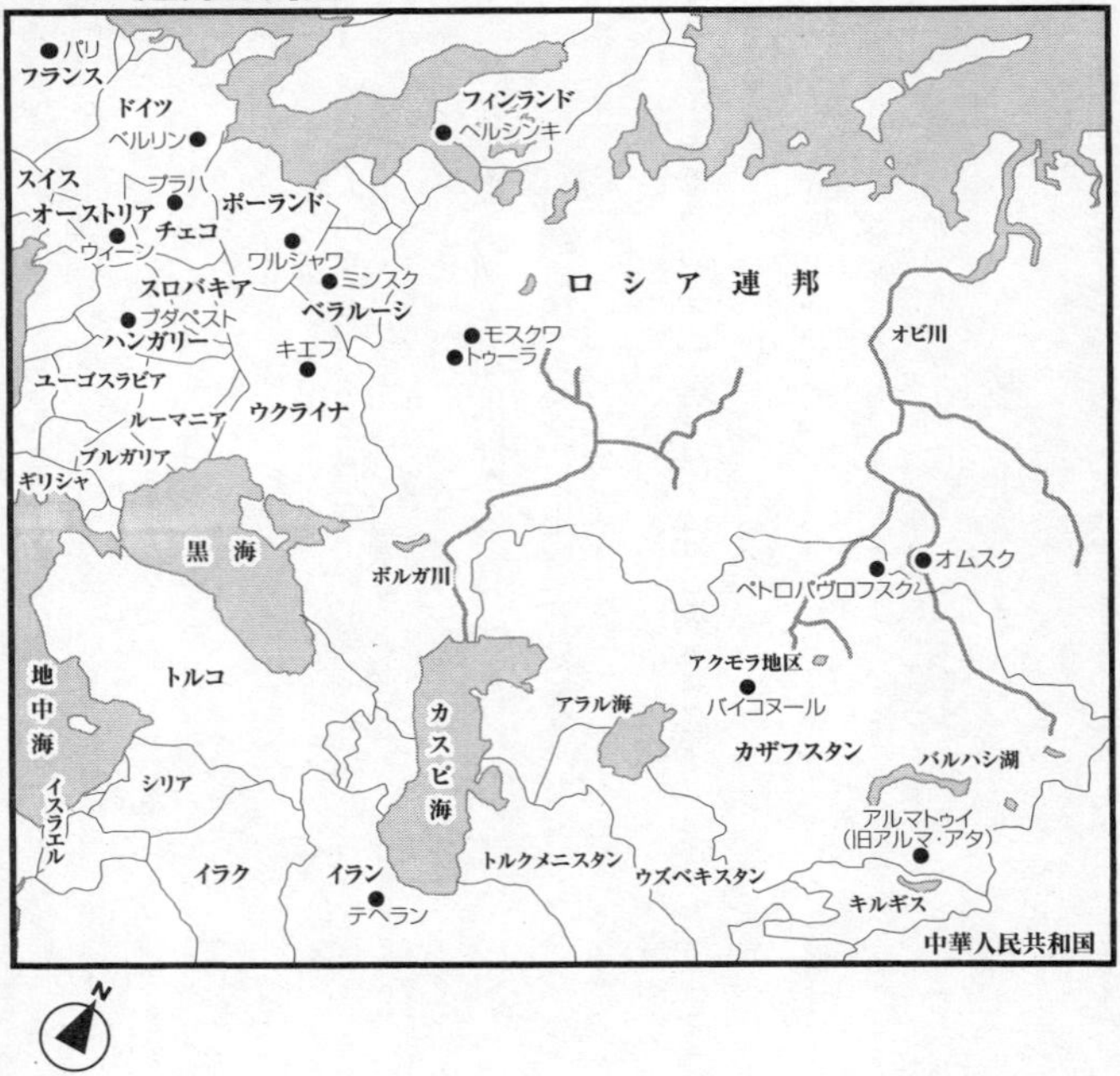
パリ
フランス
ドイツ
ベルリン
フィンランド
ヘルシンキ
スイス
プラハ
ポーランド
オーストリア
チェコ
ウィーン
ワルシャワ
ミンスク
ロシア連邦
スロバキア
ブダペスト
ベラルーシ
ハンガリー
キエフ
モスクワ
トゥーラ
オビ川
ユーゴスラビア
ウクライナ
ルーマニア
ブルガリア
ギリシャ
黒海
ボルガ川
オムスク
ペトロパヴロフスク
アクモラ地区
バイコヌール
地中海
トルコ
アラル海
カスピ海
カザフスタン
バルハシ湖
シリア
イスラエル
アルマトゥイ
(旧アルマ・アタ)
イラク
イラン
トルクメニスタン
ウズベキスタン
テヘラン
キルギス
中華人民共和国
N

モスクワ市内

ヒムキ地区
図書館大学
ソコーリニキ公園
第33病院
ブティルカ監獄
白ロシア駅
モスクワ・ミュージック・ホール
マヤコフスキイ広場（凱旋広場）
風刺劇場
ボリシャーヤ・サドーヴァヤ通り
トヴェルスカヤ通り
（旧ゴーリキイ通り）
プーシキン広場
ホテル・ルックス
ボリシャヤ・ドミトロフカ通り
ルビャンカ（旧NKVD本部）
サボイ・ホテル
小さなレストラン
チェホフの家
ベリヤの館
ルビャンスカヤ広場
ボリショイ劇場
オリガとエレオノーラのアパート
赤の広場
レーニン廟
レストラン・プラハ
クレムリン
マクドナルド
アルバート通り
地下鉄アルバーツカヤ駅
外務省資料館
外務省
エストラーダ劇場
地下鉄スモレンスカヤ駅
ガリーナ・エヴゲニエヴナ
のアパート
タガンスカヤ通り
モスクワ川
地下鉄フルンゼンスカヤ駅
ボリショイ・バレエ学校
モスクワ大学新校舎

主な登場人物

弘世志摩《ひろせしま》　シーマ、シーマチカ
東京在住の四二歳の離婚子持ち女性。少女時代の一九六〇〜六四年、チェコスロバキアに在住、プラハのソビエト大使館付属八年制普通学校へ通う。帰国後、ダンサーになる夢破れて、今はロシア語の翻訳をしながら食いつないでいる。ソ連邦が崩壊した翌年の九二年秋、長年胸に秘めてきたオリガとエレオノーラの謎を解くためロシアを訪れる。

オリガ・モリソヴナ
ソビエト学校の名物舞踊教師。自称五〇歳だが、七〇歳以上に見える。一九二〇年代風ファッションに化粧。しかし、踊りは飛び切り巧い。大げさに誉めることで罵倒するという独特の反語法を駆使して情熱的に教える。校内に怖いもの無しのはずだが、なぜかアルジェリアという語に怯える。

エレオノーラ・ミハイロヴナ
ソビエト学校のフランス語教師。銀髪で一九世紀貴婦人風の裾の長いドレスを身につけている。志摩を見付けると、「中国の方?」と何度でも尋ねてくる。古風で美しいフランス語、ロシア語を話すが、老人性痴呆症が進んでいる様子。オリガ・モリソヴナと仲がいい。やはり、アルジェリアという語に異常に怯える。

ミハイロフスキー大佐
在チェコスロバキア・ソ連大使館付き武官。ソビエト学校の学芸会に来賓としてやって来て、オリガ・モリソヴナとすれ違って転倒する。その三カ月後に心臓発作で死亡。

カーチャ
志摩の同級生で親友。無類の本好きで図書館員になるのを夢見ている。父は図画の教師、母は志摩たちの二年下級の担任。
スヴェータ
志摩の同級生。校内一の情報魔。
ジーナ
チェコの学校から転校してきた東洋的風貌の美少女。踊りの天才で、なぜかオリガ・モリソヴナとエレオノーラ・ミハイロヴナを「ママ」と呼んでいる。孫か曾孫にしか見えないのだが。ボリショイ劇場付属バレエ学校の編入試験に合格してモスクワへ行ってしまう。
レオニード
志摩の一年上級の背の高い少年。志摩の初恋と失恋の相手。美しいがゾーッとするほど冷たいグリーンの瞳をしている。でもジーナにだけは優しい。
コズイレフ
旧ソ連を代表する哲学者。レオニードの父。陽気な気性、頑健な肉体の持ち主だが、プラハで急死。自殺ではないか、という噂が流れる。
ナターシャ
モスクワのエストラーダ劇場のダンサー。ソ連時代のオリガ・モリソヴナの謎を、志摩、カーチャとたどる。
マリヤ・イワノヴナ
エストラーダ劇場の衣裳係の老女。一九二八年から劇場で働き、オリガ・モリソヴナの謎解明に一役買う。

ガリーナ・エヴゲニエヴナ
一九三〇年代、ポーランド人と結婚し、スパイ容疑で銃殺された夫に連座して逮捕され、ラーゲリ（強制収容所）へ送られたロシア女性。後に収容所体験を綴った手記を書く。
マリーナ・ルドネワ
ボリショイ劇場付属バレエ学校の女生徒。
ヤン・シャオツィー
エレオノーラ・ミハイロヴナの夫だと思われる人。上海の大富豪の御曹司。中国共産党員でパリ留学。結婚後、モスクワのコミンテルンで活躍。
バルカニヤ・ソロモノヴナ・グットマン（バラ）
一九三〇年代、ディアナの芸名で活躍したモスクワ・ミュージック・ホール伝説の踊り子。チェコの外交官と恋に落ちて婚約するが、前夫のピアノ弾きに密告され、スパイ容疑で逮捕され銃殺される。
マルティネク
バルカニヤ・ソロモノヴナと婚約するチェコの外交官。
ニーナ
ロシア外務省資料館司書。カーチャのモスクワ図書館大学時代の同級生。

オリガ・モリソヴナの反語法

オリガ・モリソヴナという教師はプラハ・ソビエト学校に実在しましたが、この
物語はすべてフィクションであり、実在の人物・団体とは一切関係ありません。

1

「ああ神様！　これぞ神様が与えて下さった天分でなくてなんだろう。長生きはしてみるもんだ。こんな才能はじめてお目にかかるよ！　あたしゃ嬉しくて嬉しくて嬉しくて狂い死にしそうだね！」

オリガ・モリソヴナはチャルダシュを弾いていた指先の動きを止めると、両手を頭上に掲げて天を仰いだ。次にその手で頭を抱え、もうこれ以上こらえ切れないといったふうにこれ見よがしに身をよじって立ち上がるのだった。

「そこの驚くべき天才少年のことだよ！　まだその信じ難い才能にお気づきでないご様子だね。何をボーッと突っ立ってるんだい！　えっ!?」

吠えるように濁声《だみごえ》を張り上げながらグランドピアノを離れ、ツカツカと講堂の舞台を横切って踊りの輪の中に割り込んでくる。文法の授業で反語法のことを習うよりはるか前から、子供たちはみな、先生が「天才」と言うのは「うすのろ」の意味なのだと知っていた。

群舞を乱したハリネズミのジョルジックは狼ににらまれたみたいにちぢこまった感じにな

った。図体がでかいポーランド人の男の子で、いがぐり頭の髪の毛がピンピンに突《つ》っ起《た》っているものだから、そんなあだ名がついている。

「ぼっ、ぼくの考えでは……」

「ぼくの考えでは……だって。フン。七面鳥もね、考えはあったらしいんだ。でもね、結局スープの出汁《だし》になっちまったんだよ」

ピシャリと「天才少年」の言い訳を封じた先生は、鮮やかな緑色のフレアスカートを右手で軽くつまんで模範演技を見せ始めた。

「ほれ、両目をおっぴろげてちゃんと見るんだよ。ハンガリー・ダンスの場合はだね、何度も言っているように、右足はこんな風に弧を描くようにして前から後ろへ持っていく。それにしても、どうだいこの足、惚れ惚れするじゃあないか。五〇女の足に見えるかい」

右隣にいたカーチャが志摩《しま》の方を見て、「また始まったわね」というふうに、ニコッと目配せした。オリガ・モリソヴナは五年前も、いや一〇年前も自分の年を「五〇歳」といっていたらしい。そういう言い伝えがもっともらしく聞こえるほど、目の前の先生は七〇歳にも八〇歳にも見える。

　薄緑色のブラウスを通して透けて見える先生の肩や腕には老人性のしみが浮き出ていたし、赤と緑と金色が絡まり合う派手なネックレスは顎のあたりの肉のたるみを目だたせていた。ネックレスとセットになった大ぶりのイヤリングがぶら下げられた両耳たぶの穴はビローンと縦に伸びきっていたし、何十年間も白粉《おしろい》を塗り込んできたらしい皮膚は毛穴が巨大化していて五メートル先からでも鼻の頭の黒いブツブツが見えた。染めたに違いないまばゆいばかりの金髪がライオンのたてがみのようだったこともあって、ただでさえ大きな口にベットリと塗り付けられた真っ赤な口紅は今そこで赤ん坊でも喰ってきたかのように猛々しかったし、口紅と同色のマニキュアを付けた長く伸ばした爪先からは血が滴《したた》り落ちてくるかのようである。

でも、でもである。スカートと同じ鮮緑色のハイヒール（先生がかかと九センチ以下の靴を履いたのを見たことがない）を履いた先生の足は息をのむほど美しかった。太からず細からず、まさにほど良い肉付きのふくらはぎが滑らかな曲線を描いて足首のところでキュッと引き締まっている。

そしてよく見ると、非の打ちどころがないのは先生の足だけではなかった。三〇代半ばを過ぎると、あたかも必須の法則があるかのようにムクムクと肥え太りはじめる典型的スラブ女が多数を占める教師たちの中でオリガ・モリソヴナのスラリとした体形に太刀打ちできる人は、もちろん皆無。その理想的な姿形の肉体が繰り広げるしなやかで切れのよい身のこなし、それに何よりも踊る姿には、ついわれを忘れて見とれてしまう。

「あの恐ろしげな顔と濁声さえ無ければ、完璧な美女なのに……」

志摩が思わずつぶやいたら、カーチャがさかんに肯《うなず》いた。

「うんうん、仮面舞踏会だったら、男はみんなオリガ・モリソヴナにイチコロだよね」

まだ一〇歳になったばかりで、自分と他人の容姿がむやみに気になりだした頃だった。志摩は、この学校に編入してきて以来、週二度のこのリトミカという名のダンスの授業が楽しみでならなかった。かならず何か劇的な展開が約束されていたのだもの、ワクワクするなと言う方が無理である。

弘世《ひろせ》志摩がチェコスロバキアはプラハのソビエト大使館付属八年制普通学校に編入してきたのは、一九六〇年の一月二二日のことだから、まもなく一年になろうとしていた。なぜ日付までハッキリ覚えているのかというと、はじめて学校を訪れた朝、校長室に入っていくときに、付き添ってくれた父が、

「そうそう、レーニンが亡くなったのは、一九二四年一月二一日だった。きのうは没後三六周年だったのだね」とつぶやいたからだ。校長室の手前がかなり広いホールになっていて、そこにレーニンの胸像が据えられていた。右に赤旗、左にソ連国旗が掲げられていて、旗のポールに両方とも黒いリボンが結ばれていたので、父は気づいたのだろう。

それにしてもオリガ・モリソヴナは、「思案のあげく結局スープの出汁になってしまった七面鳥」の戒めをよく口にする。おそらく、「下手な考え休むに似たり」に当たる諺《ことわざ》なのだろうが、今まで引いたどの辞書にも教科書にも慣用句辞典にも載っていないし、他の先生方が口にするのも聞いた例《ため》しがない。小説や詩の中に出てきたこともない。オリガ・モリソヴナ自家製の諺なのかもしれない。

父母参観日や学芸会に学校を訪れる大人たちが、オリガ・モリソヴナの姿を認めて度肝を抜かれる様子を見るのはおかしかった。例外なくまず誰もがわが目を疑い、次に狐につまま

れたみたいに思いっきり間抜けな表情になる。

何しろ服装がとびきり古風だった。一九二〇年代には、きっととても斬新で格好よかったにちがいないファッション。若き日のグレタ・ガルボやマレーネ・ディートリッヒを大げさにしたみたいな、と形容したら一番分かりやすいかも知れない。二〇世紀初頭には粋だったような帽子、顔面を覆うベール、付けボクロ、レースの手袋、大振りで大時代なアクセサリーという身なりの七〇歳をゆうに超えた老婦人が、強烈な香水の匂いをふりまきながら校内を傲然と闊歩する。おのずとその周辺だけ異質な風が吹いているような、非日常的な、しいていえば舞台のような空間がポッカリと出来上がる。

オールド・ファッション、それがいつの頃からか先生についたあだ名だった。

一一月七日の十月社会主義革命記念日を前にした学芸会に来賓として学校にやってきた太っちょの駐在武官の大佐など、階段のところでオリガ・モリソヴナといきなりすれ違ったため足を踏み外してひっくり返り転げ落ちてしまった。大慌《おおあわ》てで駆け寄った案内役の校長と教頭に助けおこされながら、武官は見るからに怯えた様子でたずねたそうだ。

「あれは何だ？」

「オールド・ファッションのことをね、あのデブが、『あれは誰だ？』ではなく、『あれは何だ？』と尋ねたんですって」

スヴェータがマーマレード色の髪をなびかせて、学校の中を駆け巡り、その一部始終をふれまわったものだから、出来事は三〇分以内に校内の誰もが知るところとなった。

スヴェータ Света はスヴェトラーナ Светлана の愛称なのだけれど、ロシア語で光を意味するスヴェート свет の語末に a という母音を一字つけ加えた形になるので、日本語にすると、「ヒカリちゃん」というような語感を持っていた。だから、音の速度よりも光の速度の方が速いということを理科の時間に習い覚えて以来、おしゃべりなスヴェータの口にのって校内に瞬く間に噂の広まるさまを光速度にひっかけて、「スヴェータ（ヒカリちゃん）速度」と言うようになっていた。そして、そう言われるようになってからというもの、ますますスヴェータは張り切って、伝達速度もさらに速くなったみたいだ。

スヴェータは興奮すると、ふだんは目立たないソバカスが浮き立って、髪の毛と同じ色の粉を顔面いっぱいにまぶしたみたいになる。そして真っ青な瞳をキラキラさせて、どんなことでも、まるで今自分の目で見てきたかのように話す。今回もスヴェータから大佐転倒事件の一部始終を聞いた誰もが、自分も目撃者であるような錯覚を覚えた。武官の動転ぶりをものの見事に伝えていたし、真偽のほどは定かではなかったけれど、いかにもありそうな、それでいて絵になる話だったから。

志摩も、その光景を思い浮かべながらフフフと笑いがこみ上げてきて、そして何だかオリガ・モリソヴナのことがとても誇らしくなった。

どことなく陰気で演説がうんざりするほど長くてつまらない武官は、嫌われ者だった。大人のロシア人は敬意と親しみを込めて、名前と父称で呼ばれるのがふつうなのに、面と向かった場合は別だが、三人称ではミハイロフスキーと苗字だけで呼び捨てにされていたことからして、いかに煙たがられていたかわかるというもの。許せないのは、大柄なすっごく胸の大きな美人の奥さんがいる（これもスヴェータ情報なのだが、このあいだ大使館のパーティーでその奥さんがジプシー・ダンスを踊ったときに肩をブルブルふるわせるたびに豊かな胸がブルンブルン飛び跳ねるものだから、男の人たちが喜んだのなんのって、ということだ）というのに、片っ端から綺麗な先生方に言い寄っていることだ。

「あの魚みたいな目でネットリと見つめられると、悪寒が走るわね」

陰では、女教師たちも嫌がっているようなのに、本人の前では、どう見ても愛嬌を振りまいているのだから大人は実に分かりにくい。

まあそんなわけで、これは一種の快挙だったのだ。オリガ・モリソヴナはますます女を上げた。

「先生の美貌がまぶしくて、このあいだ武官が階段から転げ落ちてしまったんですってね」

「あら、そんなことあったかしらん」

本人が、気にもとめない様子なのが、いよいよ頼もしい。

しばらくして、たしか転倒事件から三〜四カ月ほどして武官は狭心症の発作か何かで亡くなった。

「きっと、オリガ・モリソヴナと出会ったときのショックが響いたのよ」

というコメント付きで、この話もまたたくまにスヴェータ速度で広まったのだった。

「オリガ・モリソヴナには怖いもの無しだわね。無敵のオリガだね」

歴史の授業で習いたてのスペイン無敵艦隊のことを思い出して、ニュースを知らせてくれたスヴェータに志摩がそう応じると、ソバカスが浮き出てマーマレード色に染まった顔を近づけてきた。

「いやだ、シーマチカ、知らないの？　『無敵』はイリーナの形容詞なんだよ」

シーマチカというのは、志摩のロシア語風愛称。

「あれ、ストロング・イリーナじゃなかったっけ」

「それは数学のイリーナ・セミョーノヴナじゃないの。無敵のイリーナはロシア語のイリーナ・セルゲーエヴナのこと」

スヴェータは、文学と文法の教師で志摩たちのクラス担任の名前を言った。妥協を知らない完璧主義者で、非ロシア人が多い学校だというのに、発音や文法の、ほんの些細な逸脱をも見逃さない、辟易《へきえき》するほど熱心な教師。

「その無敵のイリーナがね」

スヴェータはさらにピッタリ顔を寄せてきて小声になった。

「このあいだ校長先生にねじ込んでたの、立ち聞きしちゃった」

イリーナ・セルゲーエヴナは顔を真っ赤にして一気にまくし立てたらしい。

「いいですか、真剣に考えてくださらないと困ります。この学校に編入してくる非ロシア語圏からの子供たちが最初に発するロシア語は何だと思います？　『でくの坊』に『糞ッたれ』ならまだいい方です。ロシア語で『ありがとう』も『こんにちは』も言えない子が、『腐れキンタマ』ですよ、『他人の掌中にあるチンポコは太く見える』ですよ。『てめえはやり魔の息子か！』ですよ、ああ汚らわしい恥ずかしい。生まれて初めてですわ、こんな言葉口にしたの。最初はロシア人の子供たちの仕業《しわざ》かと思ってましたよ。それが、何と犯人は本校のダンス教師ではありませんか！　校長は監督責任者としてオリガ・モリソヴナのレッスンを聴講されるべきです！」

「いや、わざわざ聴講しなくとも廊下まで漏れ聞こえてきますからね。よくまあ次から次と罵《のの》り言葉が出てきますなあ。まるで汲めども尽きぬ泉です。フフフわたしもこの年になって初めて聞く罵り言葉がありましてね、いやあ感心しとるんですよ」

校長は無敵のイリーナを何とかやり過ごそうとしているみたいだった。

「たしか詩人のマヤコフスキイが、『ロシア語は世界に類を見ない罵り言葉の宝庫』と言っているくらいですからね。ロシア語がそれだけ豊かだってことです。まともで上品なロシア語の方は、イリーナ・セルゲーエヴナのような立派な先生方からふんだんに……」

「まともで上品なロシア語ですって!?　どんなにまともで上品な単語もオリガ・モリソヴナの手にかかると悪罵《あくば》に成り果てるんです。反語法というレトリックをご存知でしょう。あれを使うと、どんな讃辞も罵倒になってしまうってことです。それから、『罵り言葉の宝庫』と言ったのは、詩人のマヤコフスキイではなくて、作家のゴリキイですわ。その宝庫を無限に拡充してるんですよ、オリガ・モリソヴナは……」

ここで無敵のイリーナは、ついこのあいだの文学の授業について校長に話して聞かせたという。あのときのことは志摩もよく覚えている。

イリーナ・セルゲーエヴナがプーシキンの詩『冬の朝』を朗読して聞かせたとき、突然ガヴリックが立ち上がった。感極まった風情で大げさに天を仰ぎながら、

「ああ神様！　おお驚嘆！　まあ天才！」

と叫んだものだから、教室中が笑い転げて授業が中断してしまったのだ。口調も身振りも明らかにオリガ・モリソヴナの受け売りだった。ガヴリックはブルガリアのソフィアから転校してきてまだ二週間。はじめて発したロシア語がこれだから、教育熱心なイリーナ・セルゲーエヴナは憮然《ぶぜん》として立ちすくんだ。そこでお調子者のジョルジックが立ち上がって、

「これはこれは教授、いや博士、いやアカデミー会員！」

とオリガ・モリソヴナの声音とイントネーションを真似すると、次々に男の子が立ち上がって、

「あらまあ震《ふる》えが止まらなくなるような神童！」

「これぞ想像を絶する美の極み！」

とダンスのレッスンで聞き慣れた台詞を身振りをまじえて演じていったものだから、収拾がつかなくなったまま終業ベルが鳴り響いた。生徒たちが一斉に出口のドアに向かおうとしたところ、イリーナ・セルゲーエヴナは机の上にあった書類を両手に抱え込んだかと思ったら、それを力いっぱい床にたたきつけた。皆は呆気にとられて動けなくなった。

「座れー！　始業ベルは生徒のために鳴るが、終業ベルは教師のために鳴るんだ。授業の終

了を決めるのはベルではない！　教師なんだ」

いつもキンキン声のイリーナ・セルゲーエヴナがかすれたような小声だったのが、不気味で、みな大人しく席についた。

「いいか、わたしの授業で、ロシア語をフランス語の発音で話すヤツは許さないよ。プラフィエサル（教授）をプロフェスゥール、ドークタル（博士）をドクトゥール、アカジェーミク（アカデミー会員）をアカデミクなんてもう一度発音してごらん、進級は諦めるんだね」

それだけ言うと、床の上に散らばった書類をかき集めて教室を出ていった。

オリガ・モリソヴナは、ちょうど外国人がロシア語をしゃべったときみたいにロシア語に特有の「ィェ」という軟母音を、「エ」と発音し、力点がかからない「オ」は「ア」に近い音になるはずを、そのまま「オ」と発音する。そのうえ本来巻き舌の迫力あるRはフランス語風に喉にタンのからまったみたいなRになる。プラフィェサルと本来発音すべきをプロフェスゥールとやるのだ。

もちろん先生から罵倒言葉を譲り受ける子供たちは、先生の発音をも譲り受けた。無敵のイリーナを筆頭に、これを苦々しく思う教師は何人もいた。

「どぎつい罵り言葉、大袈裟な反語法、ロシア語にはもっと繊細で微妙な表現がたくさんあるというのに、子供たちはどうしても刺激的な言葉に飛びついてしまうんです。それは致し方ない。遅かれ早かれ、子供たち自身がそれに気づくことでしょう。だから目を瞑《つむ》りましょう。でも間違った発音やイントネーションを一度身に付けてしまうと一生付いてまわります。

それをこそげ落として正しい言い方を習得するのに、一〇倍以上のエネルギーと時間がかかるんです」

言い分は一〇〇パーセント正しいのだが、無敵のイリーナにしてもオリガ・モリソヴナに直言する気はないようだった。直言したところで今さら高齢のオリガ・モリソヴナの発話法が変わるはずもないし。それに当の本人が周囲のそんな思惑など歯牙にもかけない様子だったのは、言うまでもない。

無敵のイリーナにとってオリガ・モリソヴナは天敵だったけれど、オリガ・モリソヴナにとっては無敵のイリーナも敵ではなかったということ。

そもそもあの学校にオリガ・モリソヴナが教師という資格でいること自体が志摩にとって大いなる謎となったのは、あるときカーチャから、ソビエト学校の教師採用基準について聞かされたからだ。

カーチャに初めて出会ったのは、六〇年九月一日に新学期がはじまったとき。一〇人近い転校生の中にカーチャはいた。干し草色の髪の毛を三つ編みにして空色のリボンを結んだ小柄な女の子。鼻の先がツンと上を向いた愛嬌のある顔をしている。席が志摩の真ん前になった。座ったとたんクルリと振り返ってリボンと同色の大きな瞳を志摩の方に向け、人なつこくニコッと微笑んで自己紹介した。

「あたし、モスクワの第三六一学校からきたエカテリーナ・ザペワーロワ。カーチャって呼んで。パパは図画の教師で、ママは小学部二年の担任よ」

志摩が自分は八カ月前にこの学校に編入してきた日本人だと名乗ると、突然カーチャは腰掛けていた座席から飛び上がって、はしゃぎだした。

「わーっ、わーっ、ウソみたいだあ。今ちょうど夏目漱石の『吾輩は猫である』を読んだばかりなのよ。日本のことにとても興味がわいてきたところに、生きた日本人に会うなんて……」

あの日志摩は帰宅してから母親の本棚から漱石全集を捜し出して大わらわで『吾輩は猫である』とついでに『坊っちゃん』を日本語で読んだ。それからというもの、知りたがりのカーチャを満足させるために、志摩は日本のおとぎばなしや日本から持ってきた書物の中の面白いと思う小説や物語を見つけ出しては話して聞かせる。カーチャは大きな空色の瞳を表情豊かに変化させながら耳を傾けてくれる。それが嬉しくて志摩はさらに面白い物語を探し出してきて聞かせる。カーチャはそのたびに志摩のロシア語の表現を直してくれた。おかげで志摩のロシア語は目に見えて上達していった。

だから志摩はカーチャのことを一番の親友と考えていた。カーチャも同じように志摩のことを大切に考えてくれていると思いたかったが、自信がなかった。何度も家に遊びに来てくれるよう誘ったのに、いつも返ってくるのは、「都合が悪い」とか、「また今度」とかいう答え。何度目かに、志摩は明らかにカーチャがはぐらかしていると直感した。何だか切なくなって、それからは、カーチャを自宅へ誘わなくなっていた。

そのカーチャが、知り合って五カ月ほど経ったある日、あれは一月末だったか、志摩の家を訪ねてきてくれた。学校と渡り廊下でつながった教員宿舎に住んでいたから、志摩の家まで は、市電を乗り継いで一時間もかかってやってきた。玄関の扉を開けると、雪娘みたいに真っ白なカーチャが立っていた。帽子も外套も真っ白。

「カーチャ、どうしたの？　早く入って！」

「ちょっと待って。雪をはらわなくっちゃ。このままお宅に入ったら、帰る時は帽子も外套もビチョビチョになってしまうもの。雪はらいの小箒《こぼうき》を貸してちょうだい」

玄関扉の前でカーチャは入念に帽子と外套から雪を振りはらった。ようやくいつもの青い帽子とグレーの外套が見えてきた。そうだ。あの日は前日からすごい雪だった。

カーチャはいつもと比べてちょっと興奮している様子で、

「こうして、外国に出られたなんて夢のよう。それに日本人の家に遊びに来るなんて自分でも信じられないわ」

何度もそんなふうに言った。

「もう大変だったのよ、わがザペワーロフ家がプラハにたどりつくまでは。まず、両親の勤める学校の校長と職員組合の推薦状が必要で、派遣教員候補になってからは、党の市委員会とか外務省人事局とか色々な機関に何度も呼び出されて、最後はあたしまで面接や面談に引き回されたんだから」

そうだったのか。在プラハ・ソビエト学校の教師たちは、ソビエト本国で思想信条から教職技能、人品骨柄、日頃の言動に至るまで綿密に審査のふるいにかけられ、厳選に厳選を重

ねた上で派遣されて来た人たちだったのだ。そういうことをはじめて知ってずいぶん驚き、それで、

「でも不思議だよねえ。あのわがままで唯我独尊のオリガ・モリソヴナが、よくぞふるいにかけられる屈辱に耐えたものねえ。何だか信じられないなあ」

と志摩が疑問を口にすると、カーチャも首を縦に振った。

「そうなんだよねえ。あの強烈な個性は、猫をかぶっても隠しおおせるものではないものね。どのように、審査をパスしたのかなあ」

「それとも、ソビエトのお役人さんたちは、意外に大らかだったのかなあ」

志摩がそう言うと、カーチャは今度は盛んに首を横に振った。

「ううん、絶対そんなはずない、そんなはずないよ」

2

六〇年九月一日　チェコスロバキア社会主義共和国連邦市民、フェート・オリガ・モリソヴナとの雇用契約更新。舞踊教師および学童の自主的芸能活動のインストラクターとして。賃金月額三九〇〇コルン。

まだ、ここロシア外務省資料館の閲覧室に入って、三時間もたっていない。資料館への入館が許可されるまで三カ月もかかったものだから、目当ての書類に行き当たるまで最低一週間は覚悟していた。ところが、閲覧室の受付の女性にこちらの名前を申し出ると、くるりと半回転して背後の棚から分厚いファイルを六冊取り出してくれた。表紙のサイズはA４ぐらいだろうか。あらかじめ申込みと許可願いを兼ねた手紙に、閲覧希望事項を詳細に記すよう指示されて、めんどうで閉口したものだが、こういう見返りがあるのかと志摩は貸した金を利子付きで取り戻したような気分になった。問題は、ファイルの中身がこちらの調べたい資料かどうかだったが、これも期待以上だった。

請求したのは、自分が在学した一九六〇年一月から六四年一〇月までの在プラハ・ソビエト学校に関する資料なのだが、渡された書類は、校長が記した日誌、校長と外務省担当部長との往復書簡（電報も含まれる）からなっていて、九月一日に始まる学年度ごとに一冊のファイルに綴じられている。だからいま目にとめた記述は、『一九六〇年九月一日〜』と表紙に記されたファイルに収められた校長の日誌の一頁目にあった。

フェート。オリガ・モリソヴナの苗字はフェートだったんだ。学校では教師をファーストネームと父称で呼ぶため、苗字を耳にする機会は皆無だった。それに、国籍がソビエト連邦ではなく、チェコスロバキア連邦で、現地採用枠で雇われていたということも志摩はこの時はじめて知った。

ソビエト連邦が一九九一年一二月末ゴルバチョフの大統領辞任演説と同時に崩壊してすでに一一カ月経っている。

突然、三二年近く前の大雪の日にカーチャが志摩の家を訪ねてきたときに交わした会話が、昨日のことのように甦《よみがえ》ってきた。あのときカーチャは、在プラハ・ソビエト学校の教師である自分の両親が、ソビエト本国から派遣されてくる前に、職場や居住地域の党機関によるお墨付きを得た上で、外務省の厳しい審査を経てきていることを教えてくれた。あの学校の他の教師たちの誰もが、同じような審査を経ているはずだとも言った。それで、あのエキセントリックなオリガ・モリソヴナが、ふるいにかけられる屈辱に耐えたなんて信じられない。

それより何より、あれだけ強烈な個性は、猫をかぶっても隠しおおせるものではない、審査にパスしたなんて不思議だと、ひとしきり会話が盛り上がったのだ。

あのときの謎があっけなく解けてしまったではないか。オリガ・モリソヴナは、現地で直接雇われていたのだ。

オリガ・モリソヴナに関する記述のすぐ下に、志摩はなつかしい名前を発見した。

六〇年九月一日チェコスロバキア社会主義共和国連邦市民、セルゲーエワ・エレオノーラ・ミハイロヴナとの雇用契約更新。第五〜八学年のフランス語講師として。時給八〇コルン。

あのエレオノーラ・ミハイロヴナの苗字はセルゲーエワで、彼女も現地採用組だったのだ。オリガ・モリソヴナととても仲が良かったエレオノーラ・ミハイロヴナも。

学芸会が近付くと、オリガ・モリソヴナは、課外授業をさかんにやった。土曜の午後や日曜日は、その昔豪商のお屋敷だったソビエト倶楽部のホールを借りてダメ出しをする。ソビエト倶楽部は家から歩いて行ける距離だったので、志摩は一度猫を抱いて行ったことがある。生徒が揃うのを待つあいだ、フランス語のエレオノーラ・ミハイロヴナとお喋りに花を咲かせていた先生は、猫を見るなりはすっぱな調子でつぶやいた。

「そういえば、二人目の亭主のワーシャときたら猫に目がなかったっけ」

「ああ、結婚記念日の度にプレゼントなさるダイヤモンドを毎年一カラットずつ大きくしていかれたという、あの方ね？」

いつものように美しい銀髪を高く結い上げ、首のところが詰襟風になっていて肩と袖の生地をたっぷり使った、裾が床までとどく、一九世紀風ドレスに身を包んだエレオノーラ・ミハイロヴナは、あくまでもゆったりと優雅に、品良く相槌《あいづち》を打つ。

チェホフの中編を映画化した「小犬をつれた貴婦人」で、主人公のアンナ役の女優さんを見たとき、志摩は思わず心の中で、

「エレオノーラ・ミハイロヴナ！」

と叫んでしまったものだ。女優さんの髪型も、着ていたドレスも先生のにそっくりだった。

「それは、三人目の亭主のワーニャじゃないの。例の四カラット目でおさらばしたお調子者の……」

あくまでもはすっぱな調子を崩さないで応じるオリガ・モリソヴナの鳶色《とびいろ》の瞳が心なしかキラキラと輝いていた。

話しぶりからすると、エレオノーラ・ミハイロヴナはもう百万遍もオリガ・モリソヴナの男性遍歴を聞かされているようだったが、飽き飽きした様子は少しもなく、鷹揚にうなずきながら、興味深げに聞き入るのだった。そして志摩の方をチラッと見やると、

「まあ、お嬢さんは中国の方ですの？」

志摩に会う度にする同じ質問を投げかける。

「いいえ、わたしは日本人です」

もう何度そう答えてきたことだろう。その度にエレオノーラ・ミハイロヴナは悲しそうな顔になって、ゆったりとうなずく。なのに、次の機会に志摩の姿を認めると、遠くからでもドレスの裾をヒタヒタと音立てながら近付いてきて小首を可愛らしく傾げ、

「まあ、お嬢さんは中国の方ですの？」

と性懲りもなく尋ねるのである。童女のようなあどけない表情なので、とても怒る気はしない。在プラハ・ソビエト学校の多数の教師たちの中で、オリガ・モリソヴナと唯ひとりウマの合うこの一九世紀貴婦人の化石みたいなフランス語教師は、おそらく動脈硬化性健忘症にかかっていたのだ。いわゆる老人性痴呆症。

日誌には、契約更新される他の現地採用者の氏名、職種、賃金基準などがリスト・アップされていたが、教官では、他にチェコ語の教師と技術の教師の二人だけで、あとは清掃員や食堂のコックなどである。どうやら教員は、基本的にはソビエト本国から派遣するという原則があったようだ。

しかし、と志摩は思う。現地採用組のあと二人の先生は、どちらかというとオズオズしていて、目だつことを極端に嫌っていた節がある。本国から派遣された先生たちの方が、何となく威張っていた風だったし、チェコ人の先生二人は、借りてきた猫みたいにいつも遠慮がちに振る舞っていた。オリガ・モリソヴナとエレオノーラ・ミハイロヴナの二人組とは、あまりにも違う。だからこそ、志摩もカーチャも、あの二人が現地採用組だとは思いも及ばな

かったのだ。あの落差はなんだったのだろう。

新たに芽ばえた疑問を胸に、ファイルをめくっていって、志摩は思わず、「アッ」と叫んでしまった。閲覧室内にいた無言の人々が一斉にこちらに顔を向ける。志摩は立ち上がって、

「ごめんなさい。申し訳ありませんでした」

というふうに声には出さずに口を動かし、静寂を乱したことをわびた上で腰を下ろした。興奮を静めるために深呼吸をして、もう一度注意深く文面に目を走らせた。

（一九六〇年一二月一〇日／六〇年度第八三号電報）

在プラハ・ソビエト社会主義共和国連邦大使館付属

八年制普通学校校長

チャゾフ・V・I殿

すでに、本年度第七九号電報（一一月五日付）にて、厳重に申し入れたように、舞踊教師および学童の自主的芸能活動の指導者として貴校に雇用されているフェート・O・Mおよびフランス語教師セルゲーエワ・E・Mをただちに解雇されたし。九月一日付にて、両人との非常勤契約を更新された模様だが、契約を破棄するよう、重ねて通告する。フェート・O・Mおよびセルゲーエワ・E・Mについては、極めて思わしくない情報が当方に報告されており、しかるべき機関により現在調査が進められている。

警告する。人事に関する当方の指令を、このように乱暴な形で無視することが続くな

らば、非常手段に訴えざるを得なくなるので、熟慮されるよう。

レベデフ・K・Y（ソビエト社会主義共和国連邦外務省人事局教育部部長）

O・Mはオリガ・モリソヴナ、E・Mはエレオノーラ・ミハイロヴナ以外に考えられない。一一月五日というと、あの十月社会主義革命記念日を祝う学芸会の日の翌日。大佐転倒事件の次の日である。一一月五日付けという第七九号の電報のコピーは、ファイルを最初から最後まで一枚一枚めくってみたが、見あたらなかった。他の五冊のファイルも目を皿にしてめくったが、結局見つからない。

しかし、第八三号電報の文面から察するに、ソビエト外務省当局は、すでに一一月五日の段階で、オリガ・モリソヴナとエレオノーラ・ミハイロヴナの解雇を要求していたことになる。なのに、学校当局の方は、それを履行しなかった。

志摩もたしかに、覚えている。一一月四日に前倒しで一一月七日の革命記念日を祝う学芸会をやったあと、学校は一週間の秋休みに入った。そして、一一月一一日から始まった二学期、エレオノーラ・ミハイロヴナがスカートの裾をヒタヒタさせながら、校内の大理石の廊下をすべるように優雅に移動する様を何度も見かけた。

秋休みあけの一週間目は、志摩はカーチャと二人一組で校内観葉植物の当番だったから、昼休み時間に、三階と四階の間の階段の踊り場に置かれたゴムの木の葉っぱを一枚一枚、布巾で拭いていた。最初はカーチャとぺちゃくちゃおしゃべりしながらやっていたのだが、そのうちふたりとも作業そのものに夢中になっていた。ふと背後に人の気配がした。振り向くと、エレオノーラ・ミハイロヴナが美しい灰色の瞳を凝らして志摩のことを見つめている。目が合うと、志摩の手を取り、小首を可愛らしく傾げ、声を弾ませながらまた例の質問をした。

「まあ、お嬢さんは、中国の方でしょう？」

「いいえ、日本人です」

「ああ、日本人……日本人ですか」

力無く応じるエレオノーラ・ミハイロヴナの瞳はみるみる輝きを失っていった。表情は虚《うつ》ろになり、

「それは、ごめんなさいね」

とつぶやいて階段を降りていく後ろ姿が痛々しかった。

「可哀想に。はい、中国人ですと答えてあげればいいのに」

カーチャも気を揉《も》んでいる。志摩だって、いつも後悔する。次にたずねられたら、必ず「はい、中国人です」と答えるつもりでいるのだ。名前まで考えておいた。「チー・モ」。志摩の中国語読み。でも、エレオノーラ・ミハイロヴナの灰色の瞳は、あまりにもひたむきで必死で、決して嘘なんかつけない気になってしまうのだ。

「シーマチカが入ってくる前の年までは、この学校にもいっぱい中国人がいたのよ。でも、一斉に退学して国へ帰って行っちゃった。なんでもフルシチョフと毛沢東は、そりがあわな

いんですって」

情報魔のスヴェータが、そんなことを言っていた。本物の中国人がいたら、エレオノーラ・ミハイロヴナもあれほど落胆することはなかったかもしれないのに。気落ちしたエレオノーラ・ミハイロヴナの顔が、まざまざと甦り、志摩の心をチクチクと刺す。

そうだ。たしかにエレオノーラ・ミハイロヴナは、あの時点で解雇されずにいたのだ。オリガ・モリソヴナだってそうだ。

二学期に入ると、学校全体が何となく浮き足立ってくる。一二月二七日の樅《もみ》の木《き》祭りに向けた準備に取り組み始めるからだ。

ソビエト学校では、一切の宗教的祭日は祝わなかったから、チェコスロバキアの国民がクリスマスを祝う一二月二四、二五両日も平日扱いであった。もちろん、旧露暦のクリスマス（一月六、七日）も祝わない。そのかわり、年の終わりと新年の訪れを祝う樅の木祭りというのを大々的に行う。樅の木の飾り付けは、クリスマス・ツリーとうりふたつであったし、サンタクロースそっくりの格好をした「厳寒《マロース》じいさん」が大黒様みたいな大袋を背負ってトナカイのひく橇《そり》に乗ってやってきて、子供たちにプレゼントを配るという風習もクリスマスのコピーのようであった。違いといえば、「厳寒じいさん」には「雪娘」が付きそっていることぐらい。

もっとも、キリスト教発祥の地は、南方であるから、クリスマスはきっとキリスト教が北上する過程で、ヨーロッパ北部に棲息していた諸民族の習俗を吸収した結果、今の様式になっていったのだろう。「厳寒じいさん」の方がサンタクロースの元祖なのかもしれない。

そして、日本人にとってお正月が一年のうちで最大のお祭りであるように、またキリスト教圏の人々にとってクリスマスが最高のお祭りであるように、ソビエトの人々にとっては、樅の木祭りはもっとも盛大に祝うべき行事だったみたいだ。少なくとも、志摩の通っていたソビエト大使館付属八年制普通学校では、一番準備期間が長い催し物だった。

新年を前にした樅の木祭り以外にも、三月八日の国際婦人デー、四月二二日のレーニン誕生日、五月一日のメーデー、五月九日の対独戦勝記念日、一〇月七日のソ連憲法記念日、一一月七日の十月社会主義革命記念日と合計七つの祭日を前に、必ず学芸会があった。その祭りの中の祭り、一年間のお祭りの総決算が、樅の木祭りだったのではないか。

どの学芸会に向けても、歌と踊りと詩の朗読と芝居の発表会など、様々な出し物を準備するのだが、オリガ・モリソヴナ振付け指導による踊りは、芸術点も完成度も、人気も、だからこそ拍手喝采もアンコールの数も、他の出し物を遠く引き離して寄せつけない。泥に雲ほどの差をつけていた。

オリガ・モリソヴナだって秋休みがあけたころから樅の木祭りにかけての頃が、一年中でもっとも張り切って燃えていた。志摩にとっても、入学以来はじめての秋のことだから、あの姿は強烈に焼き付いている。まちがいない。オリガ・モリソヴナは、あの時期、毎日のように学校にやって来ていた。いや、やって来ていたなんてものじゃない。あの時期は、学校全体が、完全にオリガ・モリソヴナの支配下にあったと言っていい。

秋休み明けの最初のダンスのレッスンは、空気がピリピリと張りつめていた。おそらく、秋休みのあいだに先生は、ダンスの出し物の基本的なデザインを考え抜いていたのだろう。生徒ひとりひとりに、ピアノの伴奏にあわせて色々な動きをさせる。それを追う先生の眼光は肉食獣のように鋭い。次に男女の二人組、女の子だけの三人組、男の子だけの四人組と先生の構想に沿って大小さまざまな組み合わせを作り、踊りを割り振っていく。

「ジョルジックとスヴェータには、マズルカを踊ってもらおう。ジョルジック、あなたの国のダンスだからね」

「シーマとカーチャとアーニャには、フェルガナ舞踊。三人とも身体が柔らかいからピッタリだ」

「そこの男の子四人組はダゲスタンのレスギンカとしよう。ビシバシしごくから覚悟するんだね」

「クラス全員で踊る群舞は、ハンガリーのチャルダシュに決まり」

学校は八年制で、小学部一年から四年までと中学部五年から八年まで。一クラスの生徒数は平均二〇名。一学年一クラスだが、一クラスの生徒数が三〇名をオーバーすると、クラスを二等分する。志摩の通っていた頃は、二学年下の二年生が二クラスで、あとの学年はすべて一クラスだった。

全八学年各クラスの群舞、ソロやグループ・ダンス、いずれも次々とオリガ・モリソヴナが振付け、稽古、編曲、伴奏をこなす。

しかも先生のレパートリーはあらゆるジャンルを網羅し、無限であった。舞踊と名のつくものなら、一切差別をしない、というのが先生の原則。クラシック・バレエもモダン・バレエも、カドリールやイングランド・ワルツからタンゴやジルバにいたるあれこれの社交ダンスも、一〇〇を超えるソビエト内各民族の踊りはもちろんのこと、バルカン半島の輪舞やチェコのポルカなど東欧各国の民族舞踊、アジアの三大舞踊と言われるインド、インドネシア、タイの踊り、スペイン、中南米、中国各地の踊り。しかも、一体どこで楽譜を手に入れるのか、どの国の舞踊音楽も弾きこなしてしまうのだから驚きである。その秘訣を一度だけ垣間見たことがある。

「シーマチカ、日本の民族音楽を知りたいんだけど。あなた、歌ってみてくれない」

あるとき、オリガ・モリソヴナに乞われたものの、音感に自信のない志摩は家にあった日本のレコードを持って行った。先生は、志摩の手渡したレコードをすぐさま目の前で蓄音機にかけ、たった一回廻しただけで、生まれて初めて耳にしたはずの「さくら」や「こんぴらふねふね」をその場でピアノで弾いてみせた。二度目に弾いたときにはすでに、舞踊向きにアレンジした曲になっていた。

三週間目のダンスの時間だったか、オリガ・モリソヴナの言葉遣いが妙に丁寧だなあと思ったら、カーチャがさかんに目配せしている。その視線の先の壁際に大人の女の人たちが数人立って見学している。無敵のイリーナもストロング・イリーナもいる。生物のマリヤも物理のナタリヤも、図書館司書のアレキサンドラも、校医のアポリーナも。それに三、四人の見知らぬ女の人たちまで。カーチャが耳元でささやく。

「ひょっとして査察かも」

「えっ!?」

「ほら、一部の先生や親たちのあいだでオリガ・モリソヴナの言動が問題視されてるでしょ」

するとオリガ・モリソヴナはクビになってしまうのかな。今の言動を改めるなんてとうてい考えられないし、おとなしくなったオリガ・モリソヴナなんてつまらないし……志摩は心ここにあらずになってステップを何度も間違えたのに、オリガ・モリソヴナが罵詈雑言《ばりぞうごん》を浴びせるどころか、

「まあ、シーマチカ、恋煩《こいわずら》いにでもかかったの?」

普段より一オクターブほど高い声で注意するものだから、余計心配になった。

ところが、授業が終わると、オリガ・モリソヴナは壁際の女の人たちを呼び寄せ、カードを配った。

「頭のリボンとスカートはサテンの無地の同じきれで作って下さい。上着は、なるべく派手な花模様にしてスカートの色が一部使われているものを選ぶように。ああ、それから皆お揃いの赤いブーツを履きますから、それも色合わせの際、念頭に置いておいて下さい」

カードには一枚ずつ、踊りと踊り手に合わせた衣裳の絵が、色鉛筆で描いてある。先生から手書きのカードを手渡されて、事細かな指示を受けているのは、裁縫の心得のある女教師

や、生徒のお母さんたちだったのだ。お針子志願の女たちは、神妙にしていたが、ちっとも面倒くさそうではなく、むしろ何だかとても嬉々としていて、はしゃぐ気持ちを必死に押し隠しているふうである。

「オリガ・モリソヴナは天才だ」

教師も生徒も生徒の親たちも、もちろん志摩も、あの時、そういう目で仰ぎ見ていた。学芸会が近付くほどに稽古にも熱が入り、先生の罵詈雑言も一段と調子が高まっていった。

「そこの麗しき堕天使、まだ地球の重力にお慣れでないね！」

なんて品良くバカ丁寧な言い方が始まったら、要注意。すぐに、

「頭ん中糞でも詰まってんのか！　お前の足が重いってんだよ！　蝶の舞なんだ、これは！まさかカバの日向《ひなた》ぼっこのつもりじゃないだろうね!?」

という展開になる。あるいは、

「あれま、ガラス製にでもなっちまった気でいるのかい!?」

というような謎かけをされて、戸惑ったりしても、

「あんたみたいなご立派なうどの大木には、透明人間になって欲しいのは、ヤマヤマだけどね。生憎《あいにく》と、そこまで神様も気を回して下さらない」

とまで言われたら、

「ああ、ここの所で右にどかないと、後ろの相方の見せ場が観客から見えなくなってしまうのだな」

と察しをつけなくてはいけない。

「ふん、そういうのを、去勢豚はメス豚の上にまたがってから考えるっていうんだ！」

と哀れむように言われるのは、たいてい自分の平衡感覚を見誤って、張り切って回転しすぎて目を回してひっくり返ってしまったときだ。

「いつになったら分かるんだい！　自分のチンボコより高くは飛べないものなんだよ！」

と言うときは、無理な動きをして不格好になったり顔が引きつったりしているときだ。

発表当日に向けて完璧な舞台を目指す、先生の激しい情熱は、正規の授業枠などふっ飛ばしてしまい、稽古は放課後や日曜日の課外授業にもつれ込む。

そうだ。ハリネズミのジョルジックに対して、オリガ・モリソヴナが七面鳥のスープの戒めを説いたのも、樅の木祭りの直前だった。オリガ・モリソヴナは、まちがいなくあの時期、学校に来ていて、わが物顔に振る舞っていた。

志摩は先ほどの受付の女性のところへファイルをかかえて持っていき、六〇年一二月一〇日付けの第八三号電報の写しを見せながら訴えた。

「ここに記されている、第七九号電報のコピーが見あたらないのですけれど」

「あら、そんなことはよくあるんですよ。ほら、第八六号電報だって抜けているでしょう」

「もともとファイルを作成する段階で抜けていたんですか。それとも、誰かが抜き取ったのか」

「それは、この閲覧用ファイルとオリジナル・ファイルとを照合してみなくては分かりませんね」

「それをお願いするには、申請書を出す必要がありますか」

「いいえ、わたしが調べてあげましょう。ただ、今日はもう無理です。あと三分ほどで閉館ですし」

時計を見ると、たしかにもうすぐ五時。午後一番に入館してから、もう四時間も経っているとは。それにしても、なんて親切な館員なんだろう。商店はもとより、郵便局でも、切符売り場でも、木で鼻をくくったような対応が当たり前のモスクワでは、地獄で仏にあったような気がする。

「ありがとうございます。いつまでに分かるかしら」

「明日の午後には確実に判明すると思います」

「とても助かります。では、明日午後、必ずまいりますから」

借り出した六冊のファイルを戻し、志摩は閲覧室を出た。

休憩室や喫煙室を横切り、長い暗い廊下を突き進み、右に曲がり、階段を上り、また長い暗い廊下を通り抜け左折すると、大ホールに出て、次に階段を降りてようやく、玄関ホールに行き着く。迷路みたいなのに、矢印や表示が一切ないという面倒見の悪さは、いかにもロシアだ。玄関ホールの手前には、制服姿の警官が二人いて、出入りをチェックしている。パスポートを見せて、無罪放免となった。クロークで番号札を渡してコートと帽子を返してもらい、しっかりと着込んだ上で、重い扉を一つ押し、さらにもっと重い扉をもう一つ押して外へ出た。

街はすでに暗く、一一月中旬の冷気が肌を刺す。資料館の門を出て左へ行くと、アルバート通りに出る。一月ほど前に開店したばかりというマクドナルドの前は、昼間通りかかった時を上回る行列がうねっていた。昼食を抜いたので、かなり空腹がこたえたが、夕食はホテルのルームサービスを利用することに決め、少し通りをぶらつくことにした。マクドナルド右手の路地を通り抜けると地下鉄スモレンスカヤ駅があるが、アルバート通りをアルバーツカヤ駅の方角へ向かう。

「マダム、今は無きソ連共産党の党員証だよ！　正真正銘の本物だ。歴史的価値ってもんだ。二〇〇ドルでどうだい。ちょっ、ちょっと待ちなってば！　一〇〇ドルに負けとくよ」

露店の台には、朱色の三角巾が無造作に並べられている。

「あっ、それなら一枚五ドルでいいよ」

こちらの目の動きを捉えた威勢のいい声に気圧《けお》されて買ってしまう。そうだ、この感触だ。本物の絹の肌触り。あの学校でも一〇歳になると、ほぼ全員がこの三角巾を首に巻いた。ピオニール少年団員の印。志摩も転入した年の九月に一〇歳の誕生日を迎え、革命記念日を祝う式典で同級生のカーチャやスヴェータやジョルジックとともに入団式にのぞんだ。それが一一月四日だった。

ピオニールは十月革命の父レーニンの発案で創設されたという少年団。チェコスロバキアにも同じような少年団があったけれど、赤い三角巾は木綿でできていた。ルーマニア人のトーニャのは人絹製。たかが少年団の三角巾に本物の絹を使っているのはソ連だけだった。お洒落な女教師たちが、志摩の日本製のシルクのネッカチーフをさかんに羨ましがっていたのを思い出す。女性用のネッカチーフには決して絹を使わなかったのに、少年団の三角巾には惜しげもなく絹を費やしたソ連という国は、やはりかなりユニークな国であった。志摩は今さらながら、そんなことに気づいて感心する。

子供たちにとっては、絹と人絹と木綿の、金銭的価値の差はどうでもよかったが、絹は軽やかで肌触りが心地よいのは分かる。それで誰もがソ連製の三角巾を入手したがった。ちょうど入団式の直前にスヴェータのおばあさんがモスクワからプラハにやって来るというので、入団する子供たち全員に九枚の三角巾をまとめ買いして持ってきてくれた。

だから、一一月四日の入団式には志摩もソ連製の三角巾を上級生に結んでもらったのだ。その後、あの太っちょの駐在武官ミハイロフスキー大佐の退屈なお説教があって、式が終わったのが一〇時。それから五階の軽食堂で朝食をとり、正午から始まる学芸会のために着替えをする必要があった。

志摩たちはキューバン・ルンバを踊ることになっていた。晩秋のお祭りに常夏の島の衣裳は場違いな感じだったが、あの日の出し物にはキューバものが異常に多かった。第六学年の「歌姫」ナターシャは放課後講堂で、「キューバわが愛／真っ赤な朝日ののぼる島♫」を毎日のように練習していたし、第七学年はキューバ革命を劇に仕立てて演ずることになっていた。いま思えば、前年の一九五九年一月一日に革命を成功させた、キューバがソ連に急接近している頃だったのだ。

一階の更衣室で、オリガ・モリソヴナがデザインした胸元が大きく開いたキューバ風衣裳を身につけていると、顔をマーマレード色に染めたスヴェータが息せき切って更衣室に飛び込んできて、

「あのデブがオリガ・モリソヴナにビックリして、階段踏み外してひっくり返っちゃったわよ」

とミハイロフスキー大佐転倒を告げたのだった。もちろん、着替えなんかどうでもよくなってしまって、スヴェータを質問攻めにした。

「それで、それで」

得意になったしるしにスヴェータは真っ青な瞳をキラキラさせ一部始終を話して聞かせると、思い出したように、

「そうだわ、他のクラスにも知らせてあげなくっちゃ」

と慌ただしく更衣室を飛び出していった。入れ替わりに担任のイリーナ・セルゲーエヴナが、ドアの向こう側から心配そうな顔をのぞかせた。

「どうしたの、あなたたち、直前にダメ出しのリハーサルをするはずだったでしょ。オリガ・モリソヴナがカンカンよ！」

大急ぎで着替えをすませ二階のリハーサルルームまで走っていった。扉に手をかける前に六人の少女はお互いの顔を見合った。これからオリガ・モリソヴナが雨あられと浴びせてく

るだろう罵詈雑言。その心の準備をしなくてはならなかったからだ。それからゆっくりと扉を開けた。

扉の隙間《すきま》からオールド・ファッション・コンビの姿が見えた。ピアノの前に腰掛けてキューバン・ルンバを弾くオリガ・モリソヴナと、その耳元に何かささやくようにして腰をかがめるエレオノーラ・ミハイロヴナ。オリガ・モリソヴナが突然、鍵盤の上の指の動きを止めて、声を荒らげた。

「アルジェリアよ、間違いない。あの男はアルジェリアにいた」

そうだ。たしかにオリガ・モリソヴナはそんなことを言った。アルジェリアなんて、あまりにも突飛で、志摩は自分のロシア語の聞き取りが間違ったのかと思ったほどだ。でも、

「それで、あの二人はフランス語が得意なのね」

とカーチャがつぶやいたのだから、たしかにオリガ・モリソヴナはそう叫んだのだ。アルジェリアはフランスの植民地だったから、カーチャはフランス語を連想したのだろう。

今にして思えば、二人の様子はちょっといつもと違っていた。二人は何か小声でささやきあっていたのだが、オリガ・モリソヴナがおもむろにスカートの裾をめくり、小さな小さな何かを取り出した。ほぼ同時にエレオノーラ・ミハイロヴナも高く結い上げた髪の中をまさぐってやはり同じようなものを取り出したように見えた。かと思うと、二人とも瞬く間にそれを元の場所に隠した。ほんの一瞬の出来事。そこには、部屋に入っていいものか、女生徒たちをひるませるような空気があった。志摩たちの気配を察したのか、エレオノーラ・ミハ

イロヴナがオリガ・モリソヴナの傍らからサッと身を翻して、滑るように部屋から出ていくなんてことも初めて。いつもゆったりと優雅なエレオノーラ・ミハイロヴナらしくない。もっとも、志摩たちが考え込む暇もなく、八分の三、八分の三、八分の二というキューバン・ルンバの情熱的なリズムに乗せて、濁声が鳴り響いた。

「アレまっ、幸福の天使が半ダースも舞い降りて来られたよ！　ようやく天上の眠りからお目覚めのご様子だ」

オリガ・モリソヴナの反語法はいつも通りの名調子で、志摩たちは妙に安心したのを覚えている。

「あの二人が取り出した小さな小さなもの、何だろう」

リハーサルが終わって講堂の舞台裏に移動してから本番前のひととき、一緒にいた女の子たちに確認せずにはいられなかった。

「ああ、良かった。シーマチカも見たのね」

「あまりにも突然で、あまりにも一瞬で、もしかしたら目の錯覚かも知れないって思ったのよ」

口々に言って、それからスヴェータの方へ好奇心の眼差しを一斉に向けた。ところが、

「実は二人は何も取り出してなくて、あれは単なるおまじないだったりして」

と情報魔らしくもない答えだった。

いつの間にかアルバート通りの端まで来ていた。左手にレストラン・プラハがある。レス

トラン付属の食料品店でチェコ風オープン・サンドを売っている。めずらしく行列が短いので、並ぶことにした。ホテルのルームサービスよりこちらの方が数段美味《おい》しい。ハム＆チーズ、オイル・サージン＆ピクルス、それにカニのマヨネーズ和えがトッピングしてあるのを二個ずつ買い求めて、地下鉄に乗りホテルに戻る。ルームサービスで紅茶だけ取り寄せて包みを開いた。カニのマヨネーズ和えがのったのを頰張りながら突然またカーチャのことを思い出す。カーチャはこれが大好きだった。だからはじめて志摩の家に遊びに来る日、母に頼んで、カニのマヨネーズ和えのオープン・サンドをたくさん作っておいてもらった。

カーチャはどうして志摩の家を訪ねる気になったのか。それまで何度さそっても、なかなか首をたてにふらなかったのに、突然カーチャの方から言い出したのだ。

「今度、シーマチカのおうちに行ってもいいかなあ？」

「……決まってるじゃないの。で、いつ？　いつ来てくれる？」

志摩は意表を衝かれたのと、嬉しいのとで声がうわずったというのに、カーチャは何だかひどく真面目な表情になってボソッと言った。

「しあさって。必ず待っててね」

その前日の夜から雪が降りはじめ、当日も降り続いていた。市電のダイヤが乱れている、とラジオで伝えられていたから、来るのを取りやめるかもしれないと思ってガッカリしていたら、カーチャは約束通りやって来た。もしかして何かとても大切なことを、志摩に伝えたかったのかもしれない。でもカーチャがあの日に話したことは、自分が両親とともにプラハにやって来るまでの経緯《いきさつ》、それでオリガ・モリソヴナの話題になり、ひとしきり盛り上がった。それだけだった。

今カーチャは、どこで何をして暮らしているのだろう。知り合って四年後に志摩が帰国する際に、

「ずーっと、手紙のやり取りを続けようね」

と約束しあったのに。最後にカーチャから手紙をもらったのは、翌六五年の六月。

「大好きなシーマチカ、

両親の任期が満了したので、モスクワに帰ることになりました。シーマチカのことは、ずっとずっと忘れません。いつか会える日を、どれほど楽しみにしていることか！

さようなら。一〇〇〇回キスします。　いつまでもあなたのカーチャより」

モスクワの住所は記されておらず、あきらかに文通打ち切りの文面だった。外国人、それも資本主義国の人間と文通するのは、いろいろ差し障りがあるのだろう。そう思って、あきらめるしかなかった。

でも今なら。ソビエト体制が崩壊した今なら、会ってもいいはずだ。本が大好きなカーチャは図書館司書になりたいと言っていた。志摩もカーチャと付き合ううちに読んだ本について語り合うのが面白くてどんどん本好きになった。でも志摩のあの頃の夢は踊り子になることだった。これは、もちろんオリガ・モリソヴナの影響。結局、それは叶わず、今は少女時代に親しんだロシア語を生かして翻訳者をしている。翻訳家ではない。文芸書を訳すような

文才はないし、研究書を訳すほどの学識素養もない。それに、どちらも収入には結びつかないどころか持ち出しになる。とてもじゃないが母子家庭が食べていけたものではない。商社がロシア向けに売り込む機械の説明書や、契約書の翻訳が主な仕事だ。カーチャは希望通りの職に就けたのだろうか。八年生になった九月、三年後に控えた大学受験について話しあったことがあった。

「モスクワに図書館大学というのがあるの。そこを受けようと思うんだ」

カーチャはいつになく真剣な顔をしてそう言った。明日の午前中は、図書館大学の卒業生名簿を当たってみよう。それが、睡魔の支配下に入る直前に志摩が考えたことだった。

翌朝になって、郊外のヒムキ地区にある図書館大学まで往復するのに女ひとりで今のモスクワのタクシーに乗るのは危険すぎることに気づいた。しかし地図を頼りに地下鉄やバスを乗り継いでいくには時間的余裕がなさ過ぎる。それで、T商事のモスクワ駐在員をしている川崎さんが自分の運転手付きの車を貸してくれると前から言っているのに甘えることにした。川崎さんは東京本社に勤務していた頃、よく志摩に翻訳の依頼をしてくれたソ連課の担当者だった人だ。

ところが結局、図書館大学の事務所では、係の女性に冷たく突き放されてしまった。

「ちゃんと、あらかじめ書面の申請をしてくれなきゃ無理よ」

自分が日本から来ていて、モスクワに滞在できるのは、あと六日しかないという苦しい事情を話して聞かせても、頑として聞く耳を持たない。

「手続きは、手続き。規則は規則よ」

仕方なく、申請書の書き方を教わって、川崎さんのいるオフィスまで引き返した。そこのワープロを借りて申請書を作成し、図書館大学の係官宛てに送った。申請書が認められて、卒業生名簿閲覧の許可が出るまで、最低二週間はかかるというから、今回の滞在中は無理だ。外務省資料館の閲覧室だって、前回八月に二週間も休暇をとってきたのに、申請書を提出してから許可が下りるまでに間に合わず、こうしてまた足を運ぶことになったのだ。

「弘世さん、お昼いっしょにどうです。近くになかなかうまいスパゲッティーを食わせる店ができたんですよ」

川崎さんから声をかけられて、はたと時計を見ると、もう一二時半。お腹はたしかに空《す》いたけれど、外務省の閲覧室の方が気にかかる。何度も礼を言って、オフィスを飛び出した。

閲覧室の受付の女性は、志摩の顔を見るなり、申し訳なさそうな顔をした。

「残念ながら、六〇年一一月五日付けという、第七九号の電報は、オリジナルのファイルにも綴じられていませんでした」

スパゲッティーを食べ損なったと志摩が悔しがる間もなく、女性は言い添えた。

「でもね、ほら、第八六号の電報は、あったんですよ。その写しを、閲覧用ファイルに綴じ込んでおきましたからね」

六冊のファイルを受け取って、座席についた志摩は、何はさておき、第八六号コピーを読み始めた。電報とは思えないほど長い文章。読みながら、鼻孔と目頭が熱くなっていくのが分かった。文字がかすんで小刻みにふるえている。

（一九六一年一月二七日／六〇年度第八六号電報）
ソビエト社会主義共和国連邦外務省人事局教育部部長
レベデフ・K・Y殿
第七九号電報（一一月五日付）、さらには第八三号電報（一二月一〇日付）にて貴殿が重ねてフェート・O・Mおよびセルゲーエワ・E・Mの両名を解雇するよう要求されました件につき、お答え申し上げます。当校教職員一同、何度も協議を重ねましたが、このお二人を解雇することは忍びない、という結論に達しました。
第一に、お二人について極めて思わしくない情報が貴方に報告されているというお話ですが、信じがたいことです。しかも、その内容については当方に一切知らされていません。
第二に、お二人は一九五五年にそれぞれ舞踊とフランス語の講師として採用されて以来、質の高い専門知識と教養、教育者としての熱心な仕事ぶりによって、常に我々一同の尊敬と感嘆の的となってきました。お二人は、わが校にとって、なくてはならない存在なのです。
ご存知のように、当校は全ソ・フランス語オリンピックで毎年のように入賞者を輩出しております。それは、セルゲーエワ・E・Mの授業が、創意工夫に溢れていて、生徒の積極的な才能を引き出すのに、成功しているからです。

また、わが校の生徒の美意識や情緒をはぐくんでいくのに、フェート・O・M以上の教師が望めるでしょうか。わが校の学芸会が、どれほど芸術的レベルの高いものであるか、一度ご覧にいれたいものです。在プラハ各国大使館員のあいだでも、彼女の振付けによる舞踊は、高い評価を得ています。また、わが校の盛名がチェコスロバキア中に広まったのは、ひとえにフェート・O・Mのおかげです。地元の様々な学校と交流する際に、彼女の振付けによるダンスは、いつも拍手喝采の的です。評判を聞きつけたチェコのテレビ局から申し入れがあり、もう七回以上も、わが校の子供たちは、テレビに出演しているのです。これほど素晴らしい、わが国に関する宣伝はないのではないでしょうか。

われわれ教職員一同は、フェート・O・Mとセルゲーエワ・E・Mのお二人が、われわれの同僚であることに、限りない誇りを抱いているのです。

それでも、貴方からの厳重な命令があり、当方は、止むを得ず、昨年一二月二八日付で、お二人を解雇いたしました。ところが、冬休みがあけた一月一〇日以降二週間以上が経過した今、それが、間違っていたと思いいたりました。お二人のいない学校は、火の消えたペチカのようです。たった二週間あまり、お二人の姿が見えなくなっただけで、お二人の存在価値を、イヤというほど思い知らされたのです。

どうか、お願いです。第七九号電報、さらには第八三号電報による、フェート・O・

Mとセルゲーエワ・E・Mの解雇命令を取り下げてください。
実は、本日をもって、勝手ながら、当方は、すでにお二人に対する解雇を取り消しました。従って、事後承諾をお願いいたしたく、電文をしたためました次第です。なにとぞ、なにとぞよろしくお願いいたします。
在プラハ・ソビエト社会主義共和国連邦大使館付属八年制普通学校校長
チャゾフ・V・I
同教職員一同

以下教師たちの苗字、それに名前と父称の頭文字が連なる。先生方をいつも名前と父称で呼んでいたので、苗字はどれも馴染みがない。でも、「ザペワーロフ・K・I」とあるのは、カーチャの父親の図画の教師、カルル・イリイッチだし、「ザペワーロワ・A・M」は、カーチャの母親で二年の担任のアンナ・マクシモヴナ。「クンツェワ・I・S」は、志摩たちの担任だったイリーナ・セルゲーエヴナ。オリガ・モリソヴナが天敵だったはずの無敵のイリーナ……

先生たちは、本国召還される覚悟で、この電文をしたためたのだ。今の自分には、それが分かる、と思った瞬間、志摩はまた「アッ」と叫びそうになった。

そうか、そうだったのか。カーチャが、志摩の家に来ると言い出したのは、この電文が送られた翌日の一月二八日だったんだ。その翌々日の夜から雪が降りはじめ、三一日も降り続けた。そうだ、カーチャがたずねてきたのは、一月三一日だったんだ。カーチャは、もうすぐ帰国することになるかも知れないと考えて、志摩をたずねてきてくれたのではないだろうか。

「カーチャに会いたい」

肺腑《はいふ》の奥底からわき上がるように声が出た。

3

一九六一年一月二七日付け電報第八六号の内容を知って、初めて、その五日後の二月一日付けで外務省人事局教育部部長レベデフからチャゾフ校長宛てに発信された電報第八七号の意味が理解できた。第八六号の電文にしては異常な長さを考えると、そっけないほど短い文面だった。

「当方、貴校教職員一同の御意向に関して検討中」

もちろん、志摩たちは、当時、学校側と本国外務省との緊迫したやり取りのことなど知るはずもなく、冬休み明けの一月一〇日、一時間目の授業で、担任のイリーナ・セルゲーエヴナが発表したことを真《ま》に受けたのだった。先生は、生徒たちの学習日記に書き込まれた時間割の一部を変更するので、日記を書き改めるようにと指示した。

「リトミカの時間は、当分のあいだ、エチカ&エステチカ（倫理学&美学）になります。オリガ・モリソヴナが体調を崩されたので、あくまで回復されるまでのことですが」

男の子たちは、

「ヒャッホー！　やったぜ、万歳」

とひどい喜びようだったけれど、志摩は落胆した。いきなり学校に通う楽しみの半分以上を奪われてしまったではないか。それにオリガ・モリソヴナの容態が心配になった。いま有頂天になっている悪ガキどもが束になってかかっても歯がたたないオリガ・モリソヴナだけれど、やはり寄る年波にはかなわないのかもしれない。いつも「五〇歳」と豪語しているけれど、七〇歳をゆうに超えているはずだ。いや、八〇歳、もしかしたら九〇歳の可能性もある。

ダンスのかわりに導入された倫理学&美学の授業は、意外にもそれなりに面白かった。高学年の文学を担当するアーラ・イワノヴナがピンチ・ヒッターで、その話術は校内で屈指だったこともある。

第一回目のテーマはオシャレ。オシャレはごく狭い個人的な趣味の問題であると同時に、趣味そのものが個々の民族の歴史や伝統に左右される。個々人の衣服は、景観の一部でもあり、世界の有名な観光都市の中には、あまりにも見苦しい格好をしていると、罰金をとられる所もある。そんな話からはじまって、最後はオシャレのコツまで伝授してくれた。身につけるものは、衣服のみでなく、頭飾りから、バッグ、靴も含めて、用いる色を三色に抑えると、オシャレの初心者でも失敗が少ない。

授業が終わると、さっそくカーチャが話しかけてきた。

「ねえねえ、オリガ・モリソヴナも、そうだったのね」

カーチャも、志摩とまったくおんなじことを連想している。

「オリガ・モリソヴナが、白地に目もさめるような真っ青な水玉模様のワンピースを着てきたことがあるでしょう。あの時は、小ぶりな帽子もベールも、大ぶりなイヤリングとチョーカーも太めのベルトもハイヒールも水玉と同じ鮮やかな青だった。そして、帽子についたレモン色の羽飾りと同色のポシェットが粋なアクセントになっていたものね」

「レンガ色のスーツを着てきたときは、シースルーのブラウスと頭のターバンが若草色で、靴とアクセサリーは濃いグリーンだった。キッチリ三色の原則を守ってる！」

「奇天烈《きてれつ》オールド・ファッションも、オシャレのイロハをわきまえていたとは、大発見だね」

そこへ顔をマーマレード色に染めたスヴェータが割り込んできて奇妙なことを言った。

「どんなファションのときもオリガ・モリソヴナは例の小物を忍ばせているみたいよ」

去年、革命記念の式典の後でミハイロフスキー大佐が転倒した日にリハーサルルームでオリガ・モリソヴナとエレオノーラ・ミハイロヴナが一瞬だけ取り出した小さな小さな何かについて、スヴェータは忘れずに探究していたのだった。

「このあいだダンスの授業が終わってから忘れ物に気づいて教室に引き返したのよ。そしたら……」

「そしたら……」

「窓辺に何かキラキラ光るものを掲げてジーッと見つめて立っていたのよ。それからオリリガ・モリソヴナはそれを肉色の紙片か布切れのようなものにくるんで袖の裏側に忍ばせていた。あれはピンか針のようなものじゃないかなあ。もう一度確かめれば分かるんだけど、学校に来なくなっちゃったでしょう」

スヴェータが盛んに悔しがるのを聞きながら、志摩とカーチャは、校内の廊下を傲然と闊歩するオールド・ファッションの姿が見当たらないことを、しみじみと噛みしめたのだった。

「オリガ・モリソヴナのいない学校は、塩胡椒をかけ忘れた肉料理みたい」

「バターが溶け出しちゃったキエフ風鶏カツみたいだ」

「ねえ、この頃、相棒のエレオノーラ・ミハイロヴナの姿も見かけない気がするのだけれど?」

「五年生のフランス語専攻組によると、エレオノーラ・ミハイロヴナも病気休校みたいよ」

一月二一日のレーニン没後三七周年記念日の式典には、もともとオリガ・モリソヴナ振付けの踊りは予定されていなかったからいいものの、三月八日の国際婦人デーの学芸会は、どうするのだろう。オリガ・モリソヴナの踊りがなくては、祭りが祭りでなくなってしまう。

そんなふうに気を揉んだ記憶とともに、あの時期の学校の様子が、電報第八六号の行間から、浮かび上がってくる。

そして、たしかに文面どおり、オールド・ファッション・コンビが再び校内に姿を現したのが、二月の第一週目だった。

オリガ・モリソヴナは、身体に吸い付いて線がクッキリと浮き立つ薄紫のニットスーツに銀色のアクセサリーとベルト、それ以外は、つば広帽子もベールに付けボクロも、レースの手袋も網タイツにハイヒールも真っ黒というでたち。先生のスタイルの良さに今さらながらドキッとした。エレオノーラ・ミハイロヴナは、モス・グリーンのワンピースに真珠のイヤリングと髪飾りが映えている。二人とも、病気をしていたとはとても思えないほど前にも増してはつらつとしていた。

オリガ・モリソヴナは、すぐさま三月八日の出し物の準備に取りかかり、ダンスの授業はいつもどおりの緊張感と活気に満ち溢れたのだった。

春の訪れを喜ぶ気分をテーマにした踊りは、どれもリハーサル中から、評判が評判を呼び、国際婦人デーの学芸会の踊りの部分は、チェコのテレビ局が撮影に来たほどだった。校長の日誌にも、三月八日付けのところで、そのことは記されている。

「とくに、ウクライナの輪舞、タタール女の踊り、それにベトナム舞踊が好評だった」

志摩はカーチャとペアで、タタール女の踊りを踊ったことを思い出した。コミカルな振付けに、客席はおおいにわき、二度もアンコールに応えるはめになった。

そういえば、三月八日の学芸会に先立つ式典に、めずらしくミハイロフスキー大佐は姿を見せず、長くて退屈なスピーチがなくて、ホッとした。かわりに挨拶したソビエト大使館の公使のスピーチも、かなり紋切り型で退屈だったけれど、少なくとも武官のよりは短いのが救いだった。

「武官は、一週間前に亡くなったのよ。夜半に心臓発作が起きて、ずいぶん悶えたという話。

それでね、息を引き取る寸前まで、うわ言を言っていたらしいの」

教えてくれたのは、もちろん、情報魔のスヴェータ。

「奥さんが、母のところへ来て、話していたのを盗み聞きしちゃったのよ。アルジェリア、アルジェリアって、まるで呪文のようにつぶやき続けたらしいの。奥さんにも、何のことかサッパリ見当がつかないんですって」

「つまり、ミハイロフスキーは、アルジェリアに赴任していたことがあったかもしれないと」

「あるわけないでしょ。あそこはフランスの植民地なんだから直接の国交がないんですもの」

口を挟んだのは、カーチャだった。

「でも、出張したことはあるかもしれないわね」

「そこのところは、奥さんも、分からないらしいの。だって、武官は、あの奥さんと、再々婚か、再々々婚なんですもの」

「ちょっと待って、たしか、去年の一一月四日に……」

「ダメ出しのリハーサルの前に、たしかにオリガ・モリソヴナがエレオノーラ・ミハイロヴナに言っていた、『アルジェリアよ、間違いないわ、あの男は、アルジェリアにいたわ』って」

「あの時は、ちょっと怖い感じがした」

「ということは、あの二人は、やはりアルジェリアでミハイロフスキー大佐に会っているのよ」

「そうか。あたし、ミハイロフスキーは、単にオリガ・モリソヴナの奇天烈ファッションにビックリして転倒して、そのときの打ち所が悪かったせいで、寿命を縮めたんだとばかり思っていたけれど、何かアルジェリアで、人に知られたくない暗い過去があったのかも知れないね」

「オリガ・モリソヴナとエレオノーラ・ミハイロヴナに直《じか》に聞いてみようか？」

「何て？」

「アルジェリアにいらしたことが、あるんですかって」

でも、結局カーチャは、オリガ・モリソヴナにもエレオノーラ・ミハイロヴナにも、この質問を投げかけることができなかった。志摩にだって、スヴェータにだって、そんな勇気はない。

廊下ですれ違ったエレオノーラ・ミハイロヴナが、いつものように志摩を認めて、しずしずと近寄ってきて、愛らしく小首をかしげ、

「まあ、お嬢さんは、中国の方ですの？」

と例の質問を浴びせて来たときも、

「いいえ、アルジェリアから来ました」

という答えが喉元まで出かかっていたのに、やはり言い出せなかった。

一月四日のリハーサル室で見た、二人のただならぬ様子が、それは決して口に出してはいけないことだと教えていた。そのくらいは、一〇歳の少女たちにも、十分に察しのつくことだった。

ところが、きっかけは、思わぬところからやってきた。

四月の初めにアルジェリア人の少年が転校してきたのだ。父親は、フランスからの独立をめざすアルジェリア民族解放戦線（FLN）の幹部で、五年間も投獄されていたところ、脱獄に成功し、本国では懸賞金つきのおたずね者になっているということだった。担任のイリーナ・セルゲーエヴナは、そんなふうに新入りを紹介してくれた。少年は、一〇歳とは思えないほどちっちゃくて、やせっぽちで顔色が悪かった。何よりも胸を突かれたのは、逆三角の小さな顔には大きすぎる、今にもずり落ちそうな黒縁の眼鏡の奥に光る悲しそうな目だった。

休み時間に、生徒たちは転校生を取り囲んで、話しかけた。でも、何を語りかけても通じなくて、悲しそうな目は、さらに悲しそうになった。

「ミニャー・ザヴート・カーチャ、ア・チビャー？（わたしの名前はカーチャ、あなたは？）」

カーチャがジェスチャーを交えながら、語りかける。志摩も自分をさして、

「ミニャー・ザヴート・シーマ」

と言って、今度は少年をさして、

「ア・チビャー？」

　とたずねる。

「ミニャー・ザヴート・スヴェータ、ア・チビャー？」

「ミニャー・ザヴート・ジョルジック、ア・チビャー？」

　クラスの一人一人が自己紹介する。少年はやっと口を開いて、気弱げに微笑みながら、ゆっくり発音した。

「ミニャー・ザヴート・アレックス、ア・チビャー？」

　一斉に拍手がわき起こった。アレックスは、ようやくちょっと嬉しそうな顔になって、もう一度、繰り返した。

「ミニャー・ザヴート・アレックス、ア・チビャー？」

　アレックスが初めてダンスの授業を受ける日が、待ちどおしいような怖いような気がした。

　その日、カーチャは、リハーサル室に入り、オールド・ファッションの姿を認めるや、ためらいを振り払うように、早口で告げた。

「オリガ・モリソヴナ、今度、転校してきたアレックスは、アルジェリアから来たんですよ」

　心なしか、先生の鳶色の瞳がほんの一瞬、凍りつき、ドギツイ真っ赤な口紅をぬった口元が歪んだようだった。でも、すぐさま態勢を立て直し、いつもの自信満々な表情になって、

「あら、北アフリカのアルジェリアね」

と、今思えば、ことさら何気なく受け流すと、アレックスと直接フランス語で話し始めたのだった。

とても楽しそうな会話だった。転校してきた初日に、

「ミニャー・ザヴート・アレックス、ア・チビャー？」

と言って笑顔を見せて以来、いつも俯《うつむ》きかげんで陰気なアレックスの顔つきが、とつぜん雨雲が吹き飛ばされて太陽が顔を出したみたいに明るくなった。アレックスは、こんなに無邪気な愛らしい顔をしていたんだ。

志摩は、いつのまにか一年三カ月前の自分の姿をアレックスに重ねていた。転校したては、言葉が全く通じない世界にいきなり放り出されて、限りなく恐怖に近い孤独と不安に苛まれる。教師の説明も、生徒の受け答えも、何一つ理解できない授業に、一日四時間、来る日も来る日も出席し続けなくてはならない辛さ。誰かがおかしいことを言って、教室中が笑い転げているというのに、一人取り残される寂しさ。悪ガキに大切にしているブックカバーを汚されても、それをなじることも訴えることもできない悔しさ。自分もきっと、アレックスみたいに暗い表情をしていたにちがいない。

初めて自由に言葉が通じる相手にめぐり会って、縦横無尽に話せる幸せをアレックスは満喫していた。オリガ・モリソヴナの受け答えはポンポンとテンポ良く、意味は分からないが、アレックスの反応からして、何かとても気の利いたことを言っているみたいである。

カーチャが狙いすましたように、突っ込んだ。

「オリガ・モリソヴナも、アルジェリアにいらしたことが、あるんですか？」

また、ほんの一瞬、先生の鳶色の瞳が凍てついたような気がした。しかし、

「ああ、十月革命の前に一度だけね」

と応えた声は、妙に落ち着き払っていた。

「いま先生は五〇歳でしたね。とすると、十月革命のときは、六歳ということになりますね」

なんてことは、もちろん、オリガ・モリソヴナに面と向かって尋ねられるはずもなく、志摩が自問しただけである。これ以上、アルジェリアについてオリガ・モリソヴナを問いつめることはできない。目には見えない壁のようなものが、先生の周囲に張り巡らされていて、その壁を越えることは許されない。カーチャもスヴェータも、それは感じているようだった。

ユーリイ・ガガーリンが人類初の宇宙飛行を果たしたのは、その一週間後のことである。四月一二日当日は、なし崩し的に、全ての授業が中止になって、教職員も生徒も、学校に隣接する寄宿舎のサロンに集まり、そこにだけあるテレビの画面に見入った。ロケット打ち上げから、一時間四八分後に地球に帰還するまでを伝えるソ連中央テレビの特別番組を、チェコのテレビがそのままチェコ語訳をかぶせて流していた。

アナウンサーがうわずった声で無事帰還を伝えた瞬間、サロン内は狂喜乱舞。手あたり次第に皆抱き合い、それぞれ思い浮かぶ限りの祝福と喜びのセリフを吐いた。

「アメリカは、地団駄踏んで悔しがっているだろうなあ」

「これからは、『アメリカに追いつき、追い越せ』というスローガンは返上だね」

「フルシチョフは、一九八〇年には、発達した社会主義社会が共産主義社会に転ずると言ってるけど、ひょっとして本当かもしれないな」

「それよりも、火星人に会えるのも、もうすぐかなあ」

「これからは、物理学の世の中ですよ、皆しっかりと勉強しましょうね」

ここぞとばかり、ナタリヤ・ペトロヴナが自分の科目の宣伝をすると、

「それに数学ですからね」

ストロング・イリーナも負けてはいない。すかさず、感極まって化粧が落ちるほど号泣していた無敵のイリーナが、金切り声を張り上げた。

「いいえ、どんな学問をするにせよ、大切なのは言葉です。ロシア語です」

その時だった。

「ドブリデン　マヨレン　ガガリノ♫（こんにちは、ガガーリン少佐）」

軽やかで陽気なメロディーが聞こえてきて、思わず皆が耳をそばだて、ようやく騒ぎが一段落した。チェコの人気歌手が即興で作詞作曲した歌らしい。甘い歌声に酔ったように聞き入るサロン内の人々を見回していて、ハッとした。全学年の担任、各学科の教官、校長、教頭、校医から食堂のコックさんまで、すべての教職員が顔をそろえているのに、オリガ・モリソヴナとエレオノーラ・ミハイロヴナの姿が見あたらない。

カーチャにそのことを言うと、クスッと笑った。

「さすが、オールド・ファッション・コンビ！　あの二人は、一九世紀、ギリギリ許して一九二〇年代以前に生きている人たちだもの、当然かもね」

「でも、気になるなあ。今回のニュースに、二人がどんな反応を示すのか、知りたいと思わない？」

　志摩の好奇心は、たちまちカーチャとスヴェータに伝染して、三人はサロンを抜け出した。サロン内の人々はことごとくテレビ画面に釘付けで、誰にも気づかれなかったようだ。寄宿舎から学校までの渡り廊下を走り抜け、まずは、二階の職員室をのぞき、次にリハーサル室をのぞいた。校内はガランとして、人気《ひとけ》がまったくない。

「四階の講堂かもしれないね」

　スヴェータの勘は的中した。講堂の重く大きなドアを開けると、舞台の手前最前列真ん中辺りの席に、オリガ・モリソヴナのオリーヴ色の帽子とエレオノーラ・ミハイロヴナの銀髪が見えた。志摩たちの気配に気づくことなく、オールド・ファッション・コンビは何やら熱心に話し込んでいた。

「オリガ・モリソヴナにエレオノーラ・ミハイロヴナ！　ご存知ですか、今日は人類史上、画期的な出来事があった日なんですよ」

　二人に近付きながら、カーチャがよく通る声を響かせた。二人が振り向いたところで、言い添えた。

「ユーリイ・ガガーリン少佐が、宇宙を飛んだんですよ。バイコヌール基地を飛び立って、地球を一周して、無事……」

言い終わらないうちに、二人が恐ろしい形相で立ち上がった。オリガ・モリソヴナは、帽子と共布のブラウスに蛇皮模様のスーツ姿、エレオノーラ・ミハイロヴナは襟と袖口に焦げ茶色のレースをあしらった杏色のワンピース姿だった。講堂の薄暗闇の中で杏色は美しく輝いていた。

「何ですって、バイコヌールですって。バイコヌール……」

弱々しい悲鳴とともにバタッという音がして、杏色のワンピースが突然視界から消えた。

「エレオノーラ！」

濁声を震《ふる》わせながらオリガ・モリソヴナがひざまずく。

エレオノーラ・ミハイロヴナは床に倒れていた。目を閉じ、卵形の小さな顔にも唇にも血の気が無かった。杏色のワンピースの裾がめくれてレースのペチコートと焦げ茶の編み上げブーツが見えた。

校医を呼びに行こうとするカーチャに向かって、オリガ・モリソヴナがささやいた。

「去勢豚がメス豚に股がるようなこと、しないどくれ！」

押し殺したような小声だったが、有無を言わせない迫力がある。無駄なことはするな、という意味は即座に了解した。オリガ・モリソヴナのあんな必死な表情を見たのは、初めてだ。

三人の少女が気圧《けお》されて立ちすくむのに気づいて、表情をやわらげ、とって付けたように言い添えた。

「エレオノーラ・ミハイロヴナは、お嬢様育ちだから、しじゅう発作をおこすんだ。あたしゃ、もう慣れっこなのさ」

ゴーゴリやツルゲネフの小説に登場する、一九世紀ロシアの貴婦人や令嬢はよく気絶する。エレオノーラ・ミハイロヴナは、本当に由緒ある家柄の生まれなのかもしれない。第一、古式ゆかしいと評判のフランス語が怪しい。

アルジェリア出身のアレックスも、セネガル人のアブドゥも、カナダ人のシモーヌも、とにかくプラハ・ソビエト学校にフランス語圏からやって来た生徒たちは、初めてエレオノーラ・ミハイロヴナのフランス語を耳にしたときに、必ずオヤッという風に首を傾げ、それからクスッと笑う。その代わり、フランス本国で国語教師をしていたジャン・ピエールの母親は何度も感心感嘆していた。

「かなり古風で上品な、今では希《まれ》にしか聞くことのできなくなった美しいフランス語だ」

昔のロシア貴族の屋敷には、フランス人やドイツ人の家庭教師が住み込みで雇われ、お坊っちゃま、お嬢ちゃまにネイティヴなフランス語やドイツ語をたたき込んだと言われている。エレオノーラ・ミハイロヴナのフランス語は、住み込みの家庭教師に教わったのではないだろうか。貴族の令嬢だとすると、一九一七年の十月社会主義革命を、どうやり過ごしたのだろうか。革命は貴族制を廃し、貴族の資産を没収したはずである。

エレオノーラ・ミハイロヴナは一五分ほどすると、何事もなかったように立ち直り、オリガ・モリソヴナに寄り添いながら優雅にその場を立ち去った。

この出来事については、他言しない方がいい。志摩もカーチャもスヴェータも、そのことを一瞬にして察した。オールド・ファッション・コンビの「アルジェリア」と「バイコヌール」という言葉に対するただならぬ反応については、不用意に話題にしてはならない。怖いもの知らずの二人のあの恐ろしい形相は、何か途轍もなく巨大な危険を物語っていた。

もっとも、アルジェリアの少年アレックスが通学するようになってから、オリガ・モリソヴナもエレオノーラ・ミハイロヴナも「アルジェリア」という言葉に対しては、反応しなくなっていった。一方で「バイコヌール」という言葉については、志摩たちも、ふたたび二人の反応を確かめたりする気にはとてもなれなかった。

「もう、閉館時間が過ぎましたよ」

閲覧室の受付の女性だった。周囲を見回すと、部屋の中の閲覧者は、志摩一人になっている。

「ごめんなさい。つい夢中になってしまって」

「いいえ、気にしなくていいのよ。それよりも、資料がお役に立っているようで、嬉しいわ」

「ありがとうございます」

と月並みな感謝の言葉しか出てこないのが、きまり悪いほどだ。何ていい人なんだろう。志摩は川崎さんのオフィスのロシア人秘書のナージャが言っていたことを思い出した。ナージャは、資料館への入館申請書の作成を手伝ってくれて、コンピュータ入力とプリントアウトまでしてくれた。そのときに、こう言ったのだ。

「今のロシアじゃ、猫も杓子も市場経済になびいてしまって、金、金、金に狂っているから、本当のロシアのインテリゲンチャはいなくなってしまったなんて嘆く人が多いけれど、真実と自分の良心に忠実なホンモノのロシアの知識人に会いたいのなら、アーカイブへ行けって、言われているのよ」

「アーカイブって、古文書館や資料館のこと？」

「そう、スズメの涙のお給金で、ああいうところに勤め続けるなんて、真のインテリゲンチャにしかできないことよ」

金満日本の商社に勤める自分のことを自嘲するような響きがナージャの言葉にはこもっている。

目の前にいる、こざっぱりした質素な身なりの女性は、ナージャの言うホンモノのロシアのインテリゲンチャなのかもしれない。自分と同じぐらいの年格好ではないだろうか。ショートカットの髪の毛は小麦色、瞳は灰色。目があった瞬間、女性はニッコリと微笑んだ。志摩も反射的に微笑む。

「ニーナっていいます。つかぬことをうかがっていいかしら」

「わたしは、シマ。どうぞ、何なりと」

「シマというお名前だってことは、申請書で知ってます」

トントンと扉をたたく音がして、守衛が顔をのぞかせた。

「もう、五時を二分も回ってますよ」

「すみません、今出ます」

ニーナは、男にそう答えると、志摩に向かって言った。

「ここは、引き上げなくてはね。ちょっと待って下さい」

ニーナは、志摩が返却したファイルを棚に戻し、閲覧室の電気を消して、扉にカギをかけた。

「ニーナ、マクドナルドで夕食、ご一緒しませんか。わたし、おごります」

出口へ向かって、暗い廊下を突き進みながら、志摩は申し出た。ニーナのお給金では、マクドナルドのハンバーガーは高すぎるだろうと、思ったのだ。

「ありがとう、今日は遠慮するわ」

しまった、気を悪くしただろうか。志摩の心配を打ち消すように、ニーナが付け加えた。

「息子を保育園に迎えに行かなくてはならないの。ごめんなさい、地下鉄のスモレンスカヤ駅まで一緒に歩きません？」

「いいですよ」

「歩きながら話しましょう」

資料館出口のところで、ニーナは警官にカギを預け、志摩はパスポートを見せてから、クロークへ向かった。コートを着込んで表へ出る。

「あら、雪。今日はどうりで暖かかった」

そう言ったニーナは、かなり早足で歩いていく。

「ごめんなさいね、せわしなくて。遅くなると、保母さんのご機嫌がななめになってしまうの」

志摩もニーナの歩調にあわせて、走るようにスモレンスカヤ駅の方へ進んでいく。でも、ニーナは、肝心なことをなかなかしゃべり出さない。駅には、あと三分もすれば、着いてしまう。こちらから切り出した。

「それで、どんなご質問なんですか」

ニーナは、歩く速度を緩めることなく志摩の顔をのぞき込みながら、申し訳なさそうに言った。

「ごめんなさい。ああは言ったものの、こんなぶしつけなこと、うかがっていいのかしらって、迷っていたの。もし、おいやだったら、答えなくていいんですよ」

そんなこと言われたら、余計好奇心がわいてくる。

「ですから、何をお知りになりたいんですか」

「在プラハ・ソビエト学校の資料を閲覧されているけれど、もしかして、あの学校に通ってらしたんではないですか」

「ええ、一九六〇年初頭から六四年暮れまでの五年間」

「エカテリーナ・ザペワーロワって人がいませんでしたか？」

「カーチャを、カーチャを知っているんですか!?」

声にならなくて、パクパクロを動かしている感じになった。立ち止まって冷たい空気を目一杯吸い込む。

「カーチャ・ザペワーロワを知っているんですか!?」

ようやく声になった。それでもかすれている。

「図書館大学で同級だったんです。プラハのソビエト学校時代のこと、何度か聞かされたことがあるんですよ。仲良くしていた日本人の女の子のこともね。あなたの申請書を拝見したとき、シマという名前を見て、カーチャの親友だった日本人の女の子の名前は、シマだったかもという気がしてきたんです。どうしたんですか。大丈夫ですか」

目眩《めまい》がした。ニーナが支えてくれなければ、志摩はその場に倒れてしまったことだろう。

「ありがとうございます。大丈夫です。それで、カーチャは、カーチャは今どこにいるんですか」

「………………」

ちょうど、地下鉄駅の入り口のところだった。ニーナは定期券を持っているが、志摩はコインなので改札場所が違う。ちょっと離れているあいだに人混みに紛れてお互いはぐれてしまうのではないか。それが心配でニーナに視線を張り付けたまま、改札を通過し、下りエスカレータのところで落ち合った。エスカレータは日本の地下鉄やデパートのものに較べてスピードも角度も二倍、音は三倍はあるのではないだろうか。エスカレータには、みな右側に寄って乗る。左側を、急ぐ人たちが猛スピードで走り降りていく。

志摩はニーナの耳元に思いきり声を張り上げて言った。

「カーチャはわたしの親友です。カーチャに会いたいんです」

「ごめんなさい。今は、今現在どこにいるのかは、分からないの」

と言いかけて、志摩の顔から落胆の表情を読み取ったらしく、ニーナはあわてて付け加えた。

「でもね、卒業して、学生結婚した夫とともにシベリアのウスチイリムスクという都市の市立図書館に赴任して行ったことだけは、確かなの。その後、離婚してウラル地方の何とかいう都市に引っ越ししたという話は、風の便りに聞いたのだけれど……シマ、気を落としちゃダメよ。しあさっての月曜日にお会いする時までに、ウスチイリムスクの市立図書館に電話しておきます。次の赴任先を知っているかもしれないでしょ。それに、カーチャと親しかった同級生仲間二、三人に当たっておくから。ね、必ず見つけ出せると思うの」

ニーナはプラットホームを歩きながら言って、やって来た電車に乗った。扉が閉まる直前に、志摩に向かって叫んだ。

「それじゃ、月曜日に資料館で待ってますからね！」

志摩の乗るべき電車は、同じプラットホームの反対側を走っている。その電車に乗ったはずだ。あるいは、乗らなかったのか。いや、きっと乗ったのだろう。どんな風にホテルの部屋までたどり着いたのか、志摩の記憶は、そこのところが完全に抜け落ちている。

「カーチャに会える。カーチャに会える」

呪文のように唱えながら、空中を浮遊するように移動してきた。夢遊病患者の感覚って、こんな風なのだろうか。

正気に戻ったのは、ホテルの部屋に戻って、シャワーを浴びている最中だった。同時にすさまじい空腹を覚える。そうだ、今日は、川崎さんがせっかく誘ってくれたなかなか美味しいというスパゲッティーを逃してしまったのだ。ルームサービスを頼もうとしたが、混んでいて一時間はかかると言われた。ということは、二時間は見なくてはならない。とても辛抱できそうになかったので、急いで、地下のバーに降りていく。レストランの方は、金曜の夜とあって、すでに混みはじめていた。バーが混むのは、もっと遅い時間帯だ。今なら簡単なおつまみなどをみつくろってもらえるだろう。

案の定、客は志摩ひとりだった。

「ずいぶんお腹すかせていたみたいね」

七個ものオープン・サンドを一気に平らげた志摩を見て、気の良さそうな中年のバーテンがつぶやいた。

「最初から最後まで、食べる速度ぜんぜん落ちなかったよ」

「ハハハハ、測ってたの?」

「うん、秒速オープン・サンド三分の一、女性の部一位!」

「ご褒美にタダにしてよ」

「ダメ」

「ケチ」

「そんなことしてたら商売あがったりだもんな。一位に並ぶ人たちが多すぎるんだよ。ほら、あの子たちもそうだ」

バーの円形舞台で、九時から始まるショーの踊り子さんたちが、リハーサルをしていた。チャールストン、ジターバグ、ロックンロール、ツイストなど二〇世紀に流行《はや》った大衆舞踊をリレーしてたどっていく構成になっている。それにしても、うまい。本当にうまい。

感心しながら志摩は、ようやく冷静に素直に他人の踊りを楽しめるようになっている自分に気づいてハッとした。プロのダンサーになるのを諦めた直後は、他人の踊りを見ると悔しさと妬《ねた》ましさで発狂しそうになった。そんな自分がおぞましくて、そういう場面を極力排除するようになった。それまでめぼしい舞踊団の公演があるとなけなしの金を工面してチケットを入手していたのもふっつりやめたし、テレビで舞踊のシーンがあると、スイッチを切った。さすがにあれからもう一〇年経つ今はそこまでしない。それでも他人の踊る姿を見ると苦いものがこみ上げてきて、いきおい意地悪で辛辣《しんらつ》な目で踊り手の一挙手一投足を見つめながらアラ探しするようになった。そんな自分が、いま素直に感嘆しているのは、年齢のせいなのか。いや、踊り手の技量がそれだけ素晴らしいのだろう。

「やるじゃない。ただものじゃないと思う、あの踊り子さんたち。本当は、こんなところで踊るランクじゃあないでしょ」

「ごあいさつだねえ。だけど、図星。真ん中にいるのが、エストラーダ（軽音楽&軽演劇）

劇場のプリマだよ。国の財布がパンクして、一級のアーチストたちが、喰うため生きるために必死にアルバイト始めたのよ。ここで、一晩踊れば、国からもらう賃金の一月分稼げちゃうんだからね。どうせなら、毎晩こちらで稼げばいいものを、誇りっていうのか、使命感っていうのか、こちらには、月四回しか顔を出さない。大半は、自分のホーム・グラウンドで踊ってるんだねえ。まっ当然かもしれないなあ。ここの客には、豚に真珠だもんなあ。肌の露出度でしか、評価してもらえないからねえ……」

際限なく続くバーテンのおしゃべりを聞き流しながら、志摩は踊り子たちの動きに魅入られていった。

あのころ西側世界で始まったツイストの流行は、たちまち東側にあったプラハのソビエト学校をも席巻した。きっかけは、アルジェリア人のアレックスだった。

「万歳！　アレックスの国が独立を勝ち取ったぞー！」

同級生の男の子たちが、アレックスを肩車に乗せて廊下を走りながら学校中に知らせて回った。

一九六二年の三月だから、ちょうどアレックスが入学して一年になろうとしていた。いつのまにか二階の踊り場にできた人だかりを前に、アレックスは顔を上気させながら流暢《りゅうちょう》なロシア語で挨拶した。

「昨日、アルジェリア民族解放戦線とフランスとのあいだに戦闘終結に関する協定が結ばれました。エビアン協定といいます。僕の祖国が独立を勝ち取ったのです。植民地ではなくなるのです。早く、アルジェリアに帰って、建国に貢献したいと思います。ここで、学んだことは、必ず役に立てます。ありがとうございました。みんなのことは、絶対に忘れません」

アレックスがいきなり立派な大人になったように見えて、志摩も胸が熱くなった。皆と一緒に掌が痛くなるほど拍手した。

「せっかく身につけたロシア語を、忘れないでね」

担任のイリーナ・セルゲーエヴナは目を真っ赤に泣きはらしてアレックスを抱き締めた。

その二週間後に、アレックスは両親とともにチェコスロバキアを後にした。さらに、一月経って、アレックスから小包が届いた。厳重に包装したレコード盤が三枚も入っている。添付された手紙を、イリーナ・セルゲーエヴナが読み上げた。

「親愛なる皆さん、僕はまだパリにいます。父は先に帰国しましたが、僕は母とともに七月三日に正式に国が独立宣言してから帰ることになっています。時間がたっぷりあるので、毎日読書に明け暮れてます。ロシア語の本を読んでいるので、皆から贈ってもらった露仏・仏露辞典は重宝してます。お礼のしるしに、こちらで今大流行の、ジョニー・アリデイのレコードを贈ります。パリでは、この曲に合わせて踊るツイストという踊りが人気です。社交ダンスのように、男女のペアで踊るのではなく、好き勝手に音楽に合わせて身体をねじったり、くねらせたりすればいいんです。楽しいので、ぜひ、踊ってみて下さい」

ジャケットには、ギターをかかえ踊りながら歌うジョニー・アリデイが写っている。さっそく、レコードをかけて、ジャケットの写真の真似をしながら、身体をくねらせてみた。でも、本当にこんな踊り方でいいのか、誰も自信がない。ところが、それから一月もしないうちに、プラハのあちこちで若者たちがツイストを踊り出した。テレビ画面でも、音楽番組やドラマでツイストを踊る姿をたびたび見かけるようになった。見よう見まねで、ソビエト学校の生徒たちも、競って身体をくねらせ、ねじった。これが格好よく、上手く出来ると、まちがいなくモテた。

「いくら踊りなら何でも来いのオリガ・モリソヴナだって、まさかツイストまでは無理だよねえ」

志摩が言うと、カーチャもうなずく。

「何しろオールド・ファッションだもん。でも、聞いてみる価値はあるね」

リトミカの時間はイングランド・ワルツの予定だった。

「ねえ、オリガ・モリソヴナ、イングランド・ワルツもいいけれど、踊る機会がほとんどないんですよねえ。ツイストをうまく踊るコツを教えていただけないかしら」

カーチャが切り出した。志摩も追い打ちをかける。

「ここに、アレックスの贈ってくれたレコードがありますし」

「あら、そりゃ好都合だこと」

意外にも、オリガ・モリソヴナは、ウキウキした様子でレコード盤をプレイヤーにかけると、乗りに乗って踊りだした。まるで豹だった。ちょうど豹柄のニットスーツを着ていたのだ。レコード・ジャケットのジョニー・アリデイも、これを見たら顔色を失うのではないか。

それぐらいカッコよくて、志摩たち一同、感電したみたいなショックを受けた。

「何で、何でそんなにうまく踊れるんですか？」

「どんな踊りも基本は同じなんだ。上半身が下半身からしっかりと独立していなくちゃいけない。とくに、ツイストのような、一見自由気ままな踊りほどそうなんだ」

感心感嘆の眼差しを一身に浴びて、気をよくした先生は、

「ソビエトで最初にチャールストンとジターバグを舞台の上で踊ったのは、他ならぬこのあたし。一九三〇年にモスクワのエストラーダ劇場でのことよ」

と言うではないか。鼻高々である。それでも疑わしげな志摩たちの眼差しを感じたのだろう、バッグの中から古色蒼然とした紙ばさみを取り出し、その事を報じた記事が掲載された当時の新聞の切抜きを見せてくれた。

同じ紙ばさみの中にセピア色に変色した写真があった。グランドピアノを囲んで盛装したバンドメンバーの中心に、絶世の美女が艶《あで》やかに微笑む。何年前に写したものだろう。若き日の先生らしい。

「このピアノ弾きが四人目の亭主。酒に身を持ち崩しちゃったけどね」

口髭のどハンサムを指さした。

「ねえ、紹介して」

リハーサル中の踊り子たちのほうを目線でしめしながら、志摩はバーテンに頼み込んだ。

「できれば、プリマの子をお願い」

「あと五分もすると、リハーサルが終わるから、その時に」

と言って、バーテンは片目をつぶった。

「いいわ、おごればいいのね。踊り子さんたち全部で何人でしたっけ？　ワイン一本で足りるかな」

「本番前に飲まないと思うよ」

「そりゃそうだ」

「それより、踊りそのものをほめてあげるのが何よりだ。見る人はちゃんと見ていると知るだけで、励みにも刺激にもなるからね」

「あーら、サーシャ、美女のお客さんにはずいぶんと親切じゃないの」

リハーサルを終えた踊り子さんたちが、シャワー室に向かう途中、バーテンを冷やかしていく。

「ああ、ちょうどよかった、ナターシャ、こちら、日出づる国からいらしたマダムが、先ほどから絶賛しているんだよ、君のダンスを。ぜひ紹介してくれって言うんだ」

「シマっていいます。サーシャの言うとおりです。こんなところで、と言っちゃ悪いわね、ごめんなさい、サーシャ。でも日本の慣用句に『掃き溜めに鶴』っていうのがあって、これは、ロシア風に言うならば……」

「ハハハハ、『ごみ捨て場に白鳥』ってとこかしら」

ナターシャとバーテンに呼ばれたプリマは、美しい歯並びを見せびらかすように大口をあけて笑い、陽気に反応する。

「そうそう、『ごみ捨て場で白鳥』に出会ったような気がして、よけい感激してしまったんです」

「こんなところで踊るレベルじゃないだろうって言うんだ。なかなか見る目あるみたいなんだよ、このお客さん」

「ありがとう。たとえごみ捨て場でも、いつシーマさんみたいなお客さんの目にさらされるか分からないから、気を抜いちゃいけないってことね。でもね……」

まだ舞台用のメイクをする前の、童女のような素顔にかすかにかげりが差し、口ごもった。

「まだ、迷っていらっしゃるんでしょう、こんなところで、お金のために大切な踊りを切り売りしていいのかって？」

「分かります？」

「そりゃあ。わたし、踊り子になり損なった口ですから。ナターシャさんの足元にも及ばないレベルだったけれど、一通りの悩みだけは、一応経験しているんです」

「へえーっ、心強いわ。このあいだ、ロストロポービッチのインタビューを雑誌で読んだの」

「ロストロポービッチって、あのチェロ奏者のムスチスラフ・ロストロポービッチ？」

「そう。そしたらね、高等音楽院の学生だった頃、食うのに困るほど貧しくて、毎日ひもじくてひもじくて仕方なかった。しかも、自分だけでなく幼い妹や母親を養って行かなくてはならなかったって書いてあった。あの天才が、信じられないことね。だから、大工のアルバイトをやったんですって。学友たちは、バーやレストランで楽器演奏のアルバイトをやっていて、そっちの方がはるかに実入りがいい。短時間で効率的に稼げる。

『何を好きこのんで大工なんかやるんだ』

『それに、チェロ奏者にとっては、指が命。下手して大工仕事で指を怪我してしまったら、取り返しがつかないじゃあないか』

『そうでなくとも、指が太くなって鈍くなっちまう』

そんな風にさんざん周囲に責めたてられたんですって」

「でも、ロストロポービッチは、音楽のアルバイトには手を出さずに、大工のアルバイトを続けた」

「そのとおり。

『なぜなんです？』

とたずねるインタビュアーに、ロストロポービッチは答えたの。

『自分にとって、音楽は一番大切なものだったから』

『その大切な音楽をバーやレストランで響かせたら、減ってしまうとでもいうのですか』

なおも食い下がるインタビュアーに、とどめを刺したのが、次の答えだったの」

いつのまにか、ナターシャの顔は苦しそうに歪んでいる。

「ナターシャ、もう、いいわよ。ロストロポービッチはロストロポービッチ。あの人は、独特の哲学の持ち主。あなたはあなた……」

志摩の言葉を振り払うように、ナターシャは、大きく息を吸い込むと、ことさら声を張り上げた。

「『客への迎合癖が、知らず知らずのうちに身についてしまうのですよ。指が太くなったり怪我したりするより、その方が音楽にとっては、はるかに致命的なんだ』

そう答えたのよ、ロストロポービッチは！」

声を詰まらせたナターシャは両手で顔をおおい、カウンターに突っ伏した。いけない。本番まであと一時間もない。なんとか、ナターシャを立ち直らせなくては。

「あなたのリハーサルを見た限りですけどねえ、迎合癖は微塵も感じられなかったわ。だからこそ、わたしは、吸い込まれるように見入ってしまったの」

ナターシャは、まだ顔をおおっている。

「それに、バーやレストランの芸人が、必ずしもみな、客に迎合しているとは限らないと思うの。酔客をも思わず誘い込んでしまうような力を持つ芸人は、いるでしょう。たとえば、エディット・ピアフ。彼女は偉大なアーチストだって、思わない？　少なくとも、今もピアフの歌声は、わたしたちの心にズシリと響くでしょう」

ナターシャが、顔をあげた。もう、一押しだ。

「それにしても、ナターシャ、あなたは、喜怒哀楽が激しいのね。それだけ、悩み多い人生を歩むってこと。でも、それは、アーチストにとっては、財産よ」

大きく見開かれたナターシャの瞳に生気が戻ってきたような気がする。

「それに、あなたのダンスは、クラシックではなくて、現代舞踊じゃないの。今のロシアの息づかいが感じられてこそ、面白いと思うの。バーやレストランには、それが、あるでし……」

言い終わらないうちに、ナターシャにしっかりと抱きつかれていた。

「シーマ、シーマチカ、ありがとう」

今さらながら自分の長広舌が照れくさくなってしまった。かつてダンサーを目指していたころ、舞踊団の財政を支えるために、そして自分と家族の生活費を稼ぐためにスーパーマーケットの安売りセールスや遊園地で着ぐるみを着て踊るアルバイトに出かけるのは抵抗があった。最初は先輩から、それから先は自分で自分に何度も言い聞かせてきたセリフ。だから、自然に口をついて出てきた。あの頃健気《けなげ》に懸命に生きていた自分がたまらなく懐かしく羨ましく愛おしくなった。その感情がそのまま目の前の踊り子に向けられている。

「思ったことを言ったまでよ」

「ううん。これで、一カ月は元気にやっていけるわ。初めてお会いしたのに、こんなに親身になって考えてくださって、ホントに嬉しかった。あの記事を読んで以来ずっと落ち込んでいたのよ。もしかして、シーマチカは神様がわたしを励ますために派遣してくれた天使なのかもしれない」

「それでは、天使の質問に答えてくれる？」

「もちろんですとも、聖シーマ様、わたしの分際で答えられる質問であるならば、何なりと。誠心誠意の限りをつくして」

　ナターシャは、サッと身をひるがえすと、バレリーナ風の大げさなレヴェランス（おじぎ）をした。

「実は、一九六〇年代の前半、わたしはプラハのソビエト学校に通っていたの」

「どうりで、ロシア語が自由自在なのね」

「そこで、あんな小さな学校には似つかわしくないほど、とびきり踊りのうまい先生がいたの。わたしが、挫折したとはいえ、ダンサーを目指したのも、もとはと言えば、その先生のおかげ。わたしの記憶違いでなければ、先生は、一九三〇年に、ナターシャ、あなたの劇場、エストラーダ劇場の舞台で、チャールストンとジターバグを踊ったはずなの、ソ連邦で、初めてのことだったんですって」

「その先生のお名前は？」

「フェート。オリガ・モリソヴナ・フェート」

「うーん、聞いたことないわね。その頃、おいくつだったのかしら」

「わたしたちが、習っていたころ、口癖のように、五〇歳って言ってらした。でもね、どう少な目に見積もっても、七〇は、ゆうに超えていたと思うの。今も生きていらしたら、百ウン歳ということ」

「すると、一九三〇年の時点で、四〇歳」

「四〇歳以上だと思う。何か、手がかりがないかしら」

「当時の劇場のアーチストやスタッフの人たち、最年少で、中等教育を終えた一五歳前後。今も健在として、七七歳……」

「ナターシャ、もうギリギリよ」

すでに派手な舞台衣裳を身に着けた仲間がナターシャを呼びに来た。

「シーマ、ごめんなさい。今は思い浮かばないけれど、落ち着いて、考えてみる。劇場の古老や、すでに引退した人たちにも当たってみるから。これから、シャワーを浴びて、衣裳を着けて、メイクしなくてはならないの。ごめんなさい」

心から申し訳なさそうに言って、また志摩に抱きついてきて、両頰に口づけをした。

「こちらこそ本番前にごめんなさい。それに、ありがとう。何か分かったら、このホテルに、お電話下さいね。あと五泊はする予定だから。それから、これ、日本での連絡先」

バーテンのサーシャが差し出したメモ用紙に、電話番号を走り書きして、ナターシャに手渡す。

「わたしの自宅には、まだ電話がないの。劇場の電話番号を言うから、書き取って。いい？」

ナターシャは番号を二度繰り返した上で言った。

「ナターシャ・ネジダノワを呼び出してちょうだい。じゃあね」

そう叫びながら、ナターシャは立ち去った。バーもずいぶんと立て込んできたので、志摩は部屋にひきあげることにした。一目でそれと分かる商売女たちが、あちこちにたむろし始め、とても女客が一人で座っていられるような雰囲気ではないのだ。あんなふうに、ナターシャを叱咤激励《しったげきれい》したけれど、ナターシャのみじめな気持ちが不憫《ふびん》だった。

バーの出口のところに老婆が立っていた。母と同じくらいの年格好ではないだろうか。老人性痴呆症が進行中の母をおいて今回モスクワまで出かけてくるのをさんざん躊躇《ためら》っていたら、龍馬《りょうま》が後押ししてくれた。

「大丈夫だってば。行きたいんだろ。行って来いよ」

「………」

「オレに任せろって。前回だって問題なかったじゃん」

龍馬が前回と言ったのは、今年の八月に志摩がモスクワに調べに来たときのことだ。

「でも八月はお前も夏休みだったけど、今度は大学があるでしょう」

「卒論の締め切りが一二月の一七日だから、一一月は追い込みで家に籠もりっきりだよ。祖母《ば》ちゃんはまだ物忘れがひどくなったくらいで、自分のことは自分でできるし、料理はうまいし」

それでも踏み切れないでいる志摩を決意させたのは、息子の次の言葉だった。

「心配するなって。祖母ちゃんは小さい頃からオレの方がつき合いが長いんだから」

悔しいが、息子の言うとおりだった。ダンサーになろうと突っ走っていたところも、挫折して現在の仕事にたどり着くまでも、たどり着いてからも、いつも母が息子を見てくれていた。一九歳で避妊に失敗したことに気づいたとき、一年の遅れは、ダンサーにとっては致命的な気がして産むか産まないかでさんざん悩んだのが、今さらながら申し訳なくなった。

「お前を産んどいて良かった」

息子に甘えようと決めた瞬間、自然に口を突いて出た言葉だった。

「マダム、いかがです」

老婆はバラの花を志摩の鼻先に突き出した。一本一本、切り口から茎の半分ぐらいの高さまで銀紙にくるまれている。オズオズとした口調で、一本二ドルだと言う。ポケットに手を突っ込むと、五〇ドル紙幣が出てきた。

「これで、売ってちょうだい」

「助かります、マダム。ありがとうございます。ここに三〇本ありますけど、五本、お負けしときます。本当にいいんですか？」

上目遣いに老婆がたずねるものだから、自分がにわか成金になったような不快感がこみ上げてきた。それに蓋をするように、老婆の片手に五〇ドル紙幣を押し込み、

「わあ、儲《もう》かっちゃったわ、じゃ、いただくわね」

バラの花束を奪い取るように抱き抱えた。

「ありがとうございます。おかげさまで今夜は、早めに帰宅できます。マダムに神の御加護がありますように」

廊下のむこうに、目つきの剣呑《けんのん》な男が立っているのに気づいて、老婆の耳元にささやいた。

「お婆さんこそ、気をつけて帰ってね。お金、盗まれないように。まさか、ピンハネされるんじゃないでしょうね、あいつに？」

「売女どもからは、連中もキッチリ取り立ててますが、年寄りは大目に見てもらってます。そこまであこぎでないですよ、ロシアのチンピラは、マダム」

卑屈な感じだった老婆が、ピンと背筋を伸ばして、誇らしげに答えたものだから、おかしくなった。

「それは、ちょっぴり見直さなくてはね、ロシアのチンピラさんたちを」

志摩がバーに引き返すと、

「おお、豪勢な花束じゃないの」

サーシャがいち早く気づいてくれる。

「これ、ナターシャさんたちに。ワインをご馳走するつもりだったけれど、ワイン・レッドのバラにしちゃった」

「女から女へ花を贈るなんて野暮だからね。僕を経由すると、格好がつくというもの」

「それじゃ、よろしく」

七階の自室に戻る前に一階のコンセルジュのところに立ち寄って、ガラス張りの掲示板に張り出してある主な劇場の演目表をのぞいてみることにした。明日は土曜日だから、エストラーダ劇場で何か演《や》っているはずだ。六〇年以上前に、オリガ・モリソヴナがチャールストンとジターバグを踊った舞台を眺めてみるのもわるくない。

日曜はマチネーのみで、一四時開演。人気寄席芸人ハザノフのひとり芝居とある。まだ初々しい感じのコンセルジュにロシア語で日曜日のチケットを依頼すると、

「一〇〇パーセントは確約できませんけれど、一応明朝一一時に、立ち寄ってみて下さい」

というようなことを、たどたどしい英語で答えてきた。

部屋に戻ってナイトテーブル備え付けの時計を見ると、まだ九時。ノートを取り出して、外務省資料館閲覧室のニーナとのやりとり、それに、つい先ほどのエストラーダ劇場のプリマ、ナターシャとのやりとりを思い起こしながら、忘れないようにメモした。用紙に書き付けたナターシャの苗字と仕事先の電話番号もノートに書き写す。

そうだ。なぜ、いままで気づきもしなかったのだろう。オリガ・モリソヴナがエストラーダ劇場でチャールストンとジターバグを踊ったときのことを報じた新聞記事の切抜き。あの記事をぜひ読まなくては。昔は気にもとめなかったディテールが記されているのかもしれない。掲載紙は、なんという新聞だったんだろう。これは、調べてみる価値がある。

新聞の切抜きといっしょに、ファイルの中にあったセピア色に変色した写真が、まざまざと思い出されてきた。

グランドピアノを囲むようにしてポーズをとるバンドマンたち。その視線はグランドピアノに寄り掛かるようにして立つ美しい女に注がれている。美女の身体は、ピアノを弾く男の方を向いているのだが、顔は、カメラのレンズに向かって挑戦するように、艶やかに微笑ん

でいる。
あの写真は、決して個人的な記念などのために撮影したという代物ではなかった気がしてきた。構図とか、被写体のポーズの取り方とか、明らかに、プロのカメラマンによる写真だ。レコードのジャケット、あるいはアンサンブル公演のポスターかチラシ用に撮られたような。とすると、どこかに、あの写真が保管されているかもしれない。興行会社とか所属劇場の資料室とかに眠っていないだろうか。バンドの名前さえ分かればと今さらながら悔やまれる。バンドの名前を聞きそびれたのか、それとも、先生は口にしたのに、こちらが忘れてしまったのか。

あのときは、もっと違う方に思春期の少女たちの興味は集中した。オリガ・モリソヴナは、騒ぎが一段落すると、一人一人のバンドマンについてコメントしたのだった。

どハンサムなピアノ弾きが四人目の亭主だったということも、その男が酒に身を持ち崩してしまったことも、そのとき知らされた。

それから、トランペットをかかえた男を指差して、言ったのだった。

「見て、このマッチョ。どう、いやらしい目つきをあたしに絡みつかせてるでしょう。大変なのよ、いつも図々しく付きまとうものだから、リョーシャが妬《や》いて、妬いて」

リョーシャというのが、四人目の亭主の名前のようだった。あたかもいま現在の出来事のように、オリガ・モリソヴナは生々しく感情をむき出しにして語った。

「ピアノ弾きが四人目の亭主とすると、オリガ・モリソヴナは、いったい何回結婚したのかしらね」

ダンスの授業が終わった後、情報魔のスヴェータにたずねたものだ。

「たしか、二人目の亭主はワーシャとかいう猫に目のない男で……三人目は、結婚記念日のたびにプレゼントするダイヤモンドを一カラットずつ大きくしていった男……」

「そうそう、四カラット目でオサラバしたお調子者の」

カーチャがオリガ・モリソヴナの口ぶりを真似する。

「最低四人までは、たしかなようね」

さすがのスヴェータも、先生が一体何回結婚したのかは、ついに分からずじまいだった。

「でも、何人目かの夫がアジア系だったことだけは、間違いないわ」

「ジーナのことね」

オリガ・モリソヴナは、明らかに東洋人の血が混じった美しい女の子と住んでいた。ジーナは志摩たちより二年上級のクラスにチェコの学校から編入してきたばかりだった。

『ママ』と先生は呼ばせているけれど、どんなにひいき目に見ても、娘ではないわねね。孫娘、ひょっとすると、ひ孫娘」

「まだ未確認の情報で、噂の域は出ていないのだけど……」

と、スヴェータはいつもの前置きで、こちらの注意を引きつけた上で、これまたいつものようにちょっともったいぶってささやいた。

「オリガ・モリソヴナの何人目かの夫が中国人で、その人との間に生まれた娘の娘らしいのよ。娘さんの方は、再婚したので、孫娘のジーナを先生が引き取ったという成り行きみたい」

ジーナ。黒髪のおかっぱ頭で切れ長の眼をしたこの美少女が編入してきたことは、志摩たちにとって、大事件だった。

4

息を吸い込むたびに、リラの花の強烈な香りにクラクラする。小さな校庭は、五月に入るとまるでそれが合図のようにいっせいに咲きほこったリラの花に縁取られた。その白と薄紫の縁取りに沿ってベンチが並べられると、校庭の真ん中が楕円形の舞台となる。

一九六二年五月九日。チェコにとっては、ナチス・ドイツによる占領状態から脱した解放記念日、ソビエトにとっては、対独戦勝記念の日だった。午前中、校内の講堂での記念式典が終了した時点で、オリガ・モリソヴナが校長に詰め寄った。

「こんなに空が晴れ渡った日に、太陽から身を隠して過ごすなんて、何か後ろめたいことでもあるみたいではありませんこと！」

それで急遽、学芸会の会場が講堂から校庭に移されることに決まった。それからが大変だった。男の子たちは、四階の講堂からグランドピアノや舞台用大道具類を運び出し、ベンチを並べるのに動員され、女の子たちは、校庭を掃き清め、ベンチを雑巾掛けすることになる。

その上で、講堂の舞台を想定して準備してきた出し物を、校庭の「舞台」に合わせるために、簡単なリハーサルを行った。志摩はあの日、モルダビアの花祭りの舞をソロで踊ることになっていた。籠《かご》に盛った造花を、踊りながら客席に配る趣向だったのが、

「リラの花が狭苦しそうにしているから、間引きしてあげよう」

というオリガ・モリソヴナの思いつきで、造花は取りやめ、生のリラになる。これが、意外な効果を生んだ。志摩は踊りながら、リラの花の強烈な香りを吸い込んだときにリラの精が乗り移ったような気がした。前日、体育の時間に平行棒から落ちて打撲したはずの右足の痛みも、踊りはじめるや嘘のように消えていた。決められた動きをなぞっていくというよりも、メロディーに乗って自然に身体が動く。自分が自分でありながら自分でないような、こんな感覚は初めてだった。志摩が踊りに開眼したのは、あの日だった。

踊り終えると、「ブラボー」の声援とともに、志摩が踊りながら配ったリラの花が投げつけられ、鳴りやまぬ拍手が続いた。

踊っている最中は、無我の境地だったけれど、ふと我に返って、気になる方向にチラリと目を走らせた。レオニードの姿を素早くとらえた。

レオニードは、同じバスで通学する一年上級の少年だ。昨年の一月に転校してきて以来、ぜんぜん気にもとめていなかったのに、今年の冬の林間学校以来、妙に気になりだしたのだ。

きっかけはスキーだった。滑降する直前にスルリと志摩の左足のスキー板がはずれて、勝手に滑り降りていってしまった。片足では滑れないので、右足のスキー板もはずして、もう一方を追っかけようとしたが、ズボッズボッと両足がかわるがわる雪面に食い込んで進めな

い。途方に暮れていると、下の方から声がした。

「誰だ、ドジなヤツは？」

声のする方向にむかって、志摩は叫んだ。

「あたしでーす。すいませーん、その板、ここまで持ってきてくださーい」

しばらくすると、スキー板の片割れを担いで、のぼってくる背の高い少年がいた。白っぽいスキーウェアに真っ黒なサングラス。少年がサングラスをはずした瞬間、そのグリーンの瞳の美しさに、志摩は息をのんだ。心臓が止まるかと思った。それが、レオニードだった。

「ありがと……」

礼を言うのがやっとだった。魂を吸い込まれてしまいそうな澄み切ったグリーンの瞳には、しかし若々しい溌剌《はつらつ》とした輝きはなかった。ぶっきらぼうにスキー板を志摩の前に置くと、礼を言う間も与えずに、毛糸の帽子の下からはみ出たプラチナ・ブロンドの髪の毛を風になびかせて滑り降りていってしまった。その姿は惚れ惚れするほど様になっていて、志摩はしばらく呆然としていた。

それからは、日に何度も、あの冷ややかな眼差しを思い出しては身震いした。謎めいたグリーンの瞳のことが、気になって気になって仕方なくなった。なぜあの美しい瞳は、半ば人生をあきらめたような疲労感と、底なしの寂しさと、世間と人々に対する憎悪のようなものを漂わせているのだろう。レオニードのことなら何から何まで知りたいのだが、それを彼に悟られるのが、死ぬほど恥ずかしい。誰かに知られて、それがまわりまわってレオニードに知られるのさえ恐い。情報魔のスヴェータからはいろいろ聞き出せそうなのに、いざとなると、レオニードという名前さえ口に出せない。

それでも少しずつ伝わってくる情報をつなぎ合わせていくと、レオニードは、母親を幼い頃に失い、志摩の父親と同じ研究所に勤務するコズイレフというけっこうソ連では著名な哲学者の父親と二人きりで住んでいるということ、何かの理由で三年も留年しているらしく、したがって自分の同級生たちより三歳年上であるということなどが分かってきた。そのせいか、いつも同級生たちとは距離をとっているようである。

踊り終えて、恐くて、決して正視できないのだけれど、いつだってなぜか、どこにいるのか敏感に察知できてしまえるレオニードのいる方へ目を走らせた志摩は、そのグリーンの瞳が自分に注がれているのを感じとった。身体を電流が貫いた。クラクラッと目眩がした刹那、

「アンコール、アンコール」

の大合唱がおきた。それに応えて、最後の部分の大回転とブーツを打ち鳴らす決め技を踊った。すると、また拍手とアンコールの要求。結局、都合三回アンコールに応えて、最後のフレーズを踊ることになった。

いつも口の悪いオリガ・モリソヴナも、この時ばかりは、伴奏を終えると、グランドピアノの方から駆け寄ってきて、志摩を抱き締めてくれた。

「シーマチカ、今まで才能を出し惜しみしてたとは、気がつかなかったわ、あたしとしたことが」

ようやく解放されて着席してからも、校庭中の賞嘆の眼差しが自分に注がれているのが分かる。首筋に熱いものを感じて振り返ると、志摩の視線はグリーンの両目と鉢合わせた。ポッとレオニードの頰が赤らんだ。すぐに目を逸らせたが、身体中の血液の温度が一気に上昇した。汗ばんだ身体に、五月のそよ風が快い。

そのときだった。陽気なマーチのメロディーとともに、次の出し物のアナウンスがあった。

「『新米の水兵さん』。踊るのは、特別ゲストのジーナ、ジナイーダ・マルティネクさんです」

校庭の片隅から、白地にブルーの線が入ったセーラー服姿のスラリとした肢体があらわれるや、今まで志摩に注がれていた満場の視線を、根こそぎ奪っていった。志摩の視線をも吸い寄せるように惹きつけた。

校庭は、いつのまにか船のデッキになっている。水兵帽の下から黒髪の毛先を揺らせ、切れ長な黒目を表情豊かに動かしながら、水兵姿の踊り子は、錨をあげ、舵取りをし、マストによじ登って大海原を見つめる。空が晴れ渡り、絶好の航海日和だ。すべてを身体の動きだけで表現してしまうのだ。

「ああ」

思わず志摩の口から溜息が漏れた。

「まるで踊るために生まれてきたかのよう」

首と手足が長く、素晴らしくバネが利いていて、それでいて柔らかな身体には、どんなリズムも染み込むように取り付いて行く。男に扮してキビキビと少年のように飛び跳ねるジーナには、逆に強烈に女が感じられた。うなじの白さやほっそりとした手首や足首のしなやかさにハッとする。

有頂天になっていたけれど、自分の踊りは、ジーナを引き立てるための前座に過ぎなかった。先ほど一気に上昇した身体中の血液の温度が潮がひくように下がっていくのがわかる。志摩は胸騒ぎがして、気になる方向に目をやると、レオニードの視線は、完全に踊り子の虜《とりこ》になっていた。芽生えはじめたかすかな希望が一瞬にして摘《つ》み取られてしまった。同じクラスの男の子たちの横顔が見える。ウットリと見とれている。あんな彼らの表情は、はじめてだ。いつもガキッぽいなと思っていた同級生の男の子たちももう一二歳であることを思い知らされた。彼らにまで見放された心許《こころもと》なさに目の前が暗転した。涙が溢れ出てもよさそうなのに、目も口の中も水分が乾き切ってヒリヒリする。

ジーナがピタリと最後のポーズを決めると、しばらくのあいだ、みな魂を抜かれた茫然自失状態に陥り、それから思い出したように立ち上がって、狂ったみたいに拍手し始めた。何度も何度もアンコールに応えて、ジーナはその度に、これでもかこれでもかとコサックダンスの曲芸なみの技を次々に披露して観衆を魅了した。突然、背後で聞き慣れた声がした。

「どうです？　なかなか優秀でございましょう。わたくしの娘ですのよ、ジーナは。ええ、実の娘ですの」

エレオノーラ・ミハイロヴナだった。まさか、いくらなんでも、そんなはずはない。七〇歳はゆうに超えているはずのオリガ・モリソヴナよりも、エレオノーラ・ミハイロヴナは、もう一回り年上のはずだ。可哀想に、老人性痴呆症がさらに進行したらしい。

ようやくアンコールもおさまり、客席が落ち着きを取り戻したのを見計らったかのように、アナウンスがあった。

「ジナイーダ・マルティネクさんは、今までチェコの学校に通っていたのですが、今日この日から、わが校の生徒です」

「ワーッ」

六階建ての校舎と寄宿舎の建物に三方を取り囲まれた校庭に大歓声がこだました。

「ねえ、シーマチカ、オリガ・モリソヴナを見てごらん!」

右隣のカーチャが志摩の脇腹を小突いた。ジーナを見つめる先生は、今にもとろけてしまいそうな表情だった。いつのまにかオリガ・モリソヴナの傍らに寄り添うエレオノーラ・ミハイロヴナも、目を細めてジーナに見とれている。

ジーナが、オリガ・モリソヴナと一緒に暮らしていることを知るようになったのは、実際にジーナがソビエト学校に通い始めてしばらくしてからだった。

衝撃的な校庭でのデビューによって全校生の憧れの的になった翌日からジーナは、志摩たちより二年上級のクラスに編入された。以来、一挙手一投足を注目されるようになった。

「転校してきたのは、ボリショイ・バレエ学校へ編入するためのステップみたいよ。ロシア語とソビエトの教育システムにあらかじめなじんでおく必要があるからなんですって」

　というスヴェータ情報は、どうやらかなり信憑性があった。ジーナは、体形だけでなく立ち居振る舞いも佇《たたず》まいも、いかにもバレリーナだ。歩くときも、階段を上り下りするときも、小走りに校内の廊下を駆け抜けるときも、立ち止まっているときも、両足の爪先はいつも一五〇度ぐらいの角度で外側に開いている。あごをクッとひき背筋を伸ばした凜《りん》とした姿は、どこにいても真っ先に人目をひいた。ちょっとした手の動き一つとってみても、バレエの一場面のように決まっている。志摩は、ジーナを見かけると、そのまま目を離せなくなることがよくあった。どんなに見ていても見飽きない。

「どうです、綺麗な子でしょう。わたくしの娘なんですのよ、ジーナは」

　エレオノーラ・ミハイロヴナが音もなく志摩の背後にやってきて耳元にささやく。そういえば、ジーナが来てからというもの、それまで志摩を見かける度に発していた例の、

「まあ、お嬢さんは、中国の方ですの」

　という質問をしなくなっていた。

「ジーナが来てから、学校に通ってくるの、つまらなくなっちゃった」

　めずらしくカーチャが愚痴った。

「ジョルジックもヴォーヴァも、わたしに気があったのに、ジーナにぞっこんなんだもん」

　スヴェータが相槌をうつ。

「ジョルジックやヴォーヴァだけじゃない。学校中の男の子が、ジーナに夢中になっちゃったのよ。まったく、男ってのは、アメーバみたいに単細胞なんだから」

「ジーナ・シンドロームだね。男の子たちはみんな最近ため息ばかりついて、心ここにあらず」

志摩はそこまで声に出して言って、それから、

「レオニードだって」

と声に出さずに言いそえた。ズキッと胸が痛んだ。

「ジーナは、完璧な美形というわけじゃない。なのに、男を惹きつけるものを持っているんだなあ。ああいうのをセクシーっていうんだよ」

スヴェータが訳知り顔にさとした。

「でも、男の子だけじゃなくて、女のわたしまでが惹かれちゃうんだから、悔しいけど、これはもうあきらめるしかないと思うんだ」

志摩はそこまで口にすると、心なしか楽になった。すると、カーチャが言った。

「オールド・ファッションは、シーマチカどころじゃないわよ。もう、ジーナにメロメロ」

「オリガ・モリソヴナの弱みは、あの孫娘かひ孫娘のジーナちゃんだったのね」

ジーナがオリガ・モリソヴナに、「ママ」と呼びかけるのを皆、何度も見かけていたが、それを言葉通りに受け取る人は誰もいなかった。

「それよりも、エレオノーラ・ミハイロヴナが何度も自慢してらしたでしょう、ジーナは自分の実の娘だって」

志摩は気になっていることをカーチャとスヴェータにぶつけてみた。すると、カーチャが

思いもかけないことを言う。

「ええ、あたしも聞かされた。エレオノーラ・ミハイロヴナは、アチコチにふれまわっているのよ。もちろん、誰も本気にする人はいない。でもね、一度、たしか夫らしい人の名前を言ったの。『ジーナは、わたしとシャオツィーの娘です』って。志摩、シャオツィーって中国人の名前かしら？」

「分からない。でも、日本人の名前でないことだけは断言できる」

「マルチナショナルなわが校に中国人の生徒が一人もいないというのは、不便ね。こんな時、すぐに尋ねられたのに」

というスヴェータは、さらに不思議なことを言った。

「あのね、このあいだジーナが、エレオノーラ・ミハイロヴナにも、『ママ』って呼びかけてたの、耳にしちゃった」

「ジーナは、慈善事業やってんのかしら、二人の孤独な老女を慰めるという……」

そうこうするうちに、五月も終わり、夏休みに入った。そして、九月一日に新学期が始まると、ジーナはすっかり大人びてさらに美しく、近寄りがたくなっていた。男の子たちは熱病にかかったみたいにジーナにとりつかれているのが見え見えだった。でも、あまりにも綺麗で、男の子たちが後込《しりご》みしているのも手に取るように分かった。一方、ジーナ自身は、そんなことにまったく頓着しない様子であった。

新学期も半ばを過ぎた一〇月二三日、火曜日。日付と曜日までハッキリ覚えている。前の日の昼ごろから土砂降りの雨がやまずに降り続けていた。朝、学校に出発する前に、父が低く垂れ込めた灰色の空を見上げながらつぶやいた。

「戦争になるかもしれないね。第三次世界大戦になるかもしれない」

前日の二二日、アメリカのケネディ大統領が、ソ連がキューバに中距離ミサイル基地を建設中だと発表し、その撤去を求めて、二〇〇隻ちかい艦艇、二〇〇〇機ちかい軍用機を動員してキューバを封鎖した。父は恐ろしいことを口にした。

「今日みたいに晴天の予報が豪雨になってしまったのは、もしかして、キューバ沖で大量の兵器を使用したため、地球上の気象が狂ってしまったせいかもしれない」

それが、第三次世界大戦に発展してしまったら、間違いなく核戦争になるだろう。自分たちは、あと何日生きられるのだろう。学校に向かうバスの中では、そのことばかりを考えた。目の端にレオニードの姿を認めた。自分はまだ一二歳になったばかりで、恋も実らせることなく死んでいく。レオニードが、自分にとっては、初恋の人だ。片思いだけれど、レオニードのことでこの胸を焦がしていることだけは確かだ。そのことを告白するなんて、死ぬほど恥ずかしいと思っていたけれど、どうせ、死んでしまうのなら、この気持ちだけでも伝えておこう。

「どうしたの、シーマチカ、もう着いたわよ」

声にハッとした。誰か声をかけてくれたのか。同じスクールバスで通っている子供たちはすでにバスを降りている。志摩もあわててバスを降りた。運転手さんがバスの扉を閉めながら何か叫んでいる。

でも今の志摩には、そんなことも含めて現実に起こっていることすべてが、透き通った分厚い幕の向こう側の出来事のような気がしている。レオニードにこの胸の内を告白する。さしあたって、それ以上重要かつ切実な問題はない。

「シーマチカ、顔がまっ白。血の気がぜんぜんないじゃないの。大丈夫？」

「ねえ、シーマチカ、なんだか、足元もおぼつかない。今にも倒れそうだよ」

カーチャやスヴェータが近寄ってきて抱きしめてくれる。そんな二人の動作も緩慢で、ゆっくりと映写機をまわしているような感じである。

一時間目は、歴史の授業だった。志摩はますます現実感が希薄になっていたはずなのに、なぜか、あの日の授業内容は克明に覚えている。

「前回の授業のときに課した宿題から片付けていきましょう。まず、第一の課題、ナイル川が古代エジプトの農業のあり方に及ぼした影響について。ザペワーロワ・カーチャ」

ライサ・カルロヴナに名前を呼ばれたカーチャは、黒板のところに掛けられた大きな地図の前に立って、落ち着いた口調で語り始めた。カーチャは、いつもながら本当に話がうまい。筋道がしっかりしていて、具体的データを効果的に挿入する。しかも、古代エジプト人の生活が目の前に展開するかのごとく生き生きと伝えてくれるから教室中が聞き入ってしまうのだ。ライサ・カルロヴナも満足そうな顔つきでしきりにうなずいている。

地球上のさまざまなところで、何千年もの昔から営々と築かれてきた生活や文明が一瞬にして消滅してしまうのだろうか。人類史は完了してしまい、今の時代については、こんなふうに後世の人々が歴史として学ぶこともなくなることになる。そんなことがあっていいのだろうか。あと何日、こうして生きられるのだろう。やはり、レオニードのところに行こう。行って、告白しなくては。

「カーチャ、とても良くできました。『プラス付きの五』を上げましょう」

評価は五点満点法であるから、「プラス付きの五」は、満点以上の出来ということだ。カーチャが「やったー」という顔つきで引き上げてくる。

「二番目の課題は、何でしたっけ、ジョルジック」

隣の席のヴォーヴァとおしゃべりしていたジョルジックは、突然指名されて慌てふためいている。

「えーと、あのー、そのー」

「ヴォーヴァ、お友達が困っているから、助けておあげなさい」

「ナイル川の氾濫がエジプト人の死生観、ひいては宗教に与えた影響について、です」

「そのとおり。ヴォーヴァ、では、この課題は、あなたに答えてもらうことにしましょう。この絵についても、説明すること」

ライサ・カルロヴナは、古代エジプトの地図の隣に、大きな横長な絵を立てかけた。たしか、前回の授業で、先生が、「死者の書」として紹介した絵のレプリカだ。ヴォーヴァの話が始まった。訥々《とつとつ》とした語り口なのだが、なかなか説得力がある。

ナイルの氾濫によって川の中下流域は洪水になり、あらゆるものが押し流されてしまう。これは、古代エジプト人に死のメタファーとして受け取られた。水浸しになった地帯は、ナイルが上流から運んでくる土壌、さらに流木や動植物が腐敗して肥沃な大地をつくりあげる。水が退《ひ》いた後、一帯は理想的な耕地となり、豊かな収穫をもたらす。一度死んだものが甦る。ナイルの氾濫によって繰り返される植物の生と死のサイクルが、何度殺されても甦ったオシリス神についての神話をもたらした。古代エジプト人の信仰では、人は現世で死んでも、魂は滅びることなく死後の世界に赴き、ときとして元の身体に戻ってくる。そのため、死者の肉体はミイラにされて墓所に手厚く安置される風習が生まれた。この「死者の書」には、死んだ人の魂が死後の世界に赴くまでのプロセスや、死者の神オシリスの前にひざまずいて、善悪判定の秤にかけられる様が描かれている。

核戦争によって、絶滅してしまうだろう何億もの人々の魂は、甦るのだろうか。今こうして自分がひたすらレオニードを想う気持ちも、自分の肉体の消滅とともに雲散霧消してしまうのだろうか。

いつのまにか、志摩はオシリス神の面前に引き立てられてひざまずかされていた。左右の背後から二人の番人風の男に手と肩を押さえつけられているから、オシリス神の足元しか見えない。その透徹した眼光に晒されると、どんな嘘偽りも見透かされてしまうはずだ。

「頭《こうべ》を上げよ」

地響きのような声がして、顔を上げた志摩の視線が、オシリス神の瞳から注がれる緑色の光と交差した。レオニードの瞳だった。

右肩を押さえつける番人の手に力が入った。何度も揺さぶる。

「シーマ、シーマチカ」

肩を揺さぶるのは、カーチャだった。

「いったいどうしたの、シーマチカ。今日はおかしいよ。おかしすぎる」

「…………」

「もう授業は終わってるのよ。窓を開けてあげるから、新鮮な空気を吸おうよ」

カーチャと並んで開け放った窓辺に立つと、激しい雨が降りこんできて二人の頬を濡らした。志摩の意識にいきなり現実の世界が迫ってきた。

「キューバで戦争が始まりそうでしょう。もしかしたら、第三次世界大戦になるかもしれない」

「そうね。そうなったら、ボタンを一押しするだけで核弾頭が飛び交うことになってしまうのかもね。考え出すと怖いから、なるべく考えないようにしてたけど……シーマチカは、そんなこと考えて、落ち込んでたの？」

「カーチャは好きな人がいるの？」

「先週までは、ジェーニャに夢中だったのに、冷めちゃった。だから、今は物色中。でも、こんな話、シーマチカとは一度もしたことなかったね」

「小説の中の恋愛についてばかり話してたものね」

「志摩には、好きな人がいるでしょう」

「分かる？」

「うん、すぐ分かった。今年の一月。冬の林間学校からでしょう」

「何で、何で分かるの？」

「そりゃあ、シーマチカはあたしの親友だもの」

二時間目の始業ベルが鳴った。

「次は、イリーナ・セルゲーエヴナのロシア語よ」

そう言って、カーチャはポケットからハンカチを取り出し、志摩の濡れた顔を拭いてくれた。同じことを志摩もカーチャにしてあげる。

「日本語にはね、『水もしたたるいい女』という言い方があるんだ。官能的な魅力にあふれる女性についてそう言うの」

「ハハハハ、わたしたち、せっかく水がしたたってたというのに！」

ここまではとても鮮明に覚えているというのに、その後すぐ始まったはずのロシア語の授業のことは、完全に記憶から抜け落ちてしまっている。というよりも、志摩はその間、心の中で、何度も何度も自分に課した命題を、やり遂げる場面を反芻していたのだ。

「一月からずっと、あなたのことを想ってました」

「生まれて初めてです。こんなに男の人が気になったの」

レオニードを前にいろいろなセリフをはく自分の姿を思い描いてみて、結局、一番単純明快な表現に落ち着いた。

「ヤー・リュブリュー・ヴァース（わたしはあなたを愛してます）」

これだけ言って、引き下がろう。

二時間目と三時間目の休み時間は、三〇分と長い。この休み時間中に、七学年の教室に行って、レオニードに告白することにしよう。そう心に決めた。あの美しいグリーンの瞳を真っ直ぐ見つめて告白しよう。

二時間目終了のベルが鳴った。意外に心は落ち着き払っている。

「シーマチカ、どこへ行くの？」

カーチャが追いかけてくる。

「これから、とても大切なことを果たしにいくの。一人で行かなくてはならないの。帰ってきたら、報告するからね」

カーチャを抱き締めて頰ずりしてから、階段を上っていった。七学年の教室は、四階にある。教室の扉が近付いてくると、落ち着いているはずだったのに、自分の心臓がドックドックと脈打つ音が聞こえてきた。立ち止まって深呼吸をした。あと六歩ほどで、扉にたどり着く。

その時だった。パッと目的の扉が開け放たれて、レオニードが出てきた。志摩と目が合ったのだが、一瞥しただけで身を翻し、さらに一〇メートルほど先の、八学年の教室に向かって走っていった。

八学年の教室の扉が開いた。出てきたのはジーナ。レオニードを認めると、親しげに微笑んで、寄り添った。レオニードは当たり前のようにジーナの肩に手をかけ、頭一つ背の低いジーナはレオニードの腰に手をまわした。二人は、くるりとこちらに向きを変え、何かを語り合いながら歩いてきた。恋人どうし。それ以外の関係は考えられない。お互いの話に夢中で、志摩の立っていることに気づきもしない。志摩の入り込む余地など無かった。

突然ズシンと地球の重力を感じた。空中を浮遊していたような心身が現実感覚を取り戻した。その時点までの自分が自分でないような気がした。悲しみは、気体が瞬間冷凍されたように微小な硬い塊となって胸の奥のまた奥にしまい込まれてしまった。

階段を降りていくと、心配そうな顔をしたカーチャが下から駆け上がってきて抱きしめてくれる。

「シーマチカ、可哀想に」

硬まった塊があやうく解凍しそうになる。あわてて再冷凍にかかる。まるで他人事《ひとごと》のように失恋の顚末を話して聞かせると、カーチャは志摩のかわりに涙を流して同情してくれた。

五日後の一〇月二八日、フルシチョフがキューバからのミサイル撤去を表明、核戦争の危機は回避された。

それから一カ月後、一一月末だったか一二月の初めだったか、気温がマイナス二〇度以下になった日、仕事から帰るなり父が母に言った。

「コズイレフが今朝、死んだ」

前日の夜遅く、息子の連絡で救急車で病院に運ばれたが、手当ての甲斐なく、早朝、息を引き取ったということだった。

「コズイレフの息子といえば、たしか志摩たちの学校に通っているはずですよ。父一人子一人で暮らしていた。可哀想に、どれほど心細いことか」

母がため息をついた。

レオニードは、父親を失ってしまったんだ。母親も幼少時に亡くしているから、完全なみなしごになってしまったことになる。これからどうするのだろう。あの美しいけれどゾーッとするほど冷笑的なグリーンの瞳から涙があふれる様は想像できなかった。半ば人生をあきらめたような疲労感と、底無しの寂しさと、世間と人々に対する憎悪の色をますます深めていくことだけは確かな気がした。

「実に惜しい人を亡くしたものだ。ソ連であれほど多数の著作を発表できた哲学者だというのに、めずらしく御用学者ではなかった。まっ、だからこそ、人気があったのだろうね」

父の言う多数の著作のうちの一作とて目を通したわけではないが、コズイレフ博士が魅力的な人物だったことは本当だと思った。志摩は、二度ほど見かけたことがある。息子のレオニードとは、まるで正反対で、人生が楽しくてたまらないという気分を全身からみなぎらせていた。

冬の林間学校のスキー場のそばに大きな湖がある。一面氷に覆われていて、スケートリンクとして利用していたのだが、ある日、その氷を割って、泳いで見せたおじさんがいた。雪の中を海水パンツ一丁、はだしで駆け回り、その後湖にドボーンと飛び込んで、皆の度肝を抜いたのである。本場ロシアには、セイウチとあだ名される寒中水泳の愛好者がずいぶんいるらしいが、志摩や多くの非ロシア人生徒にとっては、呆気にとられるような出来事である。

「あれが、あの有名な哲学者のコズイレフですって」

「いい身体してるわね」

「やもめらしいわよ、奥さんを亡くしてもう一〇年とか」

女教師たちがささやきあう声が、志摩の耳にも入ってくる。コズイレフがレオニードの父親だと知ったのは、もう少し後になってからだったが、頑強な肉体の持ち主で、とても突然死するような人には見えなかった。

二度目は、父の研究所を訪ねたときに見かけた。受付の女の人に次々とおかしなことを話して聞かせてキャッキャッと笑わせていたのが、コズイレフ博士だった。レオニードとあの陽気な父親の取り合わせは、思えば、ひどくちぐはぐだった。

その日以降、毎日、通学バスに乗るたびにレオニードの姿を探したが、確認できなかった。結局、レオニードは、一度も学校に姿を見せることなく、プラハを去って行った。

「モスクワの父方の祖母に引き取られることになったらしいわよ」

こんな情報を仕入れて耳打ちしてくれるのは、もちろん、スヴェータである。顔中のソバカスをマーマレード色に染めながらさらに、

「絶対に、絶対に誰にも言っちゃ駄目よ。極秘事項ですからね！」

と何度も念を押した上で、とても不思議なことを言った。

「コズイレフは自殺だったのよ」

「そんな、あり得ないわ」

陽気で生命力に満ちたコズイレフ博士の生前の姿を想い浮かべて、志摩は思わず叫んでしまった。

「かみそりで手首を切ったということよ。バスルームの湯船が真っ赤に染まったんですって」

「嘘！」

「あたしも、それは、父が母に話しているのを聞いた」

今まで黙っていたカーチャが口を挟んだ。

それから一月後、年が明けてまもなくだったか、ジーナの姿も校内で見かけなくなった。

一カ月ほどのあいだ、オリガ・モリソヴナとエレオノーラ・ミハイロヴナのオールド・ファッション・コンビは、まるで青菜に塩をまぶしたみたいに萎んでしまっていた。眼の光にも、声にも力が無くなり、二人とも一気に老け込んだ。

オリガ・モリソヴナは、授業中も、時々ボーッとあらぬ方角をいつまでも見つめていたりするようになった。白粉が剥げかかり、例の血の滴るような口紅をも付け忘れてしまったオリガ・モリソヴナの姿を見るのは、辛かった。何か声をかけずにはいられなくなる。

「先生、ジーナがボリショイ劇場付属バレエ学校に編入したって噂、本当ですか？　すごいですねえ、バレエ学校中の最難関ですものね。そこに、いっぺんでパスしてしまうなんて、さすが、オリガ・モリソヴナのお孫さんだって、みんなで感心してるんですよ」

「失敬な！　言っとくけど、ジーナは、あたしの娘だからね」

怒りを露わにするオールド・ファッションの顔にも声にも、その時だけ覇気が戻る。ジーナに対する限りない誇らしさがムクムク頭をもたげてきて、生気の失われていた鳶色の瞳が一瞬輝く。

「あそこは、毎年ある普通の入学試験で、競争率が三〇倍以上。それも、われこそはと自負する選ばれた子供たちばかりが応募してきているんだから、実質倍率は数百倍は下らない。編入試験ともなると、針の穴より小さな狭き門なんだ。ジーナは、それを通過したんだからね」

「そのうち、ジーナはボリショイのプリマになるのでしょうねえ。今から舞台が楽しみですね」

鳶色の瞳の輝きがたちまち消え失せて、オリガ・モリソヴナは言いようのない寂しさのなかに再び戻っていく。

日頃怖いもの無しの先生を見慣れている生徒たちはひどく面喰らった。

リトミカの授業の開店休業状態は続いたが、それでも、二月も半ばを過ぎて、三月八日の国際婦人デーの学芸会が近づいてくると、しだいに稽古にも熱が入ってきて、いつのまにかおなじみの反語法が復活していた。

「ああ、あたしゃ感激のあまり震えが止まらないよ！　どうしてくれる、えっ、そこの一〇〇年に一人の神童のことだよ！」

手を振り上げ、高いかかとで地団駄踏んで猛り狂うオリガ・モリソヴナに罵詈雑言の限りを投げつけられるジョルジックは、こみ上げてくる喜びを噛み締めているみたいだったし、それを取り囲む志摩たちも、まるで美しい鳥のさえずりに聞きほれるかのように耳を傾けていた。

廊下ですれ違うエレオノーラ・ミハイロヴナも、また以前のように、志摩に気づくと、長いワンピースの裾をヒタヒタさせながら近づいてきて、小首を可愛らしく傾げ、灰色の瞳を凝らして志摩の顔をまじまじと見つめながら、例の質問をするようになった。

「まあ、お嬢さんは、中国の方ですの？」

二人ともジーナが来る前の状態に完全に戻ったようだった。

5

目が醒めたのは、電話のベルのせいだった。ああ、また服を着たままで眠ってしまったなと軽く反省しながら受話器を耳に当てて、一気に眠気が吹っ飛んだ。

「シーマ、シーマチカ!?」

電話回線を通して伝わってくるのは、まぎれもないあの声だった。

「カーチャね。カーチャでしょう!?」

それ以上声にならない。受話器の向こう側でも息を吸い込むような音がして、しばらく沈黙が続く。

「ハハハハ、お互い、突発性失語症に陥ってしまったね」

カーチャの笑い方はちっとも変わっていない。志摩も口を開いた。

「よく分かったね、このホテル。ニーナには、あたしの宿泊先、教えるヒマ無かったのに」

「今朝、こちらの職場にニーナから電話があったのよ。彼女は風のたよりにあたしがスヴェルドロフスク市に転居したことを聞いていて、当てずっぽうで市立図書館にかけてきたの。

たまたま受話器を取ったのがわたしだった。ニーナはたとえ市内の他の図書館に勤めていたとしても、こちらの図書館で教えてもらえるはずだと見当をつけたのだと言ってた。それこそ飛び上がらんばかりに嬉しくて、すぐにでもシーマチカの声が聞きたくなったの。でも、ニーナはホテルの名前も聞いてなくて、月曜日にあなたが外務省の資料館を訪ねてくる瞬間まで分からないと言うでしょう。もう、居ても立ってもいられなくって。モスクワ中の、外国人が泊まりそうなホテルに片っ端からかけたのよ、『日本人のヒロセ・シマさんにつないで下さい』って。よかったわ、シーマチカ、苗字が変わってなくて」

「元の苗字に戻ったんだ、もう一三年目になるかな」

「あら、悪魔の一ダース。ふむふむどうやら似たような人生の展開をしているみたいね。あたしは七年前だったけど。詳細はのちほど会ったときに聞くとして……」

「すぐにでも会いに行きたいけれど、今回のビザに記されている訪問都市はモスクワだけだから、手続き取るのにちょっと時間がかかるかもしれない」

「ううん、シーマチカ、あたしのほうからモスクワに行く。ただね、今日と明日は出勤日なの。突然で代勤の人が見つからないのよ。市立図書館は、月曜日がお休みだから、日曜の午後五時に仕事がはねたら、その足で空港に直行してモスクワ行きに乗ることにする。いま息子にチケット買いに行かせてるの。日曜の夜は、あけといてちょうだいね」

「あたし、待ちきれない。空港に迎えに行く。到着時間は？　到着するモスクワの空港は？」

「シーマチカ、まだチケットが手元に無いのよ。だから正確なことは何一つ言えないじゃないの。空港はドモジェドボのはずだけど、あそこでは、お互いはぐれてしまう確率のほうが高いと思う。あなたの泊まっているホテルで待ち合わせるのが、一番確かだわ」

「いいわ、七時以降はロビーのソファーに座って、ずっと入り口から目を離さないようにする」

「フフフ、シーマチカ、相変わらずせっかちね。二八年間も会えずにいたのよ。一、二時間ぐらい辛抱なさい。一番早い便に乗れたとして九時ですからね。あっ、ごめんなさい。あたし、仕事中だから。じゃ明日の夜」

「カーチャ、この部屋、ツインだから、ここに泊まれるようにフロントと交渉しておくから」

「ありがと」

　回線が切れた後も、志摩はしばらく受話器を耳から離せなかった。今この受話器を通して聞こえてきたことが、信じられない。夢ではなくて本当に本当の現実なのだろうか。いや、これは幻聴だったのではないかと思えてきた。バスルームに飛び込んで冷たい水を顔に浴びせた。しっかり目が醒めた気がした。もう一度、部屋に取って返し、受話器を取ってオペレーターに問い合わせる。

「つい今しがた、わたしのところに外線から電話がありましたよねえ」

「七二二号室ですね。おつなぎしたはずですが。何か？」

「スヴェルドロフスクからの電話でしたか？」

「それは、ちょっと分かりかねますが」

「そ、そういえば、そうですよね。すみませんでした」

電話があったことだけは確かだ。

ナイトテーブル備え付けの時計の針が一〇時を指していた。久しぶりにずいぶん寝てしまった。

そうだ、土曜と日曜は、下のレストランでブランチ・サービスをやっている。寝癖のついてしまった服を剝ぎ取り熱いシャワーを浴びた。スーツケースに一着だけワンピースを入れてきたことを思い出して取りだし、身につけた。モスクワに着いてからというもの、ずっとズボンで通していた。モス・グリーンのワンピースにあわせてベージュ色のバッグとハイヒールを選ぶ。アクセサリー・ポシェットの中身をテーブルの上にぶちまけて、さて、イヤリングはどれにしようかなと目を走らせながら、志摩は自分がいつのまにか鼻歌を口ずさんでいるのに気づいて首をすくめた。グアンタナメラ。オリガ・モリソヴナに教わったキューバン・ルンバを踊ったときの曲だ。自然に立ちあがって、スカートの裾を右手でつまみながら、ステップを踏み出していた。身体の芯のあたりからウキウキと華やいだ気分が湧き上がってくる。踵で床を打ち鳴らす。

トントン、トントン。

ドンドン、ドンドン。

あれ、これは扉をたたく音。

「お掃除しなくても、よろしいのかしら」

メードさんが、開けた扉の隙間から尋ねる。

「これから食事に降りて行きますから、そのあいだにお願いしまーす」

自分でもびっくりするほど陽気な声を発しているのに気づいて顔を赤らめた。ダンサーを諦めてからというもの、こうしてステップを踏んだなんて初めてだ。悔しくて惨めな気持ちになるのが目に見えていたから衣裳も靴も録音テープもとにかくダンスに関わるものは全部捨てたというのに。こんなに自然に踊り出していたなんて。こうして四六時中オリガ・モリソヴナのことを思い出しているからなのか。それとも、昨晩下のバーで出会ったエストラーダ劇場の踊り子ナターシャのおかげなのか。

バッグを抱えて廊下に出て、エレベータのところまで行ったものの、階段を使いたくなった。身体全体が跳ねかえるように動きを求めている。動かないと、発狂しそうだ。

レストランの窓際の席に腰かけて、コーヒーにミルクをたっぷり入れて飲む。熱いコーヒーが胃の腑に沁み込んで行くのと同時にジワジワと喜びがこみ上げてくる。

「カーチャに会える。もうすぐカーチャに会える」

一九六四年の秋、今は一九九二年の一一月だから、今からちょうど二八年前に、志摩の一家がプラハを引き上げて日本に帰国することが決まり、ソビエト学校を退学することになったときには、カーチャにも、その他のクラスメートにもまたすぐに会えるものと思っていた。

カーチャだってそうだ。教室の壁面にかかった大きなソ連地図を見上げながら、カーチャが言った。

「日本て、遠い遠い国のような気がしてたけど、ソ連邦の隣国だったのね。サハリンから手の届きそうなくらい側《そば》にあるのね。だから、シーマチカにはまたすぐに会えるわね」

その半年後に文通まで途絶えてしまうとは、あの時点では、想像すらできないことだった。

志摩が帰国した翌年の六月、「大好きなシーマチカ」という呼びかけで始まるカーチャからの最後の手紙は、今も手元に持っている。そこには、モスクワに帰国することが告げられていたにもかかわらず、モスクワの住所が記されていなかった。心のこもったお別れの手紙だった。カーチャの意志ではなく文通を打ち切らざるを得ない事情が伝わってきた。

それでも帰国当初は、志摩も長年離れていた日本の社会や人間関係に自分を適応させて行くのに必死で、そのことをあまり考え込むほどにはならなかった。

一九六四年の暮れに志摩は、五年ぶりに日本の土を踏んだ。車が羽田空港から街路に出た瞬間、今まで遠かった母国の風景を自分があまりに美化していたことに気づいて愕然とした。道路の脇を流れるどぶ川からはおぞましい臭気が車の中まで入り込んで来たし、風景のゴチャゴチャワサワサとした猥雑さに目眩がした。色彩にも造形にも、まるで統一感と調和がない。我が家に向かう車の中で、この現実を受け入れて行くしかないことを懸命に自分に言い聞かせていた。それでも本格的に日本の現実との悪戦苦闘が始まったのは、翌年、志摩が最寄りの公立中学に編入させられてからであった。

ちょうど三学期が始まる日だった。母親とともに志摩は校長室にいた。

「五年間も日本の教育制度から離れていたのですから、日本の教育内容に追いついて行くのは非常に時間がかかります。できれば、一学年ほど下げて編入させられないものでしょうか」

「というと、志摩さんを本来編入すべき二年ではなく、一年に入れろとおっしゃるのですか」

五〇年輩の校長は、無表情な顔と同じく話しぶりも抑揚がない。壁と話している気分になってくる。

「それは、無理です。わたしの一存で出来ぬことですし、手続きが煩雑な上……」

「手続きは、こちらでいたします」

「今まで、それが通ったためしが無いんです。外国から帰られたお子さんの例は、わたしも初めてですが、病欠続きなどで学業が遅れた子供の例はいくつもありまして、いずれも却下されとるんです」

「それはまた、なんでですか」

母は食い下がる。

「留年ということになりますと、お子さんの将来にも好ましくない影響がでますし、何よりもお子さんが劣等感を持たれ、それを一生引きずっていかれる心配があります」

「うちの子は大丈夫です。それより、授業について行けないほうが、よっぽど苦痛ではないですか」

「とにかく無理です」

しばらく押し問答が続いたが、校長が、

「では、別な用件がございますので」

と席を立って出て行き、打ち切りとなった。

「まったくもう、お役人みたいな校長だわ」

母は腹の虫がおさまらないようだったが、志摩にとっては、日本の教育制度を支える考え方の基本を知る上で非常に興味深いやり取りだった。

子供ひとりひとりの心の内、理解の程度、ものごとの受けとめ方は異なるはずなのに、とにかく外側からは、なるべく同じに整える。差は極力目立たないようにしてあげる。外見上は、皆同じ。それが平等であり、公平である。皆と同じであることから外れるのは、恥であり、恐怖である。そんなことが決して表に現れないように保障してあげることが、学校側の思いやりであると考えているらしいことだった。

実際に教室に案内され、授業に出てみて、教師も生徒も、その原理で動いていることが、見て取れた。ちょうど教師が、前回のテストの採点済みのペーパーを返却していた。名前を呼ばれた生徒は、手渡されたテスト用紙をサッとひた隠すようにして自分の席に引き返す。着席すると、成績を記したところを折り返して傍から見えないようにして、ペーパーをのぞきこむ。何だかひどく異様な光景だった。たかがテストの成績を必死に隠す同級生たちの行動は志摩の理解を超えていた。この人たちとこれから毎日机を並べて過ごすのかと考えると、泣き出したくなった。

テストは、業者の作成した印刷物だった。市場の風景を記した随筆の抜書きが二〇行ほどあり、続いて問題が列挙してある。その一は、「売り子の老婆がしきりと売り物の林檎を磨いていた理由を次のア～ウの中から選べ。ア売り物として高く売りつけるため、イ暇つぶしに、ウ自分の作品を慈しむ気持ちから」。嘘だろう。クイズではあるまいし。文章の解釈を選択するなんて信じられなかった。

先を読み進むと、どの問題も〇×か選択式だった。人間ではなくて機械でも採点できるようになっている。テストも大量消費される商品なのか。いずれにせよ、誰がどんな成績かは、誰が何が得意で何が苦手かは、クラス全体には分からない仕組みになっているらしい。

しかし、しばらくすると、そんなことは、表面的にそうであるに過ぎず、生徒のランク付けは教師も生徒の一人一人もお互いに驚くほど詳細に行っていた。生徒同士のあいだで、誰がどのランクの高校を受験するかがさかんに噂され、それが彼らにとっても、彼らの家族にとっても、担任の教師にとっても、とてつもない重大事であるらしいことが分かってきた。問題にされるのは、その学校のランクだけ、つまり模擬試験の成績や偏差値がどのレベルの人が入れる学校かということだけで、そこの学風や、教育内容の特徴や、教師陣の力量などは一切問題にされないのだった。

不思議なのは、高校受験に学校中が血道を上げているらしいにもかかわらず、周りの同級生たちがさらにその先どんな職業に就くのか、という自分の将来像を心に描こうとしていないことだった。描いていたのかもしれないが、転校してきたばかりの志摩に胸の内を開いて見せてくれる子はいなかった。

「わたしはね、ダンサーになりたいんだ」

志摩がそう言っても、誰も身を入れて話に乗ってこない。受験一色に塗り固められた同級生たちの海に浮かぶ、今にも溺れそうな帆掛け船のような心境だった。○×や選択式テストには、人格を切り刻まれるような恐怖をおぼえた。おそらくそのためだろう、よくプラハ・ソビエト学校の夢を見た。

そのうち夜だけでなく昼間教室で教師が黒板に書かれた文句に赤いチョークで下線を引きながら、

「いいですか、ここは、受験のとき、出題される可能性大だから要注意ですよ」

などと説明している最中に、プラハの学校の教室にいるような錯覚に陥ることがしばしば起こるようになった。志摩にとっては殺伐としていた現実からの逃避だったのだろう。その白昼夢の幻影の中に最も頻繁に登場するのは、オリガ・モリソヴナだった。そのおおげさで滑稽な一挙手一投足、頭のてっぺんから爪先に至るまで一九二〇年代風の装いでまとめたそのいでたち、濁声で放つ威勢のいい罵り言葉などとともに、たちどころに生き生きとした姿を眼の前に呼び起こすことができた。

教室の片隅で、ひとり想像の中のオリガ・モリソヴナとやり取りしながら、フフフフと忍び笑いをする。日本の授業は、ほとんど教師の一方的なモノローグに終始するから、ひとり想像にふけるにはもってこいだったともいえる。

当時の志摩にとっていたたまれないことのひとつに、体育の時間に着用しなくてはならない体操着というのがあった。とくに耐え難いのはブルマという名の下ばき。火を点けて燃やしてしまおうと、何度思ったことか。少しでも美しくセクシーに見られたいという、年頃の女の子なら誰しも抱く願いを、これほど無惨に打ち砕くスタイルは無い。一体どこの誰が敢えてこれほどまで不格好な服をデザインし、よくもこのデザインに基づいて生地を裁ち、縫製するメーカーがあり、よりによってこのユニホームを採用する学校があるものだと、溜息が出た。その後、ほとんどの学校でほぼ同じような体操着を採用していることを知ったが、これを着用するときの苦痛が和らぐわけではない。

さらに度し難く恥ずかしく思われたのは、その体操着を着せられてフォーク・ダンスを踊ることだった。メキシコの輪舞もブルガリアの舞曲も全て同じ曲に聞こえるような演奏でレコード盤に吹き込まれている。土臭さ、あるいは血の滾《たぎ》るような勢い、あるいは憂鬱、あるいは悲しみなどなど、どの民族の音楽にも漂うその民族独特の雰囲気はきれいさっぱりとぬぐい取られて、一様にただただ楽しいだけの、陰のないのっぺらぼうな音楽になっている。

しかもその擦り切れたレコード盤の音に合わせて踊らされる踊りは、まあ、これを踊りと呼べるかどうかは別にして、本来一つ一つの動きの中に染み込んでいる筈の民族的特徴を完璧なほど排除して単純化しているのだった。腕の組み方一つ、脚の踏み出し方一つとっても、それぞれの民族によって大きくあるいは微妙に異なるのに……。

ものの見事に消耗品になりはててしまった音楽と踊り。レコード会社がレコードの売り上げを伸ばすために、踊らされているような気がした。日本中で同じレコードのメロディーにあわせて、同じマニュアルにそった踊りを踊っている光景が浮かんできて気味悪くなった。自分だけは、意地でも踊ってやるものかと思うのだった。

しかし、見るからに一生懸命教えている教師や、結構楽しそうに踊っている学友たちにこんな感想を述べて水を差すようなことはしたくなかったし、第一、分かってもらえるように話す自信もなかった。それでもこんなことを考えてしまうのは、オリガ・モリソヴナの薫陶のせいかなと思った。その途端、先生がこれを眼にして、毒舌を吐くのも忘れるほど驚き呆れ果てて、しばらくして持ち直すと、

「ああ、これぞ美の極致！」

と叫んで頭を抱える様が目の前に浮かんでくる。その度に、ダンサーになろう、ダンスがこんなものではないことを、言葉ではなくてダンスそのもので示してみせなくては、と意欲を新たにした。今にして思えば、不慣れな日本の現実が次々に投げかけてくる当時の志摩にとっては理不尽なあれこれの現象に対する拒絶反応を、オリガ・モリソヴナの残像は、前向きに転換してくれていたのだ。舞踊団を見つけて放課後そこのレッスンへ通うようになったのも、オリガ・モリソヴナの反語法に背中を押されてのことのような気がする。

そんな風に繰り返し繰り返し先生の面影を反芻しているうちに、ふとあるとき、そういえ

ば、先生のセピア色に変色した写真がいっぱい詰まった紙ばさみにも、言葉の端々にも、一九三〇年代から五〇年代にかけての部分がスッポリ抜け落ちていたと気づいたのだった。

　ガガーリンの宇宙飛行にもキューバ危機にも中ソ論争にも完璧なほど無関心な先生の時間は、一九三〇年で止まってしまったかのようだった。それほど先生は自分が最も美しく輝いていた時代に固執していたのだろうか。

「コーヒーのお代わりはいかがですか」

　ボーイの声でわれに返った志摩は、カップのコーヒーがすっかりさめてしまったことに気づいた。


　部屋に戻るついでにコンセルジュのところへ立ち寄って、頼んでおいた明日日曜日のエストラーダ劇場のチケットについてたずねた。

「一階席一二列目真ん中あたりの、かなりいい席がお取りできますよ。注文なさいますか」

　昨晩の見習い風の青年ではなくて、今朝は落ち着いた中年のマダムだった。

「たしか、マチネーで、開演は二時でしたよね。終わる時間は分かりますかしら」

　カーチャのモスクワ到着時間は夜九時だから、どんなに遅くなっても十分に間に合うはずなのに、ついそんなことを聞いてしまう自分の心の浮かれ具合がおかしい。マダムは、手馴れた様子で手元の演目案内をパラパラめくって答えてくれた。

「ハザノフのひとり芝居。二幕もの。休憩時間を入れて三時間以内ということですから、五時前には劇場を出られるはずですよ」

「では、チケットを取っておいてください」

「かしこまりました。チケットは、今日午後五時ごろには、こちらに届いているはずです」

礼を言って立ち去ろうとして、カウンターの横に張り出された、モスクワ所在の主な劇場のスケジュール表に目をやった。一一月はシーズンが開幕して二カ月目ということで、演目も充実している。表の一番上は、ボリショイ劇場のスケジュールであった。オペラとバレエの演目が日替わりで交互に記入されている。これまでの自分だったら、なるべく見て見ぬふりをするはずなのにと苦笑しながら、志摩はスケジュール表を食い入るように見つめる。

今日、土曜の夜はバレエ「バフチサライの泉」。プーシキンの叙事詩をもとに、B・アサフィエフが作曲、R・ザハロフの演出で一九三四年、レニングラードのキーロフ劇場で初演されたものが好評で、今の舞台も基本的にはこのR・ザハロフ演出がベースになっている。超人気演目の一つ。あらすじがロマンチックにしてドラマチック。実にバレエ向きなのだ。

クリミア汗国の王ギレイ汗は、ポーランドに攻め入った時に略奪してきたマリア姫に生まれてはじめて恋をする。権力をほしいままにしてきたギレイ汗を拒む女など今までいなかった。ハーレムには百人を超える女たちが美貌とギレイ汗の愛を競っていた。ところが、あのポーランド女は、自分を一瞥だにしない。故郷でギレイ汗に殺された恋人ワツラフのことばかり想って泣き暮らしている。

面白くないのは、いままでギレイ汗の寵を一身に集めてきた第一夫人ザレマ。ある夜、マリアの寝室に忍び込み、大切にしていた宝石を差し出してギレイ汗を自分に返せと迫る。しかし言葉が通じないまま、マリアのベッドの下にギレイ汗の帽子を見付けて逆上したザレマは短剣を片手にマリアに襲いかかる。驚いて逃げまどうマリアだが、生き甲斐を失った身に希望がないことを悟り、すすんでザレマにおのれの胸を差し出す。虚を突かれたザレマは勢い余って、短剣はマリアの胸に突き刺さる。マリアは息絶える。怒り狂ったギレイ汗の前に引き立てられたザレマは死刑を言い渡されるが、衛兵の拘束を振りほどいて宮殿のバルコニーから身投げして果てる。癒すことのできない悲しみにとらえられたギレイ汗は戦に出かけるが、マリアのことが忘れられず、宮殿の片隅に愛らしい噴水を造らせた。その前にたたずむと、美しいマリアの面影が浮かんでくる。その噴水を、世間では、「涙の泉」と呼ぶようになった。

突然、ザレマの役は、ジーナにピッタリだという気がしてきた。なぜもっと早く気づかなかったのか。ジーナはボリショイ劇場付属学校に編入したのだから、卒業後そのままバレエ団に残ったかもしれないではないか。

「今晩ボリショイで上演予定のこの『バフチサライの泉』の配役は、今から分かりますかしら」

「一応、主な役は、五〜六人がノミネートされてますけれど、この内の誰が今日踊るのかは、開幕前に劇場で配られるプログラムに記載されているはずで、ここでは分かりかねます」

そう言いながら、マダムは先ほどの演目案内パンフレットを見せてくれた。劇場は、バレエもオペラも演劇も基本的にはレパートリーシステムを採用しているので、同じ演目を続けて上演することはしない。毎年秋から春にかけて続くシーズンのあいだに何度も上演するが、メニューは日替わり。同じダンサーが色々な演目のさまざまな役柄をレパートリーとして持っていると同時に、一つの役を色々なダンサーがこなす。

志摩が注目したのは、主役のマリア、それに、もう一人の主役ザレマにノミネートされているバレリーナたちの名前だった。ジナイーダ・マルティネク。その名前は、リストには見あたらなかった。

「ボリショイ劇場付属バレエ学校の卒業生名簿などが閲覧出来るところ、ご存知ですか」

「さあ、それは、直接学校に問い合わせてみなくては、分かりませんね」

ずいぶん突拍子もない質問に、マダムはまじめに答えてくれる。そして、分厚い電話帳らしきものを取り出すと、メモ用紙に目当ての学校の電話番号と住所を書き写してくれた。

「ここに、お電話してみたらいかがです。ボリショイ付属というのは通称で、正式には国立モスクワ舞踊アカデミーというんですよ。誰もそうは呼びませんけれど」

才能ひしめくボリショイで頭角をあらわすのは、プラハ・ソビエト学校では最高の踊り子だったジナイーダにも難しかったのかもしれない。付属バレエ学校を卒業後、ボリショイ劇場に、それもその他大勢ではなく、プリマ候補として残るのは、毎年数えるほどだと言われる。ジナイーダは、どこか、地方のバレエ団に就職したのだろうか。それとも、バレリーナの命は短いとして三〇歳から年金が出るお国柄だから、現在四四、五歳になるだろうジーナは、すでに現役を引退してしまった可能性もある。とにかく部屋に戻って、すぐにも電話してみよう。

そんなことを考えながら、鈴の舞を踊ることになっているギレイ汗の第二夫人の役にノミネートされたバレリーナたちのリストに目を走らせた。準主役級の役どころである。そこにもジナイーダの名は無い。しかし、別な名前にオヤッと首を傾げた。「イワイ・リコ（日本人）」とあった。すごい。すばらしい。自分はとうの昔にクラシック・バレエのダンサーになる道をあきらめた。ダンサーをあきらめる前に、まずクラシック・バレエをあきらめたというのに。身体の骨格や容貌までが、ある理想的な形をしていることが残酷なほど厳格に求められるのが、クラシック・バレエである。容貌が才能の一部なのである。だから、幼い頃は、「白鳥の湖」や「ジゼル」を踊りたいと夢見ていた志摩も、一二歳になるころには、それは無理だと悟ったのだった。引導を渡してくれたのは、ジーナとも言える。リラの花の咲き誇る校庭で、ジーナの踊りとスタイルに打ちのめされたあのときに。だから、せめて民族舞踊や大衆舞踊を専門とするキャラクター・ダンサーになろうと志したのだった。結局それも挫折してしまったが。ところが、ついに日本人がボリショイの舞台に立つようになったとは。ぜひとも、のぞいてみたくなった。

「『バフチサライの泉』は、手に入りますかしら。もう、間に合わないかな」

「ちょっと、お待ちください」

マダムは、すぐさま受話器を取り上げてどこかに電話を入れて用件を伝えると、さかんにメモを取りはじめた。それから、メモしたものを志摩に見せてくれた。

「これですと、ベルエタージュ(桟敷二階席)右端の二列目が、お席としては、一番よろしいかと思います。いかがいたしましょうか」

「ぜひ、お願いします」

「こちらも、午後五時には、入手出来てますが……」

愛想のいいマダムは、何か言いたげだった。

「何か……」

「立場上、こんなことは申し上げにくいのですが……」

「どうか、おっしゃってくださいな」

「………」

「ねえ、おっしゃってください。内容は、こちらで判断いたしますから」

「ボリショイ劇場は、オペラもですが、バレエはとくにおすすめできません。がっかりなさると思います」

川崎さんの事務所で秘書をしているナージャが、ことあるごとに、ぼやいていたのを思い出した。

「シーマチカ、ボリショイはもうダメよ、ダメ。めぼしい連中は皆外国に出稼ぎに行ってしまったし、残った人たちも金の亡者。芸は荒れすさんじゃって、行くのは、時間の無駄どころか、不快な思いをするだけ。あそこには、もう外人観光客とおのぼりさんしかいかないことになってるの」
「なんだかそれを自分の目で確かめたくなりました。その二階の桟敷席、取り寄せてくださ
い」
マダムはニッコリとほほえんで快く応じてくれた。
「では、五時過ぎに、こちらへお立ち寄りください」
部屋に戻ってから、コンセルジュのマダムに番号をメモしてもらったボリショイ劇場付属
バレエ学校には、ウンザリするほど何度も電話を入れてみたが、結局誰も受話器を取り上げ
てくれなかった。たしか、付属して寮があるはずだから、無人ということはないだろうに。
あれこれ考えを巡らせるより、直接出向いてみることにした。書き物机の引き出しの中にモ
スクワ中心部の地図と地下鉄路線図があったので拡げてみる。地図で見る限り、最寄りのル
ビャンカ駅から五つ目のフルンゼンスカヤ駅で降りて、徒歩で行ける場所にある。
フルンゼンスカヤの駅舎前はごった返していた。老若男女が手に手にさまざまなモノを持
って突っ立っている。鍋、ソックス、ピクルス胡瓜の瓶詰め、子供服、レコード盤、本、運
動靴、電球……値段交渉する者もいれば、物々交換する者もいる。
駅を出て人混みをかきわけながら右に突き進んでいくと、人がまばらになったあたりで大
きな通りに出た。建物の壁面にコムソモリスカヤ大通りと青地に白く記したプレートが張っ
てあるのを確認してから大通りを横断。大通り沿いに右へ進み、最初の角を左折した。道の
突き当たりはパッと明るく開けた感じになっている。川が流れているはずだ。モスクワ川が。

その向こうに大きな空間が広がる。ゴリキー公園。葉を落とした木々の海の中に針葉樹の緑が点在する。軽く粉砂糖をまぶしたように霜に覆われている。

道路際に並ぶ建物の壁面が途切れて小さな空間ができていた。灌木や喬木が植わっている。奥まったところに三〇年前は超モダンであっただろう三階建ての建物があった。かなり横に広い建物。

あっ、きっとここだ。ここに違いない。姿のよい少年少女が次々にはき出されてくる。建物の一階部分は総ガラス張り。階段を七、八段上って同じくガラス張りの大きな重い扉を二つ押して中に入った。玄関の奥もガラス張りで大きな中庭に面している。建物全体がカタカナのロの字形をしているのが見てとれた。

玄関ホールも、少年少女たちでごった返していた。少女はみな三つ編みにしていて、お下げの先っぽに大きなリボンを結わえ付けているのが可愛い。何となくカーチャを彷彿とさせる空色の目をして同色のリボンをつけた女の子と目があって、つい話しかけてしまった。

「これから、みなさんお揃いでどこかへお出かけ？」

「いいえ、今日は土曜日でしょう。自宅が近い人は、家に帰って月曜の朝まで家族と過ごすんです」

人見知りせずにハキハキと答えてくれる。

「ところで、事務所は、どこかしら」

「事務所？」

女の子は首を傾げる。鼻先がツンと上向いているところなど、やはりカーチャによく似ている。

「職員室か、教務課のような部屋があったら教えてほしいの」

「うーん、先生方がお茶を飲んだりする部屋だったら右手奥突き当たりの階段を降りて、ずーっと突き進んでいくと付属劇場があるの。その手前右手に小さな体育館があるのだけど、その体育館の手前です。教務部主任の執務室は、玄関から左へ行って右側三つ目の扉です。校長室の隣。管理部の部屋は左側に並んでます」

「ありがとう」

礼を言って右の方角に向かい階段を降りた。半地下室だ。気が遠くなるほど長いだだっ広い廊下というかホール。右側には巨大な衣裳室が並ぶ。突き当たりに劇場入り口らしきものがある。右手の奥から二つ目の扉、おそらくここが教員の控え室だろう。扉を何度たたいても反応がないので、ノブを回したが、鍵がかかっていて開かない。

「正午から一時まで、お昼休みだから、先生方は食堂だと思います」

先ほどの女の子が、追いかけてきて教えてくれた。

それでは、と教務部主任の執務室と管理部のある方へ向かおうとすると、女の子がまた言い添えた。

「教務部主任も、秘書の人たちも、管理部の職員も、今日はもう全員帰ってしまったと思いますよ」

そうか。やはり土曜、日曜は、人捜しには向いていなかったのだ。

「先生方はまだいらっしゃるのね」

「ええ、高学年は今日も遅くまで授業がありますし、補講や公演のリハーサルをしているグループもありますから」

時計を見ると、午後一時まであと十分もない。何か手がかりをつかめるかもしれないので、教員が戻ってくるまで待つことにした。カーチャに似た女の子は、志摩に興味を持った様子でなかなか立ち去らない。黙って見つめ合っているのも決まり悪いので、質問をした。

「授業は厳しいの？」

「毎日、ふつうの学校と同じ科目の授業があって、その上にバレエの授業があるからターイヘン。でもね、怪我とか、肥満とか、他の道に進みたくなるとか、バレリーナにならない可能性もあるから、ちゃんと他の科目も勉強しとかなくてはダメなんですって」

少女の話を聞きながら志摩は羨ましくて溜息が出た。何て恵まれているのだろう。自分は学業とダンスのレッスンを両立させるためにどれほど骨身を削ったことか。高校を卒業と同時にある舞踊団を主宰する名ダンサーの家に住み込みの内弟子として転がり込んだのもそのためだ。日本の舞踊団には、バレエや日本舞踊も含めて、寮を持つ学校は無いから、これは、と思うダンサーの内弟子になるしかない。両親にも高校教師にも猛反対された。大学ぐらい出るのが当たり前とさんざん言われた。ダンサーとして芽が出なかったときはどうするのか、迷いはあったが、一か八かの二者択一に踏み切るしかなかった。そのために、ダンサーの道に挫折して翻訳者への転換をはかるとき、基礎的教養や知識不足を克服するのに、どれほど苦労したことか。なのにここでは、舞踊のレッスンと並行して普通の科目も教えてもらえる……それにしてもオリガ・モリソヴナは罪作りだ。最初に出会ったダンス教師が強烈すぎて、その後日本で師事したどの先生も先輩も物足りなかった。彼らにしてみれば、自分はすっごく生意気で可愛げがなかったことだろう、実力もない癖に素直じゃなくて。ずいぶん陰湿なイジメにあった。でも最初の舞踊団を辞めたのは、イジメのせいではない。住み込んだのは寸暇を惜しんでダンスを叩き込んでもらいたかったのに、一日の大半をその家でただ働きの家政婦をやらされてバカバカしくなったからだ……。

「どうしたの、おばさん、突然黙り込んでしまって？」

「あっ、ごめんなさい。それで、授業は、何時まであるの？」

「夕方の六時まで。古典のレッスンが一日に四時間もあるのよ」

「よく耐えられるわね。偉いわねえ」

「だって、あたし、バレエが大好きなんだもの。絶対にプリマになりたいんだもの」

目を輝かせる少女の背後にスラリとした五〇年輩の女性二人がやって来るのが見えた。扉の鍵穴に鍵を差し込んでドアノブを回す。扉の向こうに二人が消えてしまう前に、志摩は声をかけた。

「すみません、お尋ねしたいことがあります」

立ち止まって、志摩の方を振り向いた二人に急いで自己紹介した上で切り出した。

「わたしの小中学校時代の同窓生で、この学校にたしか一九六三年に編入してきたジナイーダ・マルティネクという女性を捜しているんです」

「さあ、あなた、聞いたことある？」

「ジナイーダ・マルティネクねえ」

「卒業生名簿のようなものが拝見できると、助かるんですけど」

「それは、管理部の管轄ですね。月曜日に、もう一度いらしてくださいな」

「月曜日は何時から……」

志摩が言いかけたところ、カーチャ似の女の子が口を挟んだ。

「じゃあ、おばさん、もうママが迎えに来ているはずだから、あたし帰ります。さようなら。ここに来る前にトゥーラで通っていたダンス教室の先生は、ジナイーダ・マクシモヴナという人だった。苗字がマルティネクかどうかは分からないけれど」

「えっ、その人おいくつぐらいの方？　東洋系の顔してなかった？」

少女は玄関口の方へ向かって一目散に駆けていく。志摩の質問は耳に入らなかったみたいだ。月曜日に再訪したときに、必要ならば、もう一度たずねてみよう。念のため、二人の教員に、女の子の名前を教えてもらった。マリーナ・ルドネワ。三年生。メモ帳に書き留め、礼を言ってその場を立ち去ろうとした志摩の耳に、冷ややかな声が聞こえてきた。

「ふん、トゥーラみたいなど田舎のダンス教室で、うちの卒業生が教えてるわけないのにね」

振り向くと、ちょうどバタンと教員控え室の扉が閉まったところだった。

ボリショイ劇場は、築二〇〇年を記念しての大々的な修復の真っ最中とかで、外壁のまわりはまだやぐらが組んであったが、内装はほぼ完了していた。以前入ったときに比べて格段に明るい。絨毯は繊維が薄くなったりすり切れたりしていたし、そこかしこの金箔が剝げていて何となくくすんだ感じだったのが、本来の姿に戻ってキンキラキンに輝いている。あちこちで感嘆の声や溜息が漏れる。英語、日本語、ドイツ語、イタリア語、フランス語……ロシア語がまったく聞こえないのが気になる。舞台を観る前にガイドに引き連れられて劇場の廊下やホール、階段などを見学している団体さんがやたらに多い。それも金持ち国からの観光客ばかり。

「今やボリショイは観光名所にすぎないのよ。ブランドをたよりに見る目のない人が行くところ」

何度も注意してくれた川崎さんの事務所のナージャの言葉を思い出す。舞台のあるホールへ足を踏み入れながら、志摩は自分の期待値がみるみる下がっていくのを感じていた。それでも、入り口のところでプログラムを買った。席につきプログラムを開いて、思わず唸った。ギレイ汗の第二夫人役は、例の日本人バレリーナ、イワイ・リコとある。呼吸が心なしか荒くなっている。

幕が開いた。何か変だ。どうしたんだ。ふつうどんな舞台からも放たれるオーラのようなものが全く感じられない。踊り子たちには、明らかにやる気がない。マリア役のバレリーナはかなり名の知られた人だし、ザレマ役は国民芸術家の称号を持つバレリーナだ。日本でいえば、国宝級。ところが、表情には生気が欠けていて、仕方なく踊っているという感じが見え見えである。コールドバレエは決められた動きを機械的にこなしているだけ。まるでふてくされているよう。これはあんまりだ。観客に対して失礼ではないか。

志摩が席を蹴って出ていこうとしたその時、客席のあちこちから力強い拍手が聞こえてきた。トルコブルーの衣裳を着た踊り子が両手に持った鈴を鳴らしながら踊り始めた。ああ、ギレイ汗第二夫人の鈴の舞……ということは、これが例のイワイ嬢か。手足も首も日本人の平均以上なのだろうが、この舞台に立つとかなり短く見える。それよりもコールドバレエダンサーよりも技術が劣っているのが隠しようもない。手足の動きが直線的でまるで棒っきれを胴体にくくりつけたみたい。針の筵《むしろ》に座らされているような居心地の悪さに志摩の身体は縮こまっていく。コールドバレエがやる気を失くしたのは、このせいではないのか。これ見よがしの無気力は無言の抗議だったのではないか。

不思議なのは、イワイ嬢がポーズを決める度に、志摩の目には見るに耐えないぶざまなそのポーズに客席のあちこちから、「ブラボー」の掛け声と割れるような拍手がわき起こることだった。自分は同胞に対して厳しすぎるあまり、目が曇ってるのだろうか。拍手につられて、志摩の左右前後に陣取る人の良さそうなアメリカ人の一団も、

「本場の人たちが、これだけ感動してんだから、きっとこりゃ巧いに違いない」

という感じで、遅れまいとあわてて拍手している。

いや、やはり変だ。マリアもザレマもイワイ嬢が足元にも及ばないような技量を次々に披露しているというのに、客席はものの見事に無反応なのだ。

さらに不思議なことは、一幕目がはねたカーテンコールのときに起こった。役を踊ったダンサーたちが一組ずつ幕の前に出てきて客席に挨拶をする。主役級のアーチストのときは冷ややかでおざなりだった拍手が、イワイ嬢のときだけ異常に盛り上がるのである。あちこちから「ブラボー」の声が張り上げられ、これでもかこれでもかと花束が投げ入れられる。おやっ、と志摩は首を傾げた。「ブラボー」が、野太い男の声ばかりだ。すでに客席が明るくなっていたので、花束を投げ入れる人たちや声の発生元を目でたどると、桟敷や一階席の通路に立つ外套姿の帽子をかぶったままの男たちばかりだった。ふつう、観客は外套と帽子をガードローブに預けて観劇することになっているのに。

劇場が豪華絢爛であればあるほど、踊りのお粗末さと嘘っぽいブラボーが妙に浮いてしまう。居たたまれなくなって、志摩は劇場を飛び出した。

ホテルの玄関口に入ったところで、コンセルジュのマダムが志摩に気づいて、やはりという顔つきをした。劇場から引き上げた時間が早すぎたので察したのだろう。

「おっしゃるとおりで、同胞の恥ずかしい姿にショックを受けました」

マダムの傍を通り過ぎるときに挨拶代わりに報告すると、マダムはさかんに恐縮した。

「何をおっしゃいます。恥ずかしいのは、金まみれのボリショイ劇場の方です。運が悪かったですね。あの母親の、ボリショイ劇場でのニックネームは、サンタクロース。プレゼント攻勢で娘を天下のボリショイのプリンシパル（主役級ダンサー）の地位に押し込んだという噂です」

「いくらなんでも才能ひしめくボリショイの誇り高いプロデューサーが、一定レベルに達していない踊り子に、役を割り振るなんて考えられないんですけれど」

「でも、今日ご自分の目で確かめられたのでしょう。それに、お気づきになったかしら、イワイ嬢のママは、ブラボー屋を大勢雇うのですよ」

「ブラボー屋？」

「最近はやりの商売。一ステージにつき一〇ドルぐらいの料金と引き替えに、金をくれたダンサーに対してだけ派手な絶賛と拍手を浴びせるんです。おそらく、事情を知らない純情無垢な外人観光客やおのぼりさんたちは、ついつられて拍手喝采してしまってましたでしょう」

うなずきながら、志摩は、そういえば自分もブラボー屋をやったことがあるではないか、と思い当たって苦笑した。ダンサーをやめるまでに三つの舞踊団に在籍し、その内の二つはバレエ団だった。クラシック・バレエで舞台に立つことは諦めていたが、民族舞踊や大衆舞踊に比べて理論や教授法が確立しているバレエを舞踊の基礎として習得する必要があったし、どのバレエ団でも、キャラクター・ダンサーは必要としていた。亜紀バレエ団の準団員であった時期もある。どの舞踊団でも公演の度に、出演しない団員や関係者が会場のあちこちにまぎれ込んで拍手をし、「ブラボー」「アンコール」を声を限りに叫ぶのを当たり前のようにしている。志摩もしばしば動員された。

「ったく、良心が咎《とが》めない、あんなのに一生懸命拍手すんの？」

あるとき、隣に座った団員がそんなふうに話しかけてきた。それが、小野だった。

「あら、あなただって拍手してるし、大声でブラボーと叫んでんじゃないの!?」

「オレは、これでも精一杯おざなりにやってんのよ。オレのブラボーの声に皮肉が混じってるの、分かんないかなあ？」

「そう？　ちょっとやってみて」

「ブラボー、ブラボー、ブラボー！　ねっ、ちっとも心こもってないでしょ」

「クックックックッ」

小野とはそれで親しくなった。小野のいうとおり、金をもらってるわけじゃないけど、舞台のパフォーマンスに感動も満足もしていないのに、仕事として、あるいは義理や義務として拍手喝采していたのだから、ブラボー屋とさして変わらないではないか。

それに、プレゼント攻勢でプリンシパルのステータスを確保するのは、日本の少なくない有名舞踊団で半ば公然と行われていることだ。

亜紀バレエ団で、藻刈富代が凡庸な才能とバレエには全く不向きな股関節の持ち主であるにも拘わらずプリンシパルの座を射止めたのは、藻刈の父親が団長の亜紀雅美に都内一等地のリハーサルスタジオをプレゼントした見返りだというのは、すでに日本バレエ界の常識になっていた。団を維持するための必要悪として団員たちも諦めている。

一度「ジゼル」で、藻刈が主役を踊ることになったとき、亡霊になってからの衣裳が気に食わないと言って、駄々をこねたことがあった。お気に入りの衣裳を勝手に作ってそれを着けると言って聞かない。日頃、藻刈にかなり気を使っている団長の亜紀も、この時ばかりは藻刈の要求をはねつけた。

「富代ちゃんの衣裳を替えるだけでは済まないのよ。コールドバレエの衣裳とのバランスがあるでしょう。三二名の衣裳、全部替えるだけのお金が無いのよ。だから、堪えて欲しいの」

一週間後、藻刈は自分のお気に入りの衣裳に合わせて、コールドバレエ全三二名分の新しい衣裳をバレエ団にプレゼントしたのだった。

イワイ嬢の母親は、日本バレエ界の一部に根強い習慣に則ってボリショイ・バレエに対しても振る舞っているだけなのではないか。そして、国からの財政支援がストップしたボリショイ・バレエにも、それを受け容れる素地があったのだろう。志摩は、ジーナがボリショイ劇場にいないらしいことを、心から良かったと思った。

志摩だって自分より才能も容姿も劣ったダンサーが、親が舞踊団に多大な寄付をしたという理由で、主役や準主役をあてがわれるのを、何度堪え忍んだことか。そういうダンサーにも、公演の度に「ブラボー」と拍手喝采しなくてはならなかった。あのときの悔しさが喉元までこみ上げてくる。志摩の悔しさを小野は理解し慰めてくれた。

「どの団も慢性的金欠状態にあるのよ。桁違いに多数の視聴者を相手にする映画やテレビがある時代に、コピー不可能な舞台芸術を経営的に成り立たせるのは、そもそも無理があるんだな。それに日本には舞台舞踊に対する需要が伝統的にないでしょ。大多数の舞踊団は、興行ではなく、教えることで成り立ってるんだから。未だに女子供のままごとにすぎないのよ」

自分自身に言い聞かせるような口振りだった。そして、志摩の妊娠を潮に、小野は覚悟を決めた。

「男子一生の仕事ではないんだな。でも君には才能があるんだから絶対に続けろ。オレはやめて君を支えるからさ」

決断すると、行動は素早く、すぐに実家に連絡をとった。舞踊をやるなんて言語道断と許さなかった父のもとを、家業は絶対に継がないと飛び出した一人息子が悔い改めて戻ってきたというので、両親は大喜びだった。コブつきの嫁さんまで大目に見てくれて、盛大に結婚式までしてくれた。小野は家業の中堅運送会社の専務におさまり、父親の死後は社長になった。そして、志摩が踊り続けるのを支えてくれた。財政的にも、精神的にも。志摩よりも若くて美しいダンサーに小野が夢中になるまで、それは続いた。

6

「ああっ」

志摩は叫んだまま、その場に釘付けになった。

あの写真だ。実際には、たった一度しか見たことはないのだが、記憶の中で何度も何度も手に取った写真と同じものが、目の前にある。あの写真はセピア色に変色していたが、こちらは、写真に色をほどこしたみたいだ。サイズは、志摩が三〇年ほど前に見たものより大きい。オリガ・モリソヴナのファイルにおさまっていたあの写真の一〇倍はある。引き延ばしてあるせいか、目も粗い。

グランドピアノを囲んだ真っ青な燕尾服姿の五人のバンドマンたちの眼差しは、中心にたたずむブロンドの美女に注がれている。胸元が大きく開いたショッキング・ピンクのドレスに身を包んだ美女は、写真を見る者に挑みかけるように婉然と微笑む……。

午後二時に開演したハザノフの舞台は、満席の盛況だった。時事問題に取材した一人芝居は、うわさ通り、かなり風刺が効いているらしく、頻繁に客席がわく。しかし、外国人旅行者にすぎない志摩にとっては、何がそれほどおかしいのか分からない。ゴルバチョフ、エリツィンなどの物真似は、たしかに特徴の捉え方が秀逸で、そこだけ、ちょっと笑えたが、それでも、客席からずり落ちそうになって笑い転げる周囲の客たちほどには、セリフの裏の意味がつかまえられない。また、ゴルバチョフとエリツィン以外の政治家や有名人の物真似を見せられても、オリジナルを知らない志摩には、ピンとこないのだ。居心地が悪いこと、この上ない。現に右隣の二人組の女性など、志摩がぜんぜん笑わないのに気づいたらしく、怪訝な目つきでジロジロと見つめてくる。

だから休憩時間になってホッとした。この舞台で一九三〇年に、オリガ・モリソヴナがチャールストンとジターバグを踊ったはずだ。その舞台の様子を自分の目で確かめてみたくて、ここまで足を運んできたわけで、目的は果たせたのだし、二部は見ないでホテルに戻ろう。そう心に決め客席を立ってロビーに出た。出口に向かおうとして、入場するときは、急いでいて気にもとめなかったロビーの広さに驚いた。それも、単にだだっ広いというのではなくて、いくつもの小ホールが連なる形をしているのだった。

小ホールの一つ一つが、小さな展示場になっている。あるホールの壁面には劇場の現在の人気アーチストたちのポートレートや、その舞台のシーンを撮影したらしい写真がかかっている。

「昔の、出演者に関する資料なども、劇場には残っているのではないですか」

プログラムを売っている女性にそのことをたずねると、

「劇場の資料室は、今日は休日で係が出勤していないから、明日にでも事務所に問い合わせるとよろしいわ」

というほぼ予想通りの答えだった。事務所の七桁の電話番号をノートに書き込みながら、上六桁までは、ナターシャにもらった番号と同じことに気づいた。

隣のホールには、各国の著名人がこの劇場を訪れた時の写真が展示されていた。マルチェロ・マストロヤンニ、グレゴリー・ペック、ソフィア・ローレンまでが足を運んでいたとは、と少し意外な気がして、キャプションを読むと、なんてことはない。劇場の建物がモスクワ映画祭会場の一つになることが多いらしい。

次の三つのホールは、『ポスターに見るモスクワ・ミュージック・ホールのエストラーダ(軽音楽・軽演劇)』という臨時展覧会場になっている。ちょうど開演ベルが鳴り、ホールにいた客たちが一斉に席に戻っていったので、突然閑散としたロビーに、志摩一人が取り残された。

志摩は、ミュージック・ホールなるものが、モスクワにあったことを、このとき初めて知った。しかも、ポスターそのものも、ポスターによって宣伝されている出し物も、今のものよりはるかに垢抜けている。

一九二六年秋に開設され、三六年に閉鎖されたらしいモスクワ・ミュージック・ホールの最初の出し物は、ドイツからやってきたト・リマなる催眠術師のパフォーマンスだった。長い針のひとさしで舞台の上の鶏や、鰐やライオンを眠らせる、と宣伝惹句にある。

次のポスターは、チェコからやって来た氷上バレエ団。氷を張った舞台でスケート靴をはいたダンサーが「白鳥の湖」を踊る、『このスピードに、あなたはついていけるか!?』とある。

ポスターを見る限り、ミュージック・ホールは、実に何でもありの世界だった。奇抜なもの、楽しいものを世界中から集めてきてやろうという自由奔放な精神が脈打っている。映画と舞台を組み合わせたミュージック・コメディーもあれば、大がかりなケファロ一座の奇術もある。ナロウ・ファミリーの面々が一輪車に乗ってサッカーの試合をして見せたり、アメリカからやってきた「ブラック・チョコレート」なる黒人バンドが、ジャズのメドレーを披露する。歌とダンスのジプシー・アンサンブルもあれば、イリヤ・イリフとエヴゲーニイ・ペトロフの風刺喜劇「一二の椅子」を上演している。二人とも、モスクワ・ミュージック・ホールの座付き戯作者だったようだ。

おや、これは、オリガ・レペシンスカヤではないか。立て続けにレペシンスカヤ出演演目のポスターが並ぶ。ボリショイ劇場の押しも押されもせぬプリマ・バレリーナだったレペシンスカヤが、こんなにたびたびミュージック・ホールに出演していたとは。説明書きによると、彼女は一時期、モダン・ダンスとミュージック・ホールの斬新さに夢中になり、真剣にボリショイからの移籍を考えたとある。さもありなん。厳格な型に縛られたクラシック・バレエのダンサーにとっては、破格もいいところ、びっくり箱のようなミュージック・ホールは、さぞ魅力的に映ったことだろう。

一九二六年から三六年というと、革命直後の内戦が終結し、革命政権が戦時共産主義からネップと呼ばれる市場経済の部分的復活路線へ政策転換したものの、早々と軌道修正して急速な重工業化、農業集団化に踏み出した頃であり、スターリンが権力を掌握し、本格的な粛清に乗り出すまでの、わずかな期間。ソビエトのエストラーダは、ろうそくの炎が消える直前にパッと明るく燃え上がるような華やぎを見せたのかもしれない。

そんな思いを頭の片隅で転がしながら、次のホールに移動した志摩の目に飛び込んできたのが、あの写真を真ん中に据えたポスターだった。

『今宵、あなたのダンス観がコペルニクス的転換をとげる！　本邦初演！　エキセントリック・バンド：ディアナと青いコウモリたちが贈る魅惑のジターバグとチャールストン』

ディアナ。狩りと月の女神の名前。オリガ・モリソヴナの芸名は、ディアナだったんだ。それに、ソビエト連邦で初めてオリガ・モリソヴナがチャールストンとジターバグを踊ったのは、エストラーダ劇場ではなくて、どうやら、モスクワ・ミュージック・ホールだったことになる。エストラーダ劇場は、昔、そんな風に呼ばれていたのだろうか。それとも「軽音楽・軽演劇」という意味の普通名詞として「エストラーダ」と言ったのだろうか。

公演日程は一九三〇年四月一四日から二七日までの二週間とあり、その下に、モスクワ・ミュージック・ホールの住所があった。サドーワヤ通り凱旋広場。ということは、いま志摩がいるエストラーダ劇場の所在地とは違う。

「行ってみよう」

即座に決断した。すぐにも飛んでいきたかったが、念のため、展示されているポスターの、まだ見てないものすべてに目を通した。「ディアナと青いコウモリたち」のポスターが、他にないものか、確かめておかなくてはならない。三一年、三二年、三三年と一枚一枚のポスターを、とくに、アーチストの名前に注意しながら丹念に見ていく。ポスターは、どれも初演のものだけを選んで展示しているようであった。どうやら、無いみたいだと、思いかけたとき、劇場が閉鎖される三六年の部の最後から四番目のポスターに、

『ウズベキスタンが生んだ天才舞姫タマラ・ハヌム、月の女神ディアナと初のデュエット』

というキャッチ・コピーが躍っていた。写真の女は二人とも、左右の眉毛をつなげたウズベク風の化粧をしているので、そのうちの一人が、オリガ・モリソヴナなのかどうか見極めるのは難しいなと思ったが、さらに目を凝らして、ポスターの文字を追うと、

『あのディアナが、ついに「青いコウモリたち」と袂を分かち、新しいジャンルに挑戦！』

とある。これで、オリガ・モリソヴナが、少なくとも三六年までは、モスクワ・ミュージック・ホールに出演していたことは、確かなようだ。

展示会場を出ようとしたところで、入り口に掲げられた展示会のタイトル『ポスターに見るモスクワ・ミュージック・ホールのエストラーダ』の下に括弧があるのに気づいた。小さな文字で、「一九二六〜二八　M・H・サーカス、一九二八〜三六　M・H・エストラーダ劇場」と記してあるではないか。そうか、そうだったのか。オリガ・モリソヴナが、自分が一九三〇年に踊った舞台を「エストラーダ劇場」と言ったのは、ミュージック・ホールの略

称だったんだ。あのとき先生に読ませてもらった新聞にミュージック・ホールの文字が無かったと記憶していたが、イニシャルの「M・H」のみで意味が分からないため、志摩の記憶に残らなかっただけなのだ、きっと。

エストラーダ劇場を出て、タクシーを拾ったものか、迷った。今のモスクワで女一人タクシーに乗るのは危険すぎる。しかしモスクワの地理と様々な建造物に関する知識を考えると、プロのドライバーは捨てがたい。迷いながらも、劇場前のタクシー乗り場の方へ足は赴いていく。タクシーが五台並んでいた。一番前の車の運転手さんの顔を見た。おおらかな、人の良さそうな顔をしている。乗ろう。こちらの意志を読みとったかのように、運転手さんの方から声をかけてきた。

「どこまで？」

「サドーワヤ通り凱旋広場のモスクワ・ミュージック・ホール……」

「えっ!? 何だって」

「……のあったところ」

「ちょいと、待てよ」

運転手さんは、自分の車から離れて後ろの車の運転手さんたちに、声をかける。

「おい、聞いたことあるか？　サドーワヤ通り凱旋広場のモスクワ……何だっけ、お客さん？」

「モスクワ・ミュージック・ホールがかつてあったところ。三六年に閉鎖されたそうですけど……」

「というわけだ。知ってるか？」

他の四人の運転手さんたちも次々に運転席から外に出てきてくれて、ああだこうだと論議を始めた。

「凱旋広場ってのは、今のマヤコフスキイ広場のことじゃないかい。ボリシャーヤ・サドーワヤ通りに面した」

「あそこにはチャイコフスキイ・コンサート・ホールと風刺劇場とモスソビエト劇場があるがね」

「風刺劇場があるところに、昔はそのミュージック・ホールとやらがあったよ。凱旋広場に。まちがいない」

一番年輩らしい運転手さんがボソッと、でも自信ありげに言った。

「子供のときに、一度だけ連れてってもらったことがある」

「何をごらんになったんですか？『月の女神ディアナ』とか『青いコウモリたち』とか、見ませんでした？」

「オレが見たのは、蛇の舞。タスキンとセルゲーエワの蛇の舞だ。あんな舞台、空前絶後だったね。オレは小学校に上がったばかりだったというのに、いまだに、網膜に焼き付いちまってるよ」

どちらかというと風采のあがらない運転手さんの顔が上気して、少年のような表情になった。

「その、風刺劇場に連れてってください」

「爺さん、あんたに、このお客さん、譲ったげるよ。いいだろ?」

最初に志摩に声をかけてくれた運転手さんは、他の仲間の同意をうながした。

「ああ、それが一番いい」

運転手さんたちは皆、快く応じている。

「悪いな、恩に着るよ。じゃあ、お嬢さん、二ドルでいいね。乗りな」

車が走り出すと同時に、運転手さんは、一方的にしゃべりはじめた。

「最初はね、会場は真っ暗だし、効果音も何もない。そのうち舞台が少しずつ明るくなってくる。気がつくと舞台には頭にターバンを巻いた半裸の男が立っている。男はおもむろに背負っていたずだ袋を床の上に置く。そこへ、どこからか、インド風の音楽が鳴り響く。すると、ずだ袋の中から、緑色のウロコをピカピカ光らせた大蛇が、クネクネと身体をくねらせて、出てくるんだ。大蛇は、床を這いまわり、男の足から身体に絡みついていく。よく見ると、それは、女の人なんだ。それが、ほんとうに蛇に見えてしまったんだから、驚きだよ……話だけ聞くと、こけおどしのゲテモノだって気がするかもしれないけど、違うね。断じて違う。六〇年経っても、あの舞台を思い出すと、心がざわめいてくるんだ。分かるかい? 自由を求めてやまない心とそれを縛りつけようとするものとの戦いのドラマなんだな、あの踊りは……あっ、着いたね。その右の灰色の建物だ」

「ありがとう。はい、二ドルでいいのね」

志摩は、車を出て、扉を閉めようとして、思いとどまった。

「ねえ、運転手さん、わたしが戻ってくるまで、待っててくださらない？」

「ああ、おやすいご用だ。ここじゃ車止めてらんないから、あの角曲がった先で待ってる。急がなくていいからね」

「良かった。運転手さんからもっとお話聞きたいし、今のモスクワで、安全なタクシー確保するの、偶然にまかせる気になれないのよ」

「こちらだって、今のモスクワで安全なお客を確保するの、大変なんだよ。きのうも仲間のタクシー・ドライバーが、強盗に首筋切られて命落としたからね。じゃあ、ごゆっくり」

大きな広場だった。中央に詩人マヤコフスキイの銅像がそびえる。ソビエト最大の詩人と讃えられたマヤコフスキイが自害して果てたのは、一九三〇年四月一四日の夜だった。四月一四日。オリガ・モリソヴナがソビエトの舞台にチャールストンとジターバグを初めて登らせたのは、四月一四日だった。しかも、今詩人の銅像が建つ広場に面した劇場で。あまりの偶然の一致に、志摩はゾクッと身震いした。

風刺劇場も今日はマチネーのみで、出し物は、『トムスク州のリヤ王』。シェイクスピアのパロディーで老人問題を風刺した芝居のようだ。一三時開演だから、もう終わりに近い。チケット売り場をのぞくと、すでに閉まっていた。仕方ないので、入り口で手持ちぶさたにしている女性に事情を話すと、意外にもスムーズに中に入れてもらえた。

「へえーっ、日本からいらしたんですか。それで、何を知りたいんですか」
二四、五ぐらいだろうか、気さくな感じの人だ。
「ここに、一九三六年までは、モスクワ・ミュージック・ホールがあったということなんですが、その頃の資料を見たいんです。具体的には、『青いコウモリたち』と組んでいたダンサーの『月の女神ディアナ』について、知りたいんです。一九三六年には、ディアナはコウモリたちと分かれてタマラ・ハヌムとデュエットを踊ってますが……」

「えっ!? この建物が、ミュージック・ホールだったなんて、初耳! ちょっとお待ちになって……」

そう言うと、彼女は、一〇メートルほど離れたところに立つ同僚のところへ駆け寄って行き、言葉を交わすとその女性を伴って戻ってきた。

「この人、一九五二年からここに勤めてるから、直接聞いてごらんになるといいわ」

志摩は紹介された五〇年輩の女性に簡単に自己紹介をした上で、先の質問を繰り返した。

首をかすかに傾げながら、女性は口を開いた。

「ここには一九六一年まで国立エストラーダ劇場が入ってました」

「それって、もしかしてモスクワ・ミュージック・ホールが前身の?」

「さあ。でも国立エストラーダ劇場がここに陣取ったのは、一九五四年からのことで、その前は風刺劇場だったんですよ。一九二六年から一九五四年まで、風刺劇場はずーっとこの場所を本拠地にしていたんです」

「エッ、でもモスクワ・ミュージック・ホールも同じ一九二六年からここに設立されたって……」

「ええ、モスクワ・ミュージック・ホールが同じ広場に面した建物に開設されたものだから、ここにそれ以前から陣取っていた同じ軽音楽・軽演劇系のアリカザルという名のバラエティー劇場がこの建物を引き払って別な場所に引っ越したんですよ。空き家になった建物に風刺劇場が入ってきたというわけです」

「すると、そのモスクワ・ミュージック・ホールは、いったいどの建物に入っていたんですか？」

「広場の向こう側に映画館がありますでしょう。あの建物の地下に昔、第二サーカス劇場があって、それがそのままミュージック・ホールになったんです。といっても、わたしが直接確認したわけではありませんよ。就職したての頃、ときどき先輩たちが懐かしがっていたんです」

　タクシーに戻って、運転手さんにことの顚末を話して聞かせると、しきりに恐縮する。

「いやあ、オレの勘違いのせいで、無駄足踏ませて悪かったな。今の風刺劇場のあるところにミュージック・ホールがあったものと記憶していたんだ。子供の頃は、ここにでーんとマヤコフスキイの銅像なんて建ってなかったからね。方向がズレちまった。いやあ面目ない……あっ、でもガキの頃ミュージック・ホールの舞台を観たことだけはウソじゃないからね」

「向かい側の、今は映画館になってる建物って、あれかしら」

「ああ、車を横づけしてあげよう」

ところが、肝心の建物は全館改装中とかで全ての入り口が封鎖されていた。仕方ないのでホテルまで送ってもらった。

志摩がホテルの部屋に戻ったのを見透かしたかのように、電話のベルが鳴った。

「シーマチカ、やっと、つかまえたわ。わたし。ナターシャ」

おとといの夜、下のバーで知り合ったエストラーダ劇場のダンサーだった。

「今日、あなたの劇場に行って来たのよ」

「なんだ。先にお電話下されば良かったのに。それより、シーマチカに聞かれたことだけど、おとといは本番直前できちんと確かめずに、聞き流してしまったものだから、確認のためにお電話したの。エストラーダ劇場は、一九五四年の創設でね、ベルセネフスカヤ河岸通りの今の建物に移ってきたのは、一九六一年なのよ。だから、昔の建物であれ、今の建物であれ、一九三〇年に、シーマチカの先生が舞台に立ったという話は成り立たないのね」

「あっ、その件は、わたしも今日、偶然の成り行きで確認できてしまったの」

志摩は、今日の探索の一部始終をかいつまんで話した。

「ちょっ、ちょっと、もう一度言ってちょうだい。今、シーマチカは、『ディアナ』と言ったわよね」

「ええ、ギリシャ神話の月と狩りの女神アルテミーダを古代ローマでは、ディアナと呼んだでしょ。これがオリガ・モリソヴナの芸名だったみたいなの」

「そのディアナの話、聞いたことあるのよ、マリヤ・イワノヴナに。エストラーダ劇場の衣裳係のおばあさんで年金受給者なんだけど、この仕事が大好きで今でも皆勤。たしか、そのモスクワ・ミュージック・ホールでも、働いたことがあるって言っていた気がする」

「どんな話なの？」

「どこかの外交官がディアナに入れあげて、毎日のように、楽屋に通って来ていたんですって。でも、ディアナには、ピアニストの亭主がいて……」

「そうそう、『青いコウモリたち』のピアノ弾き」

「すごい焼き餅焼きで、もともと酒飲みだったのが、酒乱になってしじゅう楽屋で大暴れしたらしいわ。そのうちアル中になって、指先の震《ふる》えがなかなか止まらなくなって、ピアノが弾けなくなっちゃったらしいの」

「ナターシャ、そのマリヤ・イワノヴナに、会わせて」

「わたしも、それが、一番いいと思う。今日明日中に、また電話するから」

受話器を置くと、ナイトテーブル備え付けの時計が目に飛び込んできた。針は、五時を指している。あと、四時間で、カーチャに会える。

ナターシャは、一五分もしないうちにまた電話をかけてきた。

「シーマチカのことを話したら、マリヤ・イワノヴナがとても興奮して、今すぐにでも会いたいって言い出したの」

早ければ九時には、カーチャがスヴェルドロフスク市から駆けつけてくる。年輩の女性に、出向いてもらうのは気がひけたが、志摩はナターシャに事情を話して、ホテルでならという条件を出した。

「かえって、好都合だわよ。マリヤ・イワノヴナのお住まいは、クズネツキー・モストだから、シーマチカのホテルまでは、歩いて一〇分とかからないじゃない。わたしが迎えに行って、連れて行く」

「何だか、悪いわね」

「シーマチカ、わたしも実はディアナのことに興味津々なの」

午後六時には、志摩はホテル一階のロビーでナターシャからマリヤ・イワノヴナを紹介されていた。背の高い、落ち着いた感じの老女は、銀ぎつねの帽子と、同じ毛皮を襟元と袖口にあしらった古風なコートをガードローブに預けると、アール・ヌーヴォー調のホテルの壁面や天井にゆっくりと視線を這わせた。

「懐かしいですわ、このホテル。六〇年ぶりかしら。改修に時間がかかりましたけど、こんなにみごとに昔の姿を取り戻しているなんて。またあの頃の『サボイ』という名前に戻りましたのね。戦後『ベルリン』っていうふうに改名されてしまいましたのよ。市中心部のホテルには軒並み、ソ連邦の兄弟諸国になった国々の首都の名が付けられたんです。でも、サボイだった頃は、ミュージック・ホールに巡業にやってくる外国のアーチストの方々も、ずいぶんここを定宿にされてました。そうそう、『青いコウモリたち』のリョーシャも、一時期ここのレストランでピアノ弾いてましたのよ」

「リョーシャって、オリガ・モリソヴナの四人目の夫となった、『青いコウモリたち』のピアニストのアレクセイという方のことですよねえ」

「たしかに、リョーシャ、つまりアレクセイ・トレプレフは、『青いコウモリたち』のピアノ弾きでしたし、ディアナの四人目か五人目かの亭主でしたけれど、そのオリガ・モリソヴナって、どなたのことですか？」

　思いもかけない話の展開に、志摩は絶句した。

「マリヤ・イワノヴナに申し上げてませんでしたっけ、それが、シーマチカがプラハのソビエト学校で習った舞踊の先生のお名前。『ディアナと青いコウモリたち』のポスターの写真と同じものを持ってらして、どうも、ディアナをご自分のことだと言ってらしたみたいなのよね」

　ナターシャが助け船を出してくれているあいだに、混乱した頭と心を何とか立て直すことができた。

「ところで、ディアナの本名は、ご存知ですか？」

「バルカニヤ・ソロモノヴナだったと思いますよ」

「えっ、もう一度おっしゃってください。バルカニヤ・ソロモノヴナですって!?　オリガ・モリソヴナ・フェートじゃないんですか？」

「ええ、間違いありませんことよ。フルネームは、バルカニヤ・ソロモノヴナ・グットマン。

ふだんは、バラって呼んでましたからね」

マリヤ・イワノヴナは、深い青緑色の瞳を志摩の方に注ぎながら、一言一言嚙みしめるように答えてくれる。一九二八年、二〇歳の時に、モスクワ・ミュージック・ホールの衣裳部に就職したというから、現在八四、五歳のはずだが、さすが今も現役らしく、背筋はほれぼれするほどピンと伸びていて、言葉もしっかりしている。

「瞳は？　バルカニヤ・ソロモノヴナの瞳は何色でしたか？」

「ちょっと、シーマチカ、ここで立ち話をいつまでも続ける気？　気持ちはわかるけど……」

遠慮がちにナターシャが口を挟んでくれて、志摩も少し平常心を失っていることに気づいた。

「ああ、ごめんなさい。つい少女時代からの謎解きに夢中になってしまって……実は、お願いがあります。わたし、今日は昼食をまだとっていないものですから、できましたら、早めの夕食をここのレストランでご一緒できないかと、お二人のご意向をおたずねもせずに予約してしまいましたの」

「まあ、こちらから急に押しかけてしまったものだから、かえってお気を使わせてしまって、恥ずかしい限りです。でも、こんな高価なレストランで初対面の方にご馳走になるわけにはまいりません」

言い方に気をつけたつもりだが、この上品な老婦人の誇りを傷付けてしまったのだろうか。

「そうよ、シーマチカ、割り勘にしましょう。下のバーのオープン・サンドで十分よ」

ナターシャもマリヤ・イワノヴナに同調する。

「そんなこと、おっしゃらないでくださいな。今はわたしの国の通貨の為替レートが異常に高いものだから、わたしにとっては大した負担じゃないんです。ふつうの日本人が円高の余得にありつくなんて、滅多にないんですから、おつきあいくださいよ。それに、わたしにとっては、あと四日しかモスクワで過ごせない。今日は最後の日曜日なんですから、ぜひ」

「そう、ではお言葉に甘えましょう、ねえナターシャ」

マリヤ・イワノヴナは、快く折れてくれた。

「実は、このレストランに入るのも、六〇年ぶりなんですのよ。ウキウキしてしまいます」

「また借りが出来てしまうみたいで、心苦しいけど」

ナターシャも観念したみたいだ。

レストランは、一階ロビーの並びにある。すでに、予約するときに、ホテルの玄関口が見える席を頼んである。たとえ、九時頃までかかったとしても、これなら安心だ。カーチャが入ってきたら、この席から見える。着席して、志摩はまずその点を確認した。

料理の注文を済ませ、辛口のシェリー酒で喉を潤しながら、マリヤ・イワノヴナが口を開いた。

「バラの瞳は、このシェリー酒より少し濃いめのトパーズ色でしたよ。鳶色とも言いますわね。髪は亜麻色なのをブロンドに染めてましたけど、瞳の色だけはブルーに染められないって、よく嘆いてました。瞳が青ければ、青いコウモリたちのタキシードの青とマッチして素敵なのにって。殿方は、次々とあのトパーズの瞳に魂を奪われていったというのに、贅沢な悩みですわねえ」

「オリガ・モリソヴナの瞳も鳶色でした。そして、若い頃とても男性にもてたのを自慢してらした。マリヤ・イワノヴナは、オリガ・モリソヴナ・フェートという名前の人に、まったく心当たり、ないんですか」

「ええ。オリガっていうのは、ありきたりなファーストネームですけれど、モリソヴナは、かなり変わった父称ですもの。一度耳にしたら、なかなか忘れられませんからね」

「声は？」

ちょうど前菜のキャビア&クレープが運ばれて来たために、志摩の質問が聞き取れなかったようだ。志摩はもう一度同じ質問をした。

「声は潰れたようなガラガラの濁声《だみごえ》ではありませんでしたか？」

「うーん、このサワークリームの酸味のほどよいこと。なんてまろやかなんでしょ……まろやかでしたよ、とても、バラの声も。耳に心地よかった。ただし声量が足りなかった。あれだけスタイルが佳《よ》くて、踊りがうまかったから、声量さえあれば、ミュージカルのスター、間違いなしだったのに……その方の背丈は、どのくらいでしたか」

「一六五センチです。よく覚えてますでしょう。オリガ・モリソヴナが、よく自画自賛してらしたんです。『あたしの身長は一六五センチ。高からず、低からず、これほど理想的な身長はないよ』って」

「ああ、バラの背丈もキッカリ一六五センチでした。衣裳係のわたくしが言うのですから間違いありません。でもね、シーマさん、バラは決してそんな蓮っ葉な口の利き方はしませんでしたよ。言葉遣いの丁寧な人でした」

「どぎつい罵り言葉なんて吐きませんでしたか？　『腐れキンタマ』とか『てめえはやり魔の息子』とか『オ×コ』とか、ふつう女の人が口にしないようなはしたない表現」

「まさか、とんでもありません」

　マリヤ・イワノヴナは呆れ返っている。志摩は傍にボーイがいないのを確認した上で大急ぎでささやいた。

「『七面鳥も思案の挙げ句スープの出汁《だし》になっちまったんだよ』とか『キンタマより高くは飛べないんだ』とか『他人の掌中のチンボコは太く見える』とか……」

「何ですって！　バラがそんな言葉を知っていたなんてあり得ません。それはリョーシャとの楽屋の痴話喧嘩は派手でしたよ。でも罵り言葉のボキャブラリーは極端に貧しかったと思いますね。フフフフ、聞いていてまどろっこしくなるくらい」

　そうか、どうやらオリガ・モリソヴナとバルカニヤ・ソロモノヴナは別人みたいだな、という思いに志摩が傾きかけたとき、マリヤ・イワノヴナが奇妙なことを言い出した。

「でも、それは無理もないんです。お母様がフランス人だったんですもの。『母は本国で食いっぱぐれてロシアに流れて来たのよ』ってバラが言ってましたっけ。昔、金持ちの家で子供のためにネイティヴ・スピーカーの住み込み家庭教師を雇いましたでしょう。たしか妹だか弟のために雇われたそのフランス人家庭教師と駆け落ちしたのが父親だってことでしたよ」

志摩は身体が跳ね上がりそうなのをやっとのことで堪えながら叫んだ。

「すると、フランス人がロシア語をしゃべるときみたいに、軟母音の『ィェ』がうまく発音できずに『エ』となりませんでしたか？ それに力点のかからない『オ』が『ア』とならずに『オ』のままだったってことありません？」

「ええ、ええ」

今度はマリヤ・イワノヴナが座席から飛び上がりそうになりながらさかんに肯いている。

「プラフィェサル（教授）と言うべきところをプロフェスゥールと発音してたんですね！」

「ええ、ええ、そんなふうに本来巻き舌のRがフランス語ふうになってましたわ！ それから……」

と言いかけて、マリヤ・イワノヴナはまたフフフと笑った。

「罵倒語の語彙不足をバラは卓抜な方法で補っていたんです。本来プラスのイメージの言葉を強調することで反語の意味にしてしまうという……」

「『これはこれは教授！』ですか？」

「ええ、ええ、『これぞ美の極致！』とか」

「『ああ神様！ おお驚嘆！ まあ天才！』ですか!?」

「ハハハハ、口癖でしたね。またまたバラの反語法が始まったって楽屋内で評判だったんですよ」

マリヤ・イワノヴナは興奮気味に声を弾ませた。

「ああ、オリガ・モリソヴナの反語法です！」

口に出してから志摩は自分の大声に自分でビックリしてしまった。あわてて周囲を見回す。レストランはまだ空《す》いていて、志摩たちの他には二組五人の客しか入っていなかったが、全員が一斉に何事かとこちらに顔を向ける。

マリヤ・イワノヴナは、深い湖のような青緑色の瞳を閉じて、深く息を吸い込んだ。吐く息がため息のようだった。それから、もう一度息を吸い込み、吐いた。さらに、もう一度吸い込み、吐く。ナターシャが心配そうな視線を志摩に送る。だんだん呼吸がせわしなくなってきた。

「マリヤ……マリヤ・イワノヴナ」

ナターシャは、立ち上がって老婦人の肩に手をかけ、何度も呼びかける。正面に座る志摩は、マリヤ・イワノヴナの手を握りしめた。筋っぽい、長年手を使って仕事をしてきた人の手だった。志摩のよりもやや冷たい手は小刻みにふるえていた。

スープを運んできたボーイが、動作を止めた。

次の瞬間、マリヤ・イワノヴナは閉じていた目を開いた。二つの湖からみるみる水があふれ出てきた。せわしない呼吸は嗚咽《おえつ》になった。

志摩もナターシャも、しばらくは、そのまま見守るしかなかった。

「よかった。本当によかった。バラは生き延びたのかもしれない」

ようやくマリヤ・イワノヴナが発した言葉に、二人は顔を見合わせた。

それを合図のように、ボーイがスープを皿によそって、テーブルに並べてくれる。

「まあ、このソリャンカ・スープは絶品だこと。三七年以降は、美味《おい》しいソリャンカを出す店が無くなりましたからね」

マリヤ・イワノヴナは、またたくまに元の矍鑠《かくしゃく》たる老婦人に戻っていた。それで、志摩も、先ほど抱いた疑問について気兼ねなくたずねることができた。

「先ほど、バラが生き延びたのかもしれないと、おっしゃいましたね。死んだと思ってらしたんですか?」

「ええ。わたくしだけでなく、ミュージック・ホールの誰もが。と言っても、あのときには、もうミュージック・ホールは閉鎖されていて、アーチストやスタッフの三分の一は、様々な理由で姿を消していましたけれど。あの時点で残されていた三分の二の人々は、バラが生きて帰ってこられる可能性はほとんどないと思いました」

「あの、時点というと」

「一九三七年一一月二二日」

「ちょうど、五五年前の今日ですね」

「すべては、その三年前に始まりましたの」

「一九三四年ですか」

「ええ、あの年は、国際連盟に加盟したこともあって、いくつもの国々が続けざまにわが国と国交を樹立しました。六月にはチェコスロバキアがわが国を承認し、しばらくするとモスクワに大使館を開設したんです。そこに赴任してきた公使だったか参事官だったかが、一〇月の末に一度ミュージック・ホールに足を運んで、たちまち常連になってしまった」

「お目当ては、ディアナだったんですね」

「その通り。妖艶なディアナには、崇拝者がいっぱいいたけれど、ディアナはいつも適当にあしらっていたんです。いちいち相手にしていたら身が持たないほど、たくさんいましたから、当然と言えば当然ですわね。嫉妬深いリョーシャも、その辺は分かっていて、ファンについては、うるさいこと言わなかった。ところが、マルティネクだけは違った」

マルティネク……マルティネクという苗字には聞き覚えがある。志摩の表情を読んだのか、マリヤ・イワノヴナは急いで言い添えた。

「あっ、マルティネクというのは、チェコの外交官の名前ね。いかにも知性と教養に恵まれた紳士で、素晴らしい男前だった。まだ三〇そこそこだったかしら」

そうだ、ジーナだ。ジーナ・マルティネク。

「そのマルティネクという方、東洋系の顔立ちをしてたってこと、ありませんよね」

「ほぼ一〇〇パーセント、コーカソイドだったと思いますよ。小麦色の髪に青い目でしたもの。それは男前だった」

マリヤ・イワノヴナはマルティネクとやらの面影を思い浮かべたかのようにウットリと目を細めた。志摩は、ポスターに写った写真のピアノ弾きを思い出した。

「でも、リョーシャも、相当なハンサムでしたよねえ」

「純粋に容貌だけから判断したら、リョーシャの方が上かもしれない。でも、マルティネクは、バラが今まで知っていた男たちとは、ぜんぜん違うタイプでしたから、ほら、『好奇心は愛よりも強い』って、よく言いますでしょう。たちまち、興味をそそられたの」

「オリガ・モリソヴナというかディアナというかバラは、その頃おいくつだったんですか？」

「五〇半ばを超えていたと思いますよ。たしか、一八七八年三月生まれだったと思います。トルコとの戦争に大勝して、サンステファノ条約によってロシアのバルカン半島における権益が飛躍的に拡大しましたでしょう。それを喜んだ父親がつけた名前だと、いつだったかバラが言ってましたから。でも、女盛りの真っ盛りという感じでしたわね。三〇代にしか見えなかった」

ということは、もしバラ＝オリガ・モリソヴナならば、志摩がはじめて出会った一九六〇年はじめ、八〇歳を超えていたことになる。

「お子さんとかは？」

「子供がいるって話は、彼女から一度も聞いたことないし、隠していても、必ず、噂が流れるはずなのだけれど、彼女に限って、そんな噂は耳にしたことないですね」

「すみません、話をそらしてしまって。それで、チェコスロバキアの外交官とは、どうなったんですか。急接近？」

「それが、意外にも、なかなか進展しなかったんです。バラが並々ならぬ興味を抱いていたのは、誰の目にもよく分かった。あの通り、何でもすぐ顔に出てしまうタイプですからね。なのに、恋にはいつも大胆不敵のバラが、珍しく慎重だった」

「それは、その時期、外国人との接触をスパイ行為とみなされて、逮捕される人々が相次いだからかしら」

ナターシャのコメントだった。

「それも、あったかもしれません。今振り返れば、あの年の暮れ、キーロフ暗殺事件があって、続けてかなり乱暴な容疑でいろんな人たちが逮捕され、処刑されてますね。でも、あの頃のわたくしたちは、それがそのうち自分たちに及んでくるなんて、まだ知るよしもなかった。根っからのボヘミアンのバラはなおさらのこと、気にかけていなかったと思いますよ。バラが慎重になったのは、きっと、マルティネクに本気で惚れたからですよ。バラらしくもなく年齢差のことなど気にしたのではないかしら。さすがリョーシャはそれを敏感に察して可哀想なぐらいヤキモキしていた。でも実際には証拠は一切ないでしょう、正気のあいだは何も言えないの。それで酒の力を借りてバラに暴力をふるうようになった。痣《あざ》を隠すために、バラの舞台の前の化粧が長くなった。もっとも一方的に殴られているようなバラではないから、リョーシャも時々顔を引っ掻き傷だらけにしてたけど。そのうち、もともと酒飲みなのが、怖いぐらいどんどん量が増えていって、バラはリョーシャに三行半《みくだりはん》を突き付け、そのころ踊りの方で意気投合したタマラのアパートに逃げ出した」

「タマラって、ウズベキスタンの生んだ天才的舞姫のタマラ・ハヌムのことですか？」

「まあ、よくご存知だこと」

「四時間ほど前に見たポスターの惹句を思い出したんです。これもポスターの受け売りですけれど、ディアナは、『青いコウモリたち』と袂を分かって、タマラとデュエットを結成したのでしたね」

「それが、三六年のはじめ、ホールが閉鎖になる五カ月前のこと。その間もマルティネクは、ディアナの舞台にはずーっと通い詰めて、毎回楽屋に花を届けた。それも手紙を添えて。それでも、ディアナの態度は変わらなかった」

「無視し続けたんですか？」

「ええ。ただ、ホール閉鎖が決まって、その後の身の振り方がまだ定まっていないバラが、めずらしく気弱になったことがあって、その時はじめてマルティネクの誘いに応じて、コーヒーを飲みに行った」

「それから、急速に二人の仲は進んだ？」

「表面的には、そうは見えませんでしたね。オリガ・レペシンスカヤの推薦もあって、ディアナはタマラとともに、ボリショイ劇場のキャラクター・ダンサーに採用されて、また自信に満ちてきましたし。実はわたくしも同じ時期、ボリショイの衣裳部へ移ったんです。ところが、翌三七年の夏頃、バラがいきなりマルティネクと結婚してチェコスロバキアに付いていくと言い出したの。何でも、彼が年末に急遽帰国することになって、はじめて自分の感情に素直になれたと、言ってました。その時、バラがポッと頰を赤らめたんですよ。バラの華やかな男性遍歴を知っているわたくしたちは、もうびっくりして、一カ月ぐらい、その話題で持ちきりでした。もしかして、六〇に手が届きそうなバラの、あれが初恋だったのかもしれないって気がしているんです。

一一月二二日、マルティネクが先に帰国して、一月後にバラが後を追うことになっていた。そういう届け出も当局に出して認められていたんです。ところがバラが白ロシア駅でマルティネクの乗った列車を見送り、駅の構内を出て待たせてあった車に乗ろうとしたところで二人の男がスーッと寄ってきた。そしてバラは両側から抱きかかえられるようにして連れ去られてしまった。待っていた運転手に二人の男は事前にＮＫＶＤの身分証明書を示して万が一の場合の協力を要請したそうです」

「ＮＫＶＤというと内務人民委員部。つまりスパイ容疑か何かで？」

「おそらくそうでしょう。リョーシャはもう狂ったように駆けずり回って、危険を顧みずルビャンカまで押しかけていったけれど、もちろん、事態が変わるはずがない。逮捕されて二カ月後の翌年一月半ばには銃殺刑になったという噂が、バラ最後の勤め先だったボリショイ劇場でも流れました。真偽のほどは確かめようがなかった。ミュージック・ホール時代の芸人たちも会えば、誰彼がぱくられたとか殺《や》られたとかいう情報を交換していて、バラは銃殺された、というのが定説になっていました。リョーシャは完全にアルコール浸りになってしまって、一月後には手が震えてピアノが弾けなくなった。そして、一年後にはタマラのフラットがあるアパートの屋上から飛び降りて死んだの。自殺する直前にタマラのところへやって来て、バラを破滅させたのは自分だと言ってたそうです。恋敵のマルティネクを国外追放にしたくて、スパイだと密告したのが、やぶ蛇になってしまったと……『青いコウモリたち』の他のメンバーですか。リョーシャのお葬式でお目にかかったのが最後です。名前は忘れましたが、トランペット吹きの大柄な男が人目もはばからず号泣してましたっけ。ディアナとリョーシャを失って再結成の夢断たれた彼等はその後離散してしまったようです。ギターとマンドリンとパーカッションはドイツとの戦争の時に徴兵されて帰ってこなかった。トランペット吹きは戦後、旧市街のバーでよく似た男を見かけたという噂を聞きましたが」

話に夢中になったあまり、ウィンナ・シュニッツェルも付け合わせのポテトも冷え切っていた。

「もう一度、温めてもらいましょうか」

「そうですわね、それが作った人への礼儀というもの。せっかくの美味しいお料理は、美味しくいただかなくては」

ボーイが皿を抱えて厨房に向かったところで、

「それで、バルカニヤ・ソロモノヴナには、マルティネクとリョーシャ以外の血縁はいなかったのですか」

志摩とナターシャが同時に一言一句同じ質問を発したものだから、マリヤ・イワノヴナともども吹き出してしまった。厨房の入り口のところで、ボーイが振り返った。

「軍医だったお父様はバラが幼い頃に病死したと、いつかバラが言ってましたっけ。お母様はあの時点ではまだ健在でした。すでに八〇歳ぐらいでしょうか。そう、今のわたくしほどの年齢だったということになりますわねえ。バラが逮捕された後、手がかりを求めて何度かわたくしどものところへたずねていらっしゃいましたよ。気丈な美しい人でした。当局は母親にさえ娘の消息を知らせないんですから、酷い話です。その後、どうなられたことか。戦争がはじまって、劇場も一部シベリアに疎開することになり、わたくしもモスクワを離れましたからねえ。今現在、生きておられたら一三〇歳を超えています。あり得ないですね」

「兄弟は？」

「さあ……」

「姉妹は？」

「さあ……そういえば一度だけ、『タネ違いの妹が一人いる』って言っていたような」

ちょうど、温めたウィンナ・シュニッツェルが運ばれてきた。

「あら、ずいぶん早いんですのね」

「文明の利器です。当レストランは、電子レンジを導入しておりますから」

「うーん、いい香り。美味しい！　こんな美味しいシュニッツェルは、久しぶりですわ。サドーワヤ環状線沿いに作家のチェーホフが一時住んでいた家がありますでしょう。今は博物館になっている。あの斜向《はす》かいに、昔は、夫婦だけでやっている小さな小さなレストランがありましたの。こぢんまりしていて居心地がよくて、何もかも美味しかったけれど、ウィンナ・シュニッツェルは絶品だった。小柄な女将《おかみ》さんが料理の腕をふるって、大男のご主人が給仕をしていた。それは、いいコンビでしたのよ。マルティネクは、ここがお気に入りで、バラと何度も足を運んだみたいです。ある時、劇場の仲間と立ち寄ったときに、女将さんから、

『昨日予約が入っていたバルカニヤ・ソロモノヴナが、お見えにならなかったのは、どうしたことでしょう』とたずねられて、バラが二週間前に逮捕されたことを知らせると、女将さんもご主人も表情が凍り付いたようになりました。バラとマルティネクが常連だったと言って、今日は、辛くて、とてもじゃないが仕事にならないから引き取ってくれと言われてしまったの。それで、その一週間後に予約を入れて、その日に店を訪れたら、閉鎖されてましたの。夫婦そろってスパイ活動のアジトにレストランを提供していたとかいう名目で引っ捕らえられて、あっという間に銃殺されてしまいました……」

声は消え入るように尻すぼみになり、マリヤ・イワノヴナは袖口からハンカチを取り出して鼻をかんだ。涙が頬を伝っている。

「塩を加え過ぎてしまいましたわね、せっかくのシュニッツェルに……」

微笑もうとした口元が歪んで声を詰まらせた。もう一度鼻をかみ、涙をぬぐってから口を開いた。

「あの頃は、そんなことが日常茶飯事だった。こちらの感覚まで知らず知らずのうちにおかしくなっていたんでしょうね。夫婦が処刑されたと知ったあの時もショックではあったけれど、運命としてスンナリ受け入れてしまったみたいなところがありましたのね。だって、レストランのことも、好人物の女将さんとご主人のことも、あれ以来すっかり忘れてましたもの。なのに今日、こうして、美味しいウィンナ・シュニッツェルをいただいていたら、よみがえってきましたの。

われわれが満足なのを見て取ると、すかさずご主人が、

『どうです、美味いでしょう。女房のシュニッツェルは、ソ連邦一ですよ。何しろ本場仕込みですからね。女房は、生まれも育ちもオーストリアなんですよ』って自慢する声が今にも聞こえてきそうですわ。その様子を女将さんが、厨房から顔をのぞかせて眺めながら笑っている。そんなつつましい日常をいきなり踏みにじられて、無茶苦茶な口実で逮捕されて、弁明をする機会も与えられずになぶり殺しにされてしまった。どんなに怖かったことか、無念だったかと……。

ああ、ごめんなさい。バラのことでしたね。バラが、一度だけ、父親の違う妹がいるって言ったことがあるって先ほど申し上げましたよね。そのとき、こんな言い方だったんです。『自分の父は医者なのに、あたしはダンサーになった。母の再婚相手はダンサーだったのに、その夫とのあいだに生まれた妹は医者になった』って。なんでも母親の再婚相手の継父が実の娘にダンスを教え込もうとするのを、傍らで見ている内になさぬ仲のバラの方がダンスに

魅入られてしまったそうですね。それ以上のことは……」

「その妹さんのお名前は？　妹さんにお子さんはいなかったんですか？」

「さあ。なにしろ、バラが妹さんのことを話したのは、その時限りでしたからね」

「バルカニヤ・ソロモノヴナは、中国人か、または東洋系の男性と結婚したことはありませんか」

「それは、分かりかねます。わたくしの知る限り、バラの男性遍歴は、マルティネクで打ち止めのはずです。それ以前の男たちについては、リョーシャ以外は、顔も知りませんから、東洋系かどうかなんて」

「エレオノーラ・ミハイロヴナという名前に聞き覚えありませんか」

「何ですって？」

「エレオノーラ・ミハイロヴナです。姓はセルゲーエワ。プラハの学校で、オリガ・モリソヴナ、つまりバルカニヤ・ソロモノヴナと思われる方と一番仲のよかったフランス語の教師の名前なんです」

「エレオノーラ・ミハイロヴナという人にもセルゲーエワという苗字にも心当たりないけれど、もう少し詳しく、その方のこと話してみて下さらない？」

「年格好は、オリガ・モリソヴナよりも一回り上という感じでした。灰色の目をしていて、美しい銀髪を高く結い上げてました」

志摩は、エレオノーラ・ミハイロヴナの容貌、服装、立ち居振る舞いについて、思い出せる限り詳細に描写して聞かせた。

「服装は、いつも一九世紀の貴婦人みたいでした。何だかとても育ちのよい感じの先生で、もしかしたら、貴族の出身ではないかなんて噂してたんですよ」

ということも話したし、志摩を認めると、長いスカートの裾をヒタヒタさせながら近づいてきて、

「まあ、お嬢さんは、中国の方ですの？」

とたずねることも。それから、オリガ・モリソヴナとエレオノーラ・ミハイロヴナがジーナという名の東洋系の美少女に、自分たちのことを「ママ」と呼ばせていたことも。

「どう考えても、孫か曾孫にしか見えないんですよ。しかも、エレオノーラ・ミハイロヴナは、

『ジーナは自分とシャオツィーのあいだに生まれた娘だ』とまで、言ってました。シャオツィーって、中国人の名前のような気がするんです」

「そうそう、中華人民共和国の首相かなんかに、そんな名前の人いたわよねえ。チャン・シャオツィーじゃなくて、ジュウ・シャオツィーじゃなくて、ええと、ええと……」

ナターシャが言いよどんだところで、マリヤ・イワノヴナが助け船を出した。

「それをいうなら、リュウ・シャオツィーのことではなくて？　たしか、文化大革命のときに粛清された、悲劇の元首」

劉少奇。劉少奇をロシア人は、リュウ・シャオツィーと発音していることを、志摩はこの

とき初めて知った。

「劉少奇はモスクワに留学していたことがあるって、日本の雑誌か何かで読んだことがあります」

「シーマチカ、何、そのリュウ・ショーキって」

「あっ、リュウ・シャオツィーという漢字の日本語読みです」

「リュウ・シャオツィーかどうかは、調べてみないと分かりませんけれど、たしかに、一九二〇年代後半から三〇年代前半にかけて、わが国で学んだ中国人の多くが、その後革命後の中国で、かなりの要職についているのは事実ですね」

エレオノーラ・ミハイロヴナが言っていたシャオツィーとは、劉少奇のことだったりして。いや、まさか。たしか毛沢東に実権派として糾弾され、紅衛兵に引きずりまわされ、中国共産党を永久追放されて亡くなったのは、一九六〇年代の末か七〇年代のはじめだった。享年七〇歳前後とどこかに書かれてあったような気がする。すると、一九三〇年代初頭は三〇歳ぐらいということになる。オリガ・モリソヴナよりも一〇歳は年上だったはずのエレオノーラ・ミハイロヴナは、そのころ、すでに六〇歳を過ぎていることになる。ロマンスが生まれるには、ちょっと無理な気もするが、二〇歳年下のチェコの外交官と恋に落ちたオリガ・モリソヴナの例もある。

「シーマチカ、何をひとりでブツブツ言ってるの。このココナッツ入りのアイスクリーム、最高よ」

ナターシャの言うとおり、甘みが程良くて味が濃い。

「エレン、エレナ、何ていうお名前でしたっけ？　そのフランス語の先生」

「エレオノーラ・ミハイロヴナですか」

「そうそう。もしかして、そのエレオノーラ・ミハイロヴナかもしれませんね」

「何がですか」

「上海から歌舞団がモスクワ・ミュージック・ホールにやって来たことがあって、一カ月ほど滞在しましたの。その時に、歌舞団にはロシア語が分かる人がいないし、ホールには、中国語が分かる人がいないしで、日常生活の面倒を見る通訳は中国人留学生がやってくれてましたの。でも、複雑な話になるとお手上げで、文化人民委員部や、東方大学やいろいろなところへ連絡して通訳をお願いしたものだわ。大学の先生のような人が来ることが多かったのだけれど、ある時、品のいいロシア人らしいご婦人が現れましたの。まさに貴婦人みたいな。シーマさんの話したみたいな、裾の長い、袖のたっぷりした、つめ襟のドレスを着てましたよ。灰色のドレスにクリーム色のショールを羽織っていた。三〇代半ばぐらいだったかしら。あの当時でも、とても古風な、美しいロシア語を話しましたよ。何だか一九世紀の小説の登場人物と話しているような気になってしまうほどでしたっけ」

　三〇歳代となると年齢がずいぶん食い違う。もっとも志摩とてエレオノーラ・ミハイロヴナの実年齢を知っているわけではない。オリガ・モリソヴナよりも一回り年上に見えたのも印象に過ぎない。

「背丈は、どれくらいでした」

「小柄でしたよ。一五五センチほどかしら」

さすがマリヤ・イワノヴナは優秀な衣裳係である。エレオノーラ・ミハイロヴナは、志摩に話しかけるとき、軽く見上げるようにして小首を傾げた。志摩の身長は一六二センチだったから、先生は一五五センチ前後だったのかもしれないと思えてくる。

「髪の毛は？　瞳は？」

「髪は栗色で、目は……目の色は覚えていないわ。だって、わたくしは、主に衣裳の修理をする作業場にいましたからね。チラッと見かけた程度で、そのご婦人は、三度きりしかホールには見えなかったし。今お話ししたことは、どれも人から聞いたことばかり。ただね、エレオノーラ・ミハイロヴナかもしれないと申し上げたのは、素晴らしくフランス語が堪能だったんですよ。そのご婦人がいらしたときに、ちょうど、パリからやって来たシャンソン歌手がホールに出演中で、ホールの照明係との意思疎通がうまくいかなくて困っていた。上海歌舞団の団長とホール支配人との話し合いの通訳を終えたそのご婦人が、すぐ隣の席でロシア人の下手なフランス語とフランス人のさらに下手なロシア語のしどろもどろのやりとりを見かねて通訳を申し出た。そしてたちまち両者の話し合いはなめらかになって、すっかり意気投合してしまった。

『信じられない。なんて、美しいフランス語なんだ。あんな古風な上品なフランス語は、もうフランス本国でも耳にできないね』

シャンソン歌手は、ご婦人が去った後も、何度も感嘆してましたわね」

志摩は、プラハの学校に転校してくるフランス語圏からの子供たちや、その親たちが、初めてエレオノーラ・ミハイロヴナのフランス語を耳にすると、そのあまりのクラシックな美しさに一様にビックリするのを思い出した。

「そんな見事な通訳ぶりでしたら、ホールはその方に何度も通訳をお願いして当然ではありませんか」

「ええ、ええ。中国やフランスからの芸人たちと、話がこんがらがって揉めるたびに、支配人は、あのご婦人をぜひにと当局に所望していたみたいですけれどね。お名前は、たしかにエレン、エレナなんとかと言っていた気がします」

「でも、ミュージック・ホールには現れたのは三度きりなんですね」

「ええ。送り迎えは、黒塗りの車で、ホテル・ルックスに住んでいるらしいって、これも、人づてに聞いたことにすぎませんけれどね」

「ホテル・ルックスですって？」

思わず声を上げてしまってから、志摩は自分でも、なぜこのホテルの名称に自分が過剰反応したのか分かっていないことに気づいた。しかし、どこかですでに聞いたか、目にしている名称だったに違いない。どこだったか。

「ホテル・ルックスって、どこにありましたっけ？」

「ゴリキイ通り一〇番地。今はトヴェルスカヤ通りという革命前の名前に戻りましたけれどね」

「へえーっ、あそこにホテルなんかがあったんですか」

若いナターシャは、もちろん知らない。

「コミンテルンの外国人宿舎だったんですよ、ホテル・ルックスは。ほら、プーシキン広場より少しクレムリン寄りのところに、今もホテルがありますでしょう。たしか中央ホテルとかいう地味な名前のホテルが。あそこですよ」

そうだ。それで思い出した。七、八年ほど前に、本屋の店先で『ホテル・ルックス』(注1)という名の書籍を手にしたことがあった。タイトルとカバーの袖に記された要旨だけ目を通した覚えがある。こんなことなら、買って読んでおけばよかった。

ロシア革命直後に結成された国際共産主義運動の指導拠点、コミンテルンは、本部をモスクワに置いた。ホテル・ルックスは、コミンテルンの会合に参加するためモスクワにやってくる各国の共産主義者たちの宿だった。周恩来、ホー・チ・ミン、ゾルゲ、チトーなど、その後の世界史を創っていった錚々《そうそう》たる人々がここに泊まった。ファシズムの席巻する時期には、多くの政治亡命者たちの住まいとなった。その少なくない人々が、スターリン時代の粛清の犠牲にもなった。この本は、コミンテルン幹部の妻で、実際にホテル・ルックスに長期滞在したことのある女性が綴った、このホテルと、ホテルに滞在した人々の記録である。そんなことが、帯とカバー袖に書いてあったような気がする。

もし、マリヤ・イワノヴナの推測するとおり、ホテル・ルックスからモスクワ・ミュージック・ホールに通訳にやって来た品のいい婦人がエレオノーラ・ミハイロヴナその人だとすると、彼女は、外国からやって来たコミンテルン関係者の妻か娘かということになる。となると、先ほどは、あまりにも奇想天外であり得ないと思った、エレオノーラ・ミハイロヴナは一時期、劉少奇の妻だったという可能性もかなり高いということになる。

「そのエレオノーラ・ミハイロヴナかもしれないご婦人とオリガ・モリソヴナというか、バルカニヤ・ソロモノヴナは、ミュージック・ホールで知り合ったのでしょうか」

「それは、わたくしのあずかり知らぬところですわね。先ほどお話ししましたように、わたくしは、そのご婦人をチラリとかいま見ただけですもの」

ああ、そうだった。もう少し質問の角度を変えなくては。オリガ・モリソヴナとエレオノーラ・ミハイロヴナの共通点。二人の共通点……。ピアノの前に腰掛けてキューバン・ルンバを弾くオリガ・モリソヴナと、その耳元に何かささやくようにして腰をかがめるエレオノーラ・ミハイロヴナ。オリガ・モリソヴナが突然、鍵盤の上の指の動きを止めて、声を荒らげた。

「アルジェリアよ、間違いない。あの男は、アルジェリアにいた」

そうだ。あの二人は、アルジェリアという言葉に異常と思えるほどの反応をした。

「オリガ・モリソヴナじゃなくて、バルカニヤ・ソロモノヴナがアルジェリアに行ったことがあるという話をお聞きになったこと、ありませんか」

「アルジェリアですって」

「ええ、北アフリカのアルジェリア」

「無かったと思います。子供の頃お父様に連れられて、ずいぶん色んな国に行ったみたいですけど、

『五大陸のうち、まだ行ってないのはアフリカ大陸だけ。ああ、それに南極もまだだったわ』

って言ってましたから」

「シーマチカ、そのアルジェリアの所在地は、どうやら、北アフリカじゃなかったみたいよ」

背後で声がした。なつかしい声。

「カーチャ！」

振り向くと、典型的なロシアの中年女が立っていた。かなり太め。ほっそりとしたカーチャは見る影もない。でも、瞳は、まぎれもなくあの空色をしている。

7

「シーマチカ、ずいぶん痩せたんじゃない！」

「あら、カーチャこそ。鉛筆の芯みたいに細くなっちゃって。今にも折れちゃいそう。大丈夫？」

のっけからオリガ・モリソヴナ譲りの反語法でお互いを確認しあって、笑い転げた。可笑《おか》しいというよりも、嬉しすぎて。抱き合った瞬間、鼻腔がツーンと刺すように痛くなった。間近で見たカーチャの顔の表情は昔のままで、でも三重になったあごや、無数の小皺が時間の経過を知らせてくれた。何て、時間の経つのは速いのだろう。

「こちら、カーチャ」

と言ってから、図画の教師だったカーチャのお父さんの名前がカルル・イリイッチだったことを思い出した。

「というよりも、エカテリーナ・カルロヴナ」

生まれて初めてカーチャの父称を口にした。志摩にとっては、カーチャはいつまでも一四歳のカーチャだけれど、彼女はもうれっきとした社会人だ。初対面のマリヤ・イワノヴナとナターシャにカーチャを愛称で紹介しては、やはりまずい。

「二八年ぶりの再会ですって。お邪魔しちゃ悪いから、すぐに退散します」

二人はさかんに恐縮した。

「いいえ、お願いですから、このまま話を続けて下さい。シーマチカとわたしの少女時代からの謎解きの続きですもの。これほど二人の再会にふさわしい話題はありません。あの頃にそのままワープするみたいでワクワクします。オリガ・モリソヴナは、わたしたち二人が学んだあの学校の主《ぬし》みたいな存在だったんです。ぜひこのままここに残って一緒にいて下さい」

先に折れたのは、マリヤ・イワノヴナだった。

「わたくしとしても、バラはオリガ・モリソヴナだったのかどうか。バラは本当に生きながらえたのかどうか、ぜひとも確かな手応えをつかまえておきたいんです。モスクワ・ミュージック・ホールは、わたくしの心のふるさと。わたくしを育ててくれた母校みたいなものです。バラはそこにひときわ艶やかに輝いていた星です。バラがどうなったのか。死んだリョーシャのためにも、たくさんの彼女のファンのためにも、わたくし自身のためにも見極めたいんです」

ナターシャが悪戯《いたずら》っぽく言い添えた。

「ああ、よかった。ああは言ったものの、実は帰ることになったらどうしようって、内心すっごく心配してたの。だって、エカテリーナ・カルロヴナが先ほどおっしゃったこと、最後まで聞かないと、これから帰っても気になって気になって眠れなくなっちゃうかもしれないし」

「あら、エカテリーナ・カルロヴナだなんて、水くさい。カーチャと呼んでくださいな」

「そうよ、カーチャ。あなた、二八年ぶりに再会をはたす親友と顔をあわせもしない内から、おそろしく気がかりなこと言ってくれたのよ。どういうこと、アルジェリアが北アフリカではなかったというのは？」

「焦らない、焦らない。それより、かなり長い話になりそうだから、喉を潤さなくては。二八年ぶりの親友に紅茶をおごって下さらない」

「あっ、ごめん。夕食の方は、いいの？」

「もう、夜の一一時よ。スヴェルドロフスクの空港の食堂で済ませて来たわ。じゃ、紅茶にケーキ付けてもらおうかな」

「そうね。カーチャが、これ以上痩せたら困るから」

四人分の紅茶とケーキを注文しようと、志摩がボーイさんに声をかけると慇懃《いんぎん》に断られてしまった。

「申し訳ありませんが、すでにオーダーストップです。メニューにも記されておりますように、当方の営業時間は一一時までです」

座っているだけなら、あと一五分ほどならかまわないと言われたが、レストランを引き上げることにした。地下のバーはショータイムでもあるし、結局三人とも志摩の部屋に来ることになった。

志摩がルームサービスで、紅茶とケーキを注文し終えると、カーチャはカバンの中から、雑誌らしきものを取りだし、付箋を付けた頁を開いて見せた。

「ここを読んでご覧なさい」

日本の藁半紙《わらばんし》より粗悪な紙に印刷されたそれは、地方発行の文学雑誌みたいだ。読み物のタイトルが目に飛び込んできた。「Казахстанский Алжир カザフスタンのアルジェリア」(注2)と記されている。

「どういうこと？　カザフスタンにアルジェリアがあったの？」

「それを、読んでくれれば分かるわ。それにね、この中に、オリガ・モーリソヴナという名前の人物が登場するの。でも、わたしたちのオリガ・モリソヴナとは明らかに別人なのよ」

すぐにも目を走らせたいが、ナターシャやマリヤ・イワノヴナも同じ気持ちである。三人が一度に読むことはできない。どうしよう、と考え込むまでもなく、マリヤ・イワノヴナが提案した。

「代わり番こに朗読していきましょう」

その提案に志摩もナターシャも飛びついて、まずはナターシャが朗読することになった。

読み物は、ガリーナ・エヴゲニエヴナ・ステパノワという女性の手記だった。一九三六年の暮れ、建設大学の学生だったガリーナは、ポーランドから亡命してきた共産主義者で数学者の青年アンドレイと結婚する。三〇年代に入って、ヨーロッパの国々を席巻した不況と失業の波を逃れて、やはりソ連に移り住んできたアンドレイの弟一家と助け合いながらの貧しいが幸せな新婚時代が回想される。

一九三七年の秋、突然そのアンドレイの弟がスパイの嫌疑で逮捕され、まもなくアンドレイも職場の党組織で査問にかけられた末、党を除名になる。

一〇月二六日の深夜。何かをたたく音で目が覚めた。ベルの音。たたかれていたのは玄関の扉だった。ベッド際のランプを点けて、アンドレイがすでに半身を起こしているのに気づいた。天井の一点を見つめていた。

「ついに来た」

と言ってアンドレイは立ち上がり、ガウンを羽織って玄関に向かった。入ってきたのは四人。アパートの管理人とＮＫＶＤの青い制服を着たのが三人。その内の一人がアンドレイのフルネームを確認し、

「逮捕状が出ています」

紙切れを見せつけながらそう言って、さらに言い足した。

「そのまま、動かないように」

管理人が帰り、家捜しがはじまった。二人は書棚と書類机に取りかかり、三人目はわたしの持ち物検査だ。その男は急がずあわてず手慣れた仕草で、バッグの中身をベッドの上にぶ

ちまけた。次にタンスの引き出しを開け、中から下着を一枚一枚放り出していく。

男は色白の丸顔で、女のようにふっくらとしたバラ色の唇をしている。その唇を絶えず舌先でなめ回しながら、男は作業を続けていた。わたしはその口元を見つめながらベッドの端に腰掛け震えていた。分厚いガウンを羽織っていたし、部屋は暖房が効いていた。震えは身体の内側から来ていた。歯がガタガタ鳴り、尿意が我慢できないほどになっていた。

三〇分経っても、一時間経っても、家捜しは続いた。

「ご不浄に行きたいんです」

堪えきれなくなって、わたしは叫んだ。しかし、彼らは全く聞こえなかったかのように、わたしの懇願を無視した。

「お願いです。女房を便所に行かせてやって下さい」

アンドレイが見かねて頼んでくれた。

「お前、連れてってやれ」

チーフらしい男が丸顔に言った。丸顔はわたしに目で合図をし、わたしは後に続いた。トイレの扉を閉めようとすると、丸顔は足を挟み込んできて言った。

「ダメだ。規則なんだ」

女のはじらい、人間としての尊厳、それがこんなに乱暴に踏みにじられたのは、生まれてはじめてだった。これが序の口にすぎないなんて、その時のわたしには知る由もなかったが。

家捜しは明け方まで続いた。作業の完了を告げるように、チーフらしい男が命じた。

「準備するように」

アンドレイのスーツケースに、下着を二、三枚、石鹸、手ぬぐい、靴下などを詰めた。もちろん、毛布も、枕も、暖かいセーターも入れてあげなかった。それが必要だと気づきもしなかった。あとでどれほど後悔したことか。

アンドレイはわたしを抱きしめ口づけをした。落ち着いた口振りだった。

「僕は何も後ろめたいことはしていない。何か誤解があるようだ。きっと、すぐに釈放されるはずだ。必ず帰ってくるからね」

四人の後ろ姿が玄関の扉の向こうに消え、エレベータの下降する音、次に発車する車のエンジン音が聞こえてきた。突然、胸が締め付けられ、おそろしい直感に目の前が真っ暗になった。

「あの人は、もう二度と帰ってこない！」

飛び上がって窓のところまで走っていき、窓を開けた。薄暗がりの中に吸い込まれていく車に向かって、声を限りに叫んだ。叫び続けた。

「アンドレイ、アンドレイ、アンドリューシャー」

喉がヒリヒリと痛み、声が出なくなった。我に返って屋内を見回すと、そこはゴミの山になっていた。ベッドの上も床の上も衣類や引きちぎられた本や書類が散乱している。

空が白んできたところで、わたしはフラットを飛び出し、母のアパートへ走った。自分の身の回り品も何も持たずに。二日後に戻ってみると、フラットは封印されていた。その足で

クズネツキー・モストのNKVDの出張所の窓口まで行ったが、一日中待たされた挙げ句に聞かされた答えは、

「ご亭主の所在は不明。一月後には判明するであろう」

というものだった。

来る日も来る日も新聞各紙の一面には、スターリン同志の大きな顔写真が載った。世界で最も民主的で最も公正なスターリン憲法の絶賛が続いた。世界で最も幸せで最も自由な国民の名において新聞各紙は人類最良の友スターリン同志に感謝の念を捧げるのだった。ラジオからは、絶え間なくドナエフスキー作曲のほがらかな頌歌《しょうか》が流れた。

「クレムリンの星は幸せの道しるべ」

「これほど人が自由に呼吸する国を僕は知らない」

国は選挙に向けての雰囲気作りに邁進していた。ソビエト・ロシアにおける史上初の選挙は一九三七年一二月五日に予定されていた。この日は全国民的祝日になると言われていた。もっとも、わたしは立ち会えなかったが。

わたし自身が逮捕されたのは一一月二六日。同じく真夜中で、同じく二六日。もう、そのときは、涙も出ず、震えも来なかった。不思議に落ち着いていた。自分自身からもう一人の自分が抜け出て、外側から事態の推移を眺めているのだった。制服の男たちが部屋中をひっくり返して家捜しする様子も、母が恐怖と悲しみに顔をゆがめるさまも、まるで他人事のように受けとめている。

用意するように命じられて、わたしが薄手のオーバーを着込むと、

「お待ち、もう真冬じゃないか」

ようやく我に返った母が自分の分厚い毛皮のオーバーを着せてくれた。それから、散らかり放題の部屋の中をかけずり回って、厚めの下着や、暖かい靴下、毛糸のカーディガンや毛皮の帽子をスーツケースに詰めてくれた。それから、納戸に走っていって、いかにも頑丈なブーツを出してきた。内側にフェルトがはってある。

「これをはいてお行き」

このブーツに、その後どれほど助けられたことか。バイコヌールの極寒の中で、母の気転と思いやりにどれだけ感謝したことか。その母でさえ毛布を持たせることまで気が回らなかった。毛布と枕は監獄で支給されるもの。そういう思い込みがあった。きっと今までわたしたちが読んできた監獄生活について書かれた小説は、革命前の帝政時代の監獄のことしか書いていなかったからだろう。


「バイコヌールって……バイコヌールって」

志摩はどこかでこの固有名詞を耳にしたことがある。

「バイコヌールってたしかカザフ語で『褐色の大地』という意味で、現在バイコヌール平原には宇宙ロケットの打ち上げ基地があるわよ」

朗読を中断したナターシャがそう答えてくれたので、にわかに記憶が甦ってきた。

「そうそう、カーチャ、ガガーリンが宇宙に飛んだ日のこと覚えている? 全校の生徒、教職員が寄宿舎のホールでテレビの生中継に見入っていたときに、オリガ・モリソヴナとエレオノーラ・ミハイロヴナの姿だけが見あたらなくてスヴェータと一緒にホールを抜け出して校内を探し回ったじゃない。講堂で二人を見つけて……ガガーリンがバイコヌール基地を飛び立ったことを知らせたとたんにエレオノーラ・ミハイロヴナが悲鳴をあげたでしょう。『何ですって、バイコヌールですって。バイコヌール……』。そして気を失ってしまった。バイコヌールにいったい何があったの」

「シーマチカ、相変わらずせっかちね。もう少し辛抱すればその謎も解けるはずよ」

カーチャは苦笑しながらナターシャに読み進むよう促した。

二人の制服男に両側からはさまれる形で車の後部座席に座らされた。車はセミョーノフスカヤ広場を横切り、エロホフ寺院の脇を通り抜けてキーロフ通りに出た。そしてルビャンカの建物に向かった。音もなく、鉄の門が開き、音もなく閉まった。ひどく天井の低い狭い廊下を通って、病院の待合室のような部屋に連れて行かれた。机に向かっていた若い女が、わたしの氏名を分厚い台帳に書き込み、同じ頁に、わたしを連行してきた男から手渡された逮捕状を糊付けした。そしてあご先を突き上げてわたしを連れて行くよう男たちに合図した。

いくつもの狭くて低い廊下といくつもの鉄の扉を通って、三メートル四方ほどの小部屋に押し込まれた。壁は真っ白、照明がいやに明るい窓のない部屋だった。

部屋の片隅でスーツケースの上に座ったわたしと同年輩の女がさめざめと泣いていた。扉がガタンと閉まると、女の人は顔を上げた。

「あなたは、なんで？」

「知るもんですか。夫が一月前に逮捕された理由も分からないというのに」

「わたしも同じです。ご主人は何してらしたの？」

「数学の助教授です、大学の」

「わたしの夫は航空機の設計技師。職場の上司ともども三週間前に……」

女は思い出したように泣きじゃくりながら、自分が逮捕されたときの一部始終を話して聞かせた。二人の小さな子供を置き去りにして連行されてきたのだという。子供たちがどうなることか、居ても立ってもいられない。モスクワ市内に親類縁者はいないし、隣人や知人たちは怖じ気づいてしまったからきっと手を差し伸べてはくれないだろう。しゃくり上げながら話し、言葉に詰まって泣き崩れる。

時折、鉄の扉の穴からこちらを監視する目が感じられた。二人とも時計を持っていなかった。部屋の明かりは煌々《こうこう》と輝き、今が何時なのか分からなくなっていた。

扉が開き、いきなりドドッと巨大な固まりが部屋の中になだれ込んできた。毛皮のハーフコートに綿入れのズボン、頭を毛糸のショールで十重二十重にくるんだ人間のようだった。両手に大きなスーツケースとバッグをかかえ、身体中に、大小の袋を結わえ付けていた。荷物を床に置き、袋類を身体からはずすと、低い陽気な声で挨拶した。

「ごきげんよう。お二人ともここは長いの？」

「真夜中に連れてこられたんです」

「もうすぐ、お昼ですよ。わたしも急かされはしたけど、うーんと待たせてやったわ」

巨大な固まりはハーフコートを脱いで、袋のひとつに腰掛け、頭を覆っていたショールをはいだ。すると、おだやかに微笑む年輩の女の顔があった。

「泣いてんの、あんたたち？」

わたしたちの泣きはらした顔をのぞき込んだ。

「慣れなきゃダメよ。それより、ピロシキ食べよう。作りたてのホヤホヤだよ。あたしゃ、毎日、監獄入ったときのため、お弁当づくりしてたんだよ」

「お弁当ですって？　逮捕されるって、あらかじめわかってたんですか？」

「あったりまえじゃないか。亭主は、古い党員だ。革命前は、流刑先、亡命先とずっと亭主に付き添ってやってきた。亭主がぱくられるや、あたしゃ、同志たちの伝手《つて》たどってたずね回ったね。するど、どうだい。一人目は銃殺されてる。二人目は一週間前に捕まった。三人目は、逮捕を前に自殺した。ピーンときたね。ゴソッとみんな同じ箒で一掃されるって。自分の番ももうすぐだって。それで、日持ちのする弁当づくりに取りかかったのさ。持参する持ち物の準備も入念にして、手ぐすねひいて待ってたのさ。ハハハハ」

女は、わたしたちにピロシキとリンゴを一つずつあてがってくれた。

「さあ、お食べ」

悲嘆に暮れて食べ物のことなどすっかり忘れていたわたしたちは、その時はじめて空腹に気づいた。一口つまむや、あとは瞬く間に平らげてしまった。そして、何だか、生きる力のようなものが湧いてくるのだった。この年輩の元気な女性から、いろいろ聞き出そうと思った矢先、彼女は、呼び出しがかかって、荷物もろとも部屋を去っていった。名前さえ、聞き出せなかったけれど、彼女はその後、生きながらえたのだろうか。

それから、二回ほど便所に行くために出た以外は、窓のない白い部屋に閉じこめられたまま、いつ果てるともない時間が流れた。若い女が呼び出され、ようやく、わたしの番が来た。再び長い狭い廊下を通り抜け、中庭らしきところへ出た。もう深夜であることを、知った。空には、星一つ無かった。わたしはライトバンの後部扉から中に押し込まれた。かなり急かされたものの、ライトバンが薄いブルーの色をしていて、窓は無く、「パン」と書かれてあるのを確認できた。食料品扱いなのかと、場違いに可笑しくなってクスッと吹き出してしまった。

ライトバンの中は、真っ暗だったが、誰かがわたしの手をつかんで、ベンチに腰掛けさせてくれた。女の声が話しかけてきたが、

「静かにしろ！」

と看守に怒鳴られてしまった。

ライトバンはときどき止まり、その度に扉が開いて新しい囚人が押し込まれて来る。まもなくベンチは満席になり、あとから押し込まれた女たちは、床に座り込むしかなかった。息

苦しいほどぎゅうぎゅう詰めになったところでガシャリという音がした。扉に鍵がかけられたのだった。そのとたん、一斉に車の中の女たちはしゃべりだした。

「あたしは、ツルゲネフ通り三二番地に住むアンナ・アルセーネワって言うの。エンジニア。同僚だった夫は、二カ月前に逮捕されて消息不明」

「ボトキン記念病院の消化器専門医、オリガ・フェート……」

ナターシャが、朗読していた雑誌から目を離すのと、志摩が叫ぶのは同時だった。

「ここね、カーチャが言っていたところは！　オリガ・フェートって、オリガ・モリソヴナと同じ名前と苗字ですものね」

「もう少し先まで読んで下さい。オリガ・フェートという女医さんについて描かれてますから」

興奮した志摩をたしなめるようにカーチャがナターシャを促した。

「お疲れでしょう。今度はわたくしが」

と、マリヤ・イワノヴナがナターシャに代わった。

「ボトキン記念病院の消化器専門医、オリガ・フェート。夫も同時に逮捕されました」

自分が何者かを名乗り、知り合いがいないものか、確かめあうのだった。自己紹介が一巡すると、みなの関心は一点に集中した。

「それにしても、どこへ連れて行かれるのかしら」

車はずいぶん長いこと真っ直ぐ進んでいるようだった。それから右へ曲がり、さらに再び真っ直ぐ進んでいるようだ。

「これは、おそらく、ボリショイ・ドミトロフカ通り」

先ほどオリガ・フェートと名乗った女医さんが言った。救急車に乗り慣れていたから土地勘が働くのだという。その瞬間、車内の空気は凍り付いた。

「ということは、行き先は、ブティルカ」

口には出さなかったが、悪名高い監獄の所在地は、誰もが知っていた。

勘は当たった。その後、何度も思い知らされたことなのだが、ブティルカ監獄が活気づくのは、夜だった。新入りの囚人たちが連れて来られるのも、尋問に呼ばれるのも、処刑先や流刑先へ送られていくのも、真夜中だった。

わたしたちが到着したのも真夜中で、収容手続きには朝方までかかった。まず、全員が素っ裸にされ、髪を止めるためのピンや髪飾りなど先の尖ったものはことごとく取りあげられた。さらには、ベルトや紐、靴下を止めるためのゴムまでが取りあげられた。それから、屈辱的な姿勢をさせられて膣と肛門の中を調べられた。

つぎに、係官は、各々のスーツケースの中から下着一式とタオル、それに石鹸を取り出した。次にスーツケースを閉じて封をした。別な係官に促されて写真を撮られに行った。天井の低い穴蔵のような長い廊下をずいぶん歩かされた。止めゴムを取りあげられたため靴下が何度もずり落ちて、歩きにくかった。そのうちに、止めゴム無しの靴下に慣れた。膝の下のあたりでキッチリと靴下の先を縛り付ける方法を編み出したのだ。あたかも殺人犯か強盗であるかのように、正面と横顔の写真を撮られ、一本一本の指の指紋を採られた。印肉の毒々しい紫色は、その後一週間もとれなかった。

それから風呂に入れられた。脱衣場から風呂場へ向かう出口のところに半裸の男たちが立っていて、わたしたちが脱いだ衣服を受け取り、代わりに信じられないほど小粒な石鹸を手渡す。衣類は、わたしたちが入浴しているあいだに燻蒸されるとのことだった。男たちは、口元に薄笑いを浮かべながら、厚かましくジロジロとわたしたちの裸身に視線を走らせる。恐怖と屈辱感に打ちのめされながらも、素っ裸のまま浴室の前に立ち続けなくてはならなかった。浴室では、前のグループが看守に怒鳴られながら身体を洗っていた。

逮捕されてから二日目の夜は、こうして過ぎた。

収容先の獄房へ連れて行かれたのは、すっかり空が白んでからのことだった。二人の看守が、囚人の前後につく。先導役の看守は、鍵の束をことさらガシャガシャさせて進む。あとで知ったことだが、これは合図だった。ただいま囚人を連行中で、その顔を見てはならないという合図。獄房に閉じこめられた囚人たちは、その間、廊下をのぞいてはならないことになっていた。廊下を連行される囚人が鉢合わせになる場合は、あらかじめ一方が両手を頭に当てて壁面に向けさせられた。

いくつもある扉の一つの前で看守たちは立ち止まり、一方の看守が大きな鍵の束の中から必要な鍵を探し出すまで、ずいぶん待たされた。鍵が見つかり、扉がギイーッと音をたてて開け放たれ、わたしは暗闇の奥深くに乱暴に押し込まれた。パタパタ、パタパタという不気味な音だけが聞こえてくる。

ようやく闇に慣れてきた目がとらえた光景に、愕然とした。数え切れないほどたくさんの女たちが、それもボロ切れをまとったり、下着姿同然の半裸の女たちが、板敷きの寝床の上に立って、布きれのようなものをはたいていた。パタパタという音は、布きれをはたく音だったようだ。白髪の老婆は、なぜかそうしながら何度もしゃがんでは立ち上がる。水色のシュミーズ姿の女は、まるでボクサーのように空中のだれかを拳で殴りつけている。震えが止まらなくなった。

「精神病患者専用の獄房へ入れられたに違いない」

そうとしか考えられなかった。

ところが、そんなわたしに、雨あられのように質問が降り注いできたのだった。

「誰なの、あなた？　ポーランド人？　ハルピン帰り？　誰かの奥さん？　いつ逮捕されたの？　世の中は、今どんな様子なの？　ラジオや新聞ではどんなことが報道されてんの？」

わたしは恐怖のあまり押し黙り、扉にしがみついてブルブル震えていた。

「さあ、後生だから正気になって！　そんなに怖がらないで。質問に答えてちょうだいな」

「で、で、では、あの人たちは誰なの!?」

歯をガタガタ言わせながら、わたしは白髪の老婆と水色のシュミーズ姿の女を指さした。

「そ、そ、それに、なんで、あなた方はみな布きれをはたいているの?」

「ああ、あの人たちは、身体がなまらないように体操をしているだけよ。はたいているのは、ご不浄で洗った下着。こうしないと乾かないのよ」

やっとわたしが落ち着きを取り戻したのを見てとって、たずねてきた。

「それで、あなたは?」

次から次と浴びせられる質問に答え終わると、全員が自己紹介してくれた。氏名と民族名、娑婆《しゃば》での住所、職業。誰もが必死だった。この内の誰かは、娑婆に戻っていけるかもしれない。あるいは、別な監獄や流刑先へ移されていくだろう。どこで自分の親類縁者に巡り会うかもしれないではないか。そのときに、自分がここにいたということをぜひとも知らせてもらわなくてはならないのだ。

女たちが自己紹介するのを聞きながら、わたしは、なぜアンドレイとその弟が逮捕されたのかを知った。房内には驚くほど多数のポーランド人がいた。その誰もが、革命後ロシアから離反したポーランドからやって来たか、ポーランドに残った親戚や友人と文通をしていた。全員がスパイ容疑をかけられ、尋問に際してはむごい拷問を受け容疑を認めるよう迫られていた。

次に多いのはハルピン帰りだった。中国北部の旅順、大連とウラジウォストーク市をつなぐ鉄道の職員か職員の家族だった人たちだ。鉄道は中国との協定に基づきニコライ二世治下のロシアによって建設され、ロシア人によって運営されていた。三〇年代初頭、ソビエト政府は中国東北部を占領した日本にこの鉄道を売却した。当時はモスクワの百貨店に日本製の品質のよい商品が並んだものだ。

「ちょうど、その頃、わたしたちも中国から帰ってきたんですよ。そして、今、その全員が、一人残らず逮捕されてしまったというわけ」

ハルピン帰りの女たちは、そう言った。

ユダヤ人も多かった。オリガ・モリソヴナもそうだったし、一緒に逮捕された彼女の夫もユダヤ人だという。わたしと同じライトバンで連行されてきたボトキン記念病院の女医さんだ。

声を上げそうになった志摩の手の甲にカーチャの手がのった。マリヤ・イワノヴナはチラリとカーチャの方へ視線を走らせながらも朗読を続行した。

もっとも悲惨だったのは、ヒットラーのドイツからフランス経由でソビエトに亡命してきたというユダヤ人共産党員の娘だった。ゲルタという名のその娘の家族は全員が逮捕されていた。ゲルタはしじゅう尋問に呼び出され、朝方、顔を真っ赤に腫らせて帰されてくる。尋問官は毎回、信じられないような容疑を押しつけ、それをゲルタが認めないと、足払いを喰わせた上で彼女の髪の毛を鷲摑みにして彼女の頭を床にガンガンと叩き付けるのだった。

しかし、房内の女たちの最大公約数は何か、ということになれば、それは、逮捕された男の妻か娘であるという点だった。わたしもそうだった。

ひととおり自己紹介が終わり、わたしはグルリと房内を見まわした。壁面も天井も煉瓦むき出し。獄房のサイズは、おおよそ六メートル四方。窓が二つ。ガラス板の外側に鉄柵、内側に格子が取り付けられていた。格子は密で、外の風景は見えなかった。窓の上部にだけ細長い隙間があった。そのわずかな隙間から空が見え隠れしていた。

房内の床は一面、一センチの隙もなく背の低い木製の板床で覆われていた。扉のあたりだけ、わずかにセメント打ちっ放しの床がむき出しになっていて、そこに金属製の用便桶が置かれてあった。

この房内に七五人もの女たちが押し込められていた。夜毎に、出入りはあるのだが、この七五人という数字だけは、いつも保たれていた。

「今年に入ってからですってよ、こんなに詰め込むようになったのは」

「以前は、このサイズの房には、五人、多くて一〇人が限度だったらしい」

「今年は、四人の大豊作だったたってわけね」

こういうブラック・ジョークを吐くのは、決まってオリガ・モリソヴナだった。

六メートル四方の房に七五名。当然、全員が板床の上に寝るのは、不可能だった。新入りは、板床の下に潜り込んでセメントの床の上に直に横たわるしかない。一〇人から一五人が、そういう巡り合わせになる。誰かが「荷物を持って出るように」と呼び出されると、その人は二度とここには戻ってこないという意味だった。だから、房内は「引っ越し」が始まる。

出ていった人が占めていた場所に隣の人が移り、そこへその隣の人が移りと順繰りにずれていって、板床下の人間は古い順に板床上に上がってくることになる。そういうルールが確立されていた。ただし、最初にありつくのは、板床上でも、最悪の場所、つまり用便桶の傍だった。一番上等な場所と考えられていたのは、窓辺だった。そこには古参が寝た。もっとも、その最上の場所でさえ、身体をエビのように縮めて寝るしかなかった。一人に許される面積は、三〇センチ×一メートル強。

「樽詰めニシンというより、缶詰のイワシだわね」

こんなジョークを飛ばすのは、もちろん、オリガ・モリソヴナだ。実に言い得て妙だ。仰向けに寝たり、手足を伸ばしたりすることは不可能だったし、もし一人が寝返りをうつとしたら、全員が同時に寝返りをうたない限り不可能だったからだ。誰かが立ち上がると、たちまちその人が占めていた場所はふさがる。

「沼地を歩くと、足跡がみるみる泥土に飲み込まれていくじゃない。フフフ、あれを思い出すわね」

惨めな現実を奇想天外な比喩に転ずるオリガ・モリソヴナの言葉に、何度励まされたことか。

房内は蒸し暑く息苦しかった。すでに冬であったにもかかわらず、窓は常に開けっ放しである。最初の一〇日間、わたしの寝床は、もちろん、板床の下だった。真っ暗で、セメントの床は汚くて冷たかった。窓から吹き込む冷たい空気は、部屋全体の蒸し暑さを取り除いてくれることなく、ひたすら板床下に冷気を送り込むのだった。それでも逮捕からこの房に収容されるまでの二昼夜、一睡も出来なかったわたしにとっては、板床下の冷たいセメントの床でさえ、素晴らしい板床であった。母が持たせてくれた厚手のオーバーの半身を床に敷き、半身で身体を覆い、下着類を丸めて枕にすると、たちまち気を失ったように寝入ってしまった。

九日目の朝、喉に痛みを覚え、夕刻には寒気のあまり震えが止まらなくなった。誰よりも早くわたしの異常に気づいてくれたのは、オリガ・モリソヴナだった。さすが医者である。暗闇の中で喉の様子は見極め難かったが、扁桃腺炎という診断を下してくれた。看守に掛け合って薬を要求してくれたが、相手にされなかった。

「この人は、具合が悪いのだから、誰か上の席を譲ってあげて」

必死になってオリガ・モリソヴナは頼んでくれたが、誰も応じてはくれなかった。夜が来て、わたしは再び板床の下に潜り込み横たわった。やはりねぐらが板床下のオリガ・モリソヴナは、わたしを抱きかかえるようにして、少しでも暖かくなるよう身体をさすってくれた。

次の朝、看守の見まわりの時刻には、もう起きあがれなくなってしまっていた。

女たちは、わたしを板床の下から引っぱり出してくれた。オリガ・モリソヴナが音頭をとって、わたしの上の板床を持ち上げ、わたしを四、五人がかりで抱きかかえて板床の上に寝かせてくれたのだ。そこまでは、覚えているのだが、あとは意識が朦朧としてしまった。だから、以下に記すことは、回復してからみんなに聞かされて知ったことだ。

オリガ・モリソヴナの発案で、女たちは丸一日、扉をたたき続け、わたしを医者に診せるよう叫び続けたというのだ。疲れるので、交代しながら。医者に診せるのは無理だという看守に、オリガ・モリソヴナは食い下がり、結局、夜になって、根負けした看守がオリガ・モリソヴナが指定する錠剤を手渡すにいたった。それを飲み始めて三日目だったか、わたしは回復した。

もっとも、ブティルカ監獄でわたしを苦しめた扁桃腺炎は、わたしの身体にリュウマチという置き土産を残してくれた。今もそのリュウマチに苦しめられている。

回復してからは、いつ果てるとも知れぬ待ち時間が続いた。かすかな期待と膨張し続ける恐怖の入り交じったウンザリするほど長い待ち時間。

一月ほどして、わたしに呼び出しがかかった。

「荷物を持って出るように」

その頃は、わたしたちはまだ、「荷物を持って出る」とは釈放されることと、無邪気にも信じていた。いや、信じたかったのだ。容疑がはれて、自由の身になるのだと。

だから、房内に取り残される女たちは、次々に近寄ってきては、わたしを祝福し、近親者の住所氏名を告げた。自分の消息を伝えてくれと全身で訴えていた。紙も筆記用具も所持することは禁止されており、出来うる限り脳裏に刻みつけていくしかなかった。

「早く！」

看守のイライラした声がした。女たちをかき分け、オリガ・モリソヴナににじり寄って抱きついた。

「どんなに感謝していることか。誰に言づてしましょうか」

オリガ・モリソヴナは母親の住所氏名を告げた。

「必ず。でも、すぐにご自分でお会いになれますよ」

「ありがとう、でも……」

いつも冷静で思慮深くて優しい瞳、オリガ・モリソヴナの鳶色の瞳には悲しみと諦めの色が漂っていて、わたしは胸騒ぎを覚えた。

「でも？」

「喉には気をつけること。いつも首まわりには何か巻いておくといいわ」

そう言って力いっぱい抱きしめてくれた。オリガ・モリソヴナが何を言うつもりだったのか、聞き出せぬまま、わたしは看守に急き立てられて獄房を後にした。

「瞳の色は、志摩さんたちのオリガ・モリソヴナと同じ鳶色なんですね」

ナターシャが、朗読するマリヤ・イワノヴナの声にかぶせるように言うのを受けて、カーチャが、口を開いた。

「ここまでなの」

「エッ？」

「この手記の中で、オリガ・モリソヴナ・フェートという名の女性が登場するのは、ここまでなの」

「バルカニヤ・ソロモノヴナ・グットマンには父親の違う妹がいると、おっしゃってましたよね、マリヤ・イワノヴナ」

「シーマチカ、わたくしも、まさにそうではないかと睨んだんですのよ。父親はダンサーなのに、医者になった妹」

「それは初めて耳にする話」

カーチャが身を乗り出してきたので、先ほどマリヤ・イワノヴナから聞かされた話を、かいつまんで伝えると、膝を叩いた。

「かなり読めてきた。メモリアルという最近結成された団体が、粛清のため処刑された人たちのリストを作成しているでしょう。まだまだ未完成で、前途遼遠なんだけど。そのリストに、オリガ・モリソヴナ・フェートの名前は無かった。でも、そのバルカニヤ・ソロモノヴナ・グットマンという名は、調べて見る価値あるわね」

「カーチャ、何がどう読めてきたというの？」

「バラが逮捕されたのが、一一月の二二日、銃殺されたという噂がボリショイ劇場に流れるのが、その二カ月後。その噂が本当だとすると、一九三八年一月の二二日以前にバラは処刑されていたことになる。この手記の書き手ガリーナ・エヴゲニエヴナが逮捕されるのは、一一月の二六日。逮捕されてから病気にかかるまで一二日間、回復するまで三日、オリガ・モリソヴナという女医さんと別れて獄房から出て行くまでが約一カ月、しめて一月半だから、一月一〇、一一日頃ということになる。あくまでも仮定だけれども、バラとオリガが入れ替わるとしたら、この一月一〇、一一日以降二二日以前のわずか一〇、一一日のあいだということになるでしょう」

「それを、どのように確認するの？」

「まず、この手記の著者に会いに行きましょう。明日会えるように、約束を取り付けているのよ」

カーチャの手際の良さは、ちっとも変わっていないと志摩が感心していると、カーチャはさらに言い添えた。

「オリガ・モリソヴナについてはここまでだけど、アルジェリアとは何だったのか、もう少し読み進むと分かってくるわよ」

「ではここからはわたしが」

と志摩がマリヤ・イワノヴナの手から雑誌を受け取って続きを読み始めた。


獄房を出たわたしは、こみ上げる喜びにウキウキしながら、看守の後に続いた。自由の身になるものとほとんど確信していた。というのも、一度だけ尋問に呼び出されたことがあった。尋問官は三〇年輩の浅黒い顔をした美男子で、わたしに自分の手前のイスに座るよう命じた。そして、書類を取り出すと、わたしに身分確認のための質問をし、わたしが答えるたびに書類の方をのぞき込んで確認するのだった。最後の質問だけ、ひどくいかめしい顔をして発した。

「ご亭主の反革命活動について、何をご存知かな」

「すでに申し上げましたように、夫はそのような活動に携わっておりませんでしたし、従って、わたしが知ることは何もありません」

　尋問官は、わたしの回答を書類に書き込み、その後まじまじとわたしを見つめ、それから今書き込んだ書類をわたしの前に差し出して署名するように言った。わたしは書類に目を通し、質問も答えもすべてその通りに相違ないことを確認できたので署名した。尋問官は手元のベルを鳴らし、看守が迎えに来て、わたしは獄房に戻った。同じ房の多くの囚人たちのように拷問をされることもなく、長時間追及されることもなく、あっけなくわたしの尋問は終わった。それも、たった一回限り。だから、荷物を持って出るようにと言われたときは、無実の罪が晴れて釈放されるものと思い込んだのだ。

　中庭の真ん中に立つ建物の大ホールへ連れて行かれた。後で知ったことだが、帝政時代は、監獄付属教会として使われていた建物だそうで、ホールは天井が高く円錐形をしていた。そこには、わたしと同じように手荷物を持ったたくさんの女たちが収容されていた。そんなに長くは待たされなかった。小部屋の扉が開いて大柄な制服男が出てくると、女たちの苗字を読みあげた。呼ばれた女たちは、嬉しそうに小部屋に入っていき、別人のような顔をして出てきた。顔面は血の気が失せて、手先は震え、瞳は見開いたままだった。

「どうだった？」

「ラーゲリ（強制収容所）に八年」

力無く言ってヘナヘナとその場にへたり込む。二番目に出てきた女は、とめどなく流れる涙を拭いもせず、静かに言った。

「祖国に対する裏切り者の家族として、ラーゲリに八年、ということでした」

異端審問室から出てくる圧倒的多数の女たちが言い渡されたのは、八年間の自由剝奪とラーゲリにおける強制労働の刑だった。たまに、五年という人もいた。

元教会の大ホールは、たちまち悲しみと絶望のるつぼとなった。大声で泣き叫ぶ女もいれば、ヒステリックに笑い転げる女、座り込んだまま頭を抱える女もいる。ある女は、かつて祭壇があった場所に向かって必死で拝んでいた。

「神様、なんの咎《とが》でこのような残酷な試練をわたしに課されるのですか。わたしの子供たちは、どうなります。どうか、子供たちにご加護を！　どうか、子供たちだけは哀れんでくださいまし！　どうか、どうか、ご加護を！」

女は、ひざまずき、何度も頭を床にこすりつけていた。

ついにわたしの名前が呼ばれた。小部屋の中央にごく普通の事務机があり、二人の軍人が腰掛けていた。一人が、わたしの氏名を確かめた上で、小さな紙切れを差し出した。

「読んだら、サインするように」

ソ連邦の鎚と鎌の紋章と内務人民委員部のＮＫＶＤのイニシャルが印刷されたカードに、タイプ打ちされた文面を読みとった。

「市民ステパノワ・G・E、一九一四年生まれ、内務人民委員部特別会議の決定に従い、祖国に対する裏切り者の家族の一員として、五年間のラーゲリ服役に処す」

「これは、覆《くつがえ》せない、最終的な決定ということですね」

自分でも、よく尋ねるだけの力と声が出たものと思う。

「最終的な決定です。サインして下さい」

手が思うように動かなかった。グシャグシャとした無様な字で、「読了」と書いて署名した。

小部屋の外に出ると、もう誰も、

「どうだった？」

とたずねる者はいなかった。

「何年食らったの？」

「五年」

ホールの片隅に座り込んで、膝をかかえ、そこに頭を埋めて泣いた。声が出ないように、泣いた。二三歳のわたしにとって、五年間の自由剝奪は、青春とあらゆる希望を失うことに等しかった。

教会の壁に、かつて掲げてあっただろう聖像画は一つ残らず取り外されていた。そう、ここには、神はいなかった。ここは、地獄なのだから。

もっとも地獄は、未決囚用の獄房よりはるかに広々とゆったりとしていた。ここでラーゲリへ送られるまでの日々を過ごした。壁面は天井までびっしり爪で引っ掻かれた文字で埋まっていた。男や女の名前、それに日付と刑期が記されていた。来る日も来る日も、まるで考古学者のように、わたしたちは壁面の文字の解読に明け暮れた。多くの人々が、そこで知人や友人、肉親の名前を発見したものだ。アンドレイの名前は、ついに見つかりはしなかったけれど。

ここで、肉親との邂逅をはたした人々もいた。エヌキーゼ一族の女たちは、全員ここで落ち合うことが出来た。スターリンの無二の朋友だったはずのグルジア出身のボリシェビキだったエヌキーゼは処刑され、一族全員が逮捕されていた。妻と二人の娘と息子の嫁と。

日を追うごとに収容される人間は増え続けた。退屈と不安の中で、護送される日が待ち遠しかった。早く護送してほしい、早くラーゲリへたどり着きたい。ラーゲリであれば、鉄条網で囲われているとしても、空を仰ぎ大地を踏みしめることができる。日毎に窮屈になる獄房の中は、用便桶から発する悪臭が充満していた。用便桶の前には常に順番待ちの行列があり、用は衆目のもとに足さなくてはならなかった。本もなく、ラジオもなく、気が狂いそうな無為の中で護送される日を待ち続けた。

ついに、ブティルカ監獄最後の夜が来た。真夜中、わたしたちは中庭に連行され、入獄する日に取りあげられたトランクを戻された。毛皮の外套を羽織る者もいれば、薄手の春物のコートを着る者、夏服を重ね着する者もいた。洒落た帽子をかぶる者もいれば、タオルで頭をぐるぐる巻きにしている者もいる。何人かの女は明らかにサイズが大きすぎる兵隊用の古い外套を引きずるように羽織り、ブカブカのズック靴をはいていた。可哀想に。きっと、逮捕されたのは夏だったのだろう。街頭か列車の中で突然逮捕されて、身の回りのものを用意する時間も与えられなかったに違いない。たとえ肉親からであれ、物品の差し入れは禁止されていたから、そのまま真冬になるまで投獄され続けた女たちは、夏服のまま過ごしたのだろう。ラーゲリ行きが決まって、ボロボロになった兵服の古着をあてがわれたのだろう。

この冷酷非道な嗜虐性は、一体どこから発するのか。いかなる革命的原理に基づいて、これほどサディスティックに人々を虐待するのだろうか。ドイツ・ナチスの犯罪者たちは裁かれ、今もその責任を追及され続けている。ソビエト・ロシアにおいては、今もって平《ひら》のNKVD職員は誰一人として公に裁かれてはいない。投獄された人々を虐待し、殺した看守たちも、死刑執行人たちも、収容所の責任者たちも……のうのうと安泰な年金生活をおくり、名誉に包まれて生を全うしていく。

かなり寒かった。後ろの方で男たちのヒソヒソ話す声が聞こえた。頭上は満天の星。終電だろうか。路面電車がガタゴト走っていく音が聞こえてきた。遠くの方でバスが警告音を鳴らしていた。

わたしは貪るように夜のモスクワの街が発する音に聞き入った。もう二度とこれを耳にすることはあるまいと思うと胸がつまった。あまりにも久しぶりに新鮮な空気を吸ったせいか頭がクラクラした。どんどん冷え込んでくるのだが、さらに気が滅入るほど待たされた。

その間も、中庭に集められる囚人の数は増え続けた。

ようやく全員がそろったらしく、号令がかかり六列縦隊に並ばされた。列の両側は武装した護送兵たちがどう猛な犬どもを引き連れて固めた。犬どもは威嚇的に唸ったり吠えたりする。中庭の門が開き、出発となった。まるで目隠しされたような街路を延々と歩かされた。両側の家々の窓は真っ暗であったし、あらかじめ人払いされているのか、街路には人っ子ひとりいなかった。

ヘトヘトになるまで歩かされた。四メートルはあるかと思われる高い塀に行き当たったところで右折し、塀に沿って進んだ。いつまでも続くと思われた塀に門があり、門の中へ連行されると、そこには鉄道の引き込み線が何本もあり、貨物列車が停まっていた。列車沿いに立たされた隊列はズラーッと間延びした感じになった。ちょうどプロジェクターの光が隊列を照らし出した。すごい人数だ。ざっと二〇〇〇人ぐらいだろうか。

「座れー！」

という号令が響き渡り、わたしたちは雪の上に直に座るしかなかった。前の方では、すでに乗車が始まっていた。雪の上に座り続けるのは耐え難いほど冷え込んできた。輪ゴムで留めることを禁じられている靴下がずり下がり、肌と靴下のあいだに雪が入り込んでしまった。体温で溶ける前に何とか雪を払いのけねばと焦った。

「待て、止まれ、どこへ行きやがる！」

突然、近くで怒鳴り声がした。

「止まれ、止まらないと、撃つぞ！」

瘦せぎすの青年が塀に向かって駆けていく。走りながら、ズボンを下ろしている。ライフル銃をセットするカチッという音がして、再び衛兵ががなり立てた。

「止まれ、撃つぞ！」

青年は塀際までたどり着くと、ズボンを脱いでしゃがんだ。そして動物のような唸り声をあげた。

「ワアアアア」

青年はひどい下痢のようだった。囚人仲間の傍らで排泄するのは忍びなかったのだろう。衛兵は銃口を青年に向けて狙いすましたものの、結局発砲は思いとどまった。

列車の中でわたしにあてがわれたのは、二段ベッドの上の段だった。二五平米の車両に七〇名もの人間が詰め込まれた。家畜並みなんてものではない。家畜の方がはるかに待遇がいいはずだ。二段ベッドが壁面に垂直に並び、扉の対面に鉄製のストーブが据えてあった。床面には円形の穴がくり抜かれていて、これが便所だった。

ベッドにありつけたのは、六〇名で、残りの一〇名は床に寝るか、誰かがベッドを譲ってくれるのを待つしかなかった。中に一人、誰彼の見境なく片っ端から襲いかかってきては首を絞めようとする錯乱状態の女がいた。それから、今にも破水しそうな妊婦が一人に、重い心臓病患者が一人。

一九三八年一月、一カ月もかかってあの貨物列車の車両で護送されたわたしたち七〇名の女が、その間一人も死なずにすんだのは奇跡としか言いようがない。女の肉体と精神には大変な力が秘められているものだ。

狭い車両内では、日がな一日ベッドに横たわっていなくてはならなかった。日中は時々四人並んでベッドに座るということもした。すると、目の前には、上段のベッドに座った人たちの足先がぶらつくということになる。用を足すときは、下へおりて、穴の上にしゃがんだ。穴からは竜巻状になった雪がすごい勢いで吹き込んでくるので、我慢できる場合は、列車が停まるのを待った。その方が、吹き込んでくる勢いが緩やかになった。移動中は、穴の上に板を敷いてふさいだ。

モスクワで積み込まれた石炭はたちまち尽きてしまい、時々護送兵が投げ込む薪の束を倹約しながら使った。何日もわたしたちの呼気だけで暖をまかなう日が続いたこともあった。後に徒刑先で聞かされた話だが、時々徒刑先に到着した車両が、生きた囚人でなくカチカチに凍った死体でいっぱいだったこともあったそうだ。

わたしたちは運が良かった。列車で移動した一カ月間、極端に気温が下がった日はなかった。壁際のわたしの場所は決して恵まれたものではなかった。みな外套を着込み帽子を被ったまま寝た。寝ているあいだに寒さのあまり外套の表面が壁に引っ付いてしまっているので、朝起きると、毎回それをひっぺがさなくてはならなかった。

でも、壁際で恵まれていることが一つだけあった。というのも、わたしの居場所の壁面には大きなボルトが二つ締められた箇所があって、キャップ部分は絶えず分厚い霜に覆われる。霜をそいで石鹸箱に入れる。その「アイスキャンデー」をなめると、わずかだが喉の渇きを癒すことができた。

水の配給は、薪の配給と同じくらい希だった。毎日一回、食料が配られた。それは、いつも決まってカチカチに凍った黒パンと塩漬けニシンだけ。水気のある食べ物は一切なし。だからこそ、ボルトのキャップに張り付く霜は有り難かった。列車の運行速度は恐ろしく遅く、止まっている時間の方が長い。しかも、停車するのは、本線から遠く離れた引き込み線の端のようだった。停車場所の近くに水道の栓がない場合、護送兵たちは、億劫がって水を運んでくれなかった。ギィイイーと軋みながら車両の扉が開き、護送兵がわたしたちの空のバケツを持っていき、それに冷たい水を湛えて持ち帰ってくれるのを何日も何日もわたしたちは待ち続けるしかなかった。

ほとんど誰もコップを持っていなかった。だから当番の女囚は、それぞれの石鹼箱に水を配った。とうの昔に石鹼なんてなくなっていた。顔や手を洗うことさえ、もう誰も考えもしなくなっていた。

身体は凍えきって身体の芯は絶えず震えていた。肉体は暖と食べ物を求めていた。せめてコップ一杯の白湯でいい。ああ何度このコップ一杯の白湯を夢見たことか。掌に熱いコップをかかえてかじかんだ指先を十分に暖めたい。それからフーフーと火傷《やけど》しそうになりながら熱い液体を流し込む。

冷たい水で渇きは癒されても、それは逆に飢えを促進する。

「食べたい、食べたい、食べたい」

空っぽの胃袋は絶えず悲鳴をあげる。カチカチに凍った黒パンを食べても、空きっ腹は空きっ腹のままだった。胃袋だけでなく頭も心も空っぽになり、ただただ願い続けた。

「暖まりたい、暖まりたい、暖まりたい」

「食べたい、食べたい、食べたい」

車両内は病人だらけだった。重い心臓病を患う女以外にも心臓が変だと訴える女はいっぱいいた。絶えず誰かが、気を失ったり、高熱にうなされたり、痛みに耐えていた。しかし、治療する者もおらず、慰めたりする者さえ、もういなかった。何ができるというのだ。どの女も、等しく飢えと寒さと喉の渇きに苦しんでいたのだ。

このいつ果てるともない生き地獄から抜け出すことができるならば死でさえ甘美なものに思う、そんな気力や思考力さえ萎えてしまった頃、旅路は突然終止符を打たれた。

ギギギィィィと軋みながら扉が開いた。反射的に、

「また、水が飲める」

と車両内の誰もが思った瞬間、衛兵が怒鳴った。

「到着した。荷物を持っておりる準備をしろ！」

猛吹雪だった。雪は積もるまもなく強風に吹き飛ばされてしまうのか、黄土色の地肌が見え隠れしていた。空中を乱舞する雪にも、黄土色の砂が混じっていた。

到着した場所がカザフスタンのバイコヌールであることを知るのは後のことで、まずは下車しなくてはならなかった。あまりにも長いあいだ動かされずにいた足は、歩くことを拒ん

だ。列車が停車した場所からわずか二〇〇メートル足らずの距離に建つ掘っ建て小屋まで行くよう命じられたのだが、多くの女たちは、途中でへたり込んでしまうのだった。支え合いながら、やっとのことで掘っ建て小屋にたどり着いた。小屋の中には、何もなかった。イスもベンチもベッドも。仕方ないので、女たちは床の上に座った。出入り口には、制服男たちがライフル銃をかかえて立っている。

「ご不浄に行かせて下さい」

立ち上がって、制服男に頼むと、

「わたしも」

「わたしも」

と三、四人の女も立ち上がった。衛兵に伴われて、小屋の外へ出た。

吹雪に包まれた白茶の大地が果てしなく広がっていた。小屋の周囲は鉄条網が張り巡らされている。しかし、鉄条網からそう遠くないところに、煉瓦造りの人家がポツンポツンと散在していた。

「便所はあそこだ」

衛兵は、鉄条網で囲まれた敷地の端にある小屋をあごで指し示した。

便所から出てくると、鉄条網の向こう側で、中年の女の人と老人が干し草の山の補強作業をしていた。老人と目があった。側に衛兵がいないのを見て取ると、老人はこちらに近づいてきた。

老人のしわだらけの小さな顔は、真っ白なあごひげに覆われていた。歯がもう無いのか、両頰が内側から吸飲されたかのようにくぼんでいた。顔の三分の一を占めているのではと思えるほど大きな瞳。眼孔がおそろしくくぼんでいて、目を縁取る瞼としわが重なって真っ黒な隈取りをなしていた。その底に、輝きを失った大きな灰色の瞳が悲しみとあきらめを湛えていた。その瞳には思わず吸い込まれそうになる。

「お嬢さん方、どちらからおいでなすった」

老人のしゃがれ声は限りなく優しかった。

「モスクワから連れてこられたんですよ、おじいちゃん、モスクワから。それで、おじいちゃんは、どちらから？」

「アクモリンスクというところだ」

老人は、煉瓦造りの人家が並ぶ集落のさらに彼方を指さした。

「ここは、放牧場だ」

老人の言葉には、強いウクライナ訛りがあった。

「おじいちゃんは、もともと、ここの人じゃないでしょう。どうして、ここにやって来たの」

「強制移住させられたんですよ、三〇年に。突然ある日、三日以内に家財道具まとめて移住の準備をするようお達しがあって、チェルニーゴフカ村から追い立てられたんです。抵抗する者は、片っ端から銃殺されてしまいましたよ。貨物列車に乗せられて、ここまで連れてこられたんです」

　今まで老人の傍らで黙っていた女が口を挟んだ。老人が、続ける。

「ここに着いた日に、兵隊どもは四隅に杭を打ち込んだ敷地を示すと、『ここが、お前らの土地だ』と言い残して去っていったさ。もう秋口だったものだから、すぐに家造りに取りかかった。土と干し草をこねて煉瓦をこさえて積み上げたのが、あの家々だ。草を摘み、木の実を拾い、根を掘り起こして乾燥させて冬に備えた。しかし、冬を越せた者は、ほとんどいなかった。バタバタ死んでいったもんだ。オレはついていたのかもしれんね。樽づくりの職人だったものだから。その腕を買われて、アクモリンスクの町の工場に雇われた。おかげでオレも一家も生き延びた。今、この村は集団農場になってね、何とか食いつないでいるってところだ……」

「どうした！　早く小屋に戻れ」

　突然わたしの鼻先に衛兵の銃口が突き付けられた。帰りが遅いと怪しんで駆けつけてきたようだ。

「何度言ったら分かるんだ、またお前か」

　衛兵は老人を威嚇した。

「囚人と言葉を交わしちゃいかん！」

　老人も女も、慣れているのか、無表情に受け流している。それが衛兵をいらだたせているようだ。

「ほら、行け、行け！　ここに近づくな！」

衛兵は銃口の先を二人に突き付けて怒鳴り散らす。二人はくるりと背を向けて集落の方へ去っていった。その刹那、老人はチラリとわたしの方を見て、微笑んだ。嬉しかった。ふつふつと熱いものがこみ上げてきた。生きていく勇気を、いや、ふてぶてしさのようなものを、あのとき老人から授かったような気がした。

掘っ建て小屋で待たされたのは、半日ほどだった。轟音とともに何台ものトラックがやって来て、わたしたちは、急いで荷台の上に乗るように言われた。荷台の上にすき間もないほどギッシリ詰め込まれると、シートを被せられた。風よけだったのか、目隠しだったのか。トラックに揺られていたのは、一時間弱ほどであったが、十分に冬支度出来ていなかった者にとっては、突き刺す風が辛かったと思う。

こうして、一九三八年二月、わたしは、内務人民委員部直轄の在アクモラ・祖国に対する裏切り者の妻たちの収容所 Акмолинский Лагерь Жён Изменников Родины イニシャルをとって通称アルジェリア АЛЖИР 第二六管区第二六号棟バラックの住人となった。

8

「ほら、これ、ちゃんと持っているんだから」

午前二時頃、ナターシャが同僚のボーイフレンドに迎えに来てもらってマリヤ・イワノヴナとともに引き上げていくと、カーチャはハンドバッグからボロボロになった封筒を取り出した。

「こ、これは……」

「そう、シーマチカから最後に受け取った手紙。一九六五年の五月四日付け。シーマチカが日本に帰って半年経ったけど、なかなか適応できなくて困ってるって書いてきたの。これをプラハで受け取ったのが五月二四日」

「カーチャがその日のうちに書き送ってくれた手紙は、六月のはじめに受け取ったわよ。

『大好きなシーマチカ、両親の任期が満了したので、モスクワに帰ることになりました……』」

「いやだ、シーマチカ、諳《そら》んじてるなんて」

「だって、何度も何度も読んだんだもん。モスクワの住所が書いてなかったでしょう。文通打ち切りの手紙をカーチャがよこすはずはない。きっと、何かの暗号かもしれないなんて思ってしまって。もう永遠にカーチャには会えないなんて信じたくなかったし……」

「ごめん。ああするしかなかったんだ。シーマチカが帰国する直前だったか、フルシチョフが失脚したでしょう。あのあと、みるみる締め付けが厳しくなったんだ。それでも、プラハにいるあいだは、まだよかった。わたしたちより一年先に帰国した父の同僚が、ほらゲナジイ・カルポヴィッチが」

「体育の先生の？」

「そう。ゲナジイ・カルポヴィッチの娘のアーラがプラハで仲良くなったイタリア人のヨランダから手紙を受け取ったために、一家がずいぶんイヤな思いをしたという話が伝わってきていて、モスクワに帰ったら外国人とは一切交際を絶つようにって両親から釘を刺されてたの。絶対にモスクワの住所は知らせるなって。その上そのこと自体も相手に知らせちゃいけないんだから、切ないよね」

「イヤな思いって？」

「何度も当局に呼び出されて、根ほり葉ほり聞かれた上に、結局、ゲナジイ・カルポヴィッチはツンドラ地帯かなんかに配置転換になってしまったということだった。まあ、スターリン時代なら、銃殺モノだから、まだましってことね」

「それで、カルル・イリイッチもアンナ・マクシモヴナもお元気なの？」

カーチャの両親のことをたずねたのは、あのことを思い出したからだ。

「父は五五歳で定年退職するまで図画の教師をやって、その翌年に亡くなった。母は、今も健在だけど、もう完全なボケ老人。シーマチカに会っても分からないと思うわ」

志摩の父も一五年前に鬼籍に入り、母も痴呆の症状が始まっている。そのことを話したら、そのまま、一四歳の時に別れて以来二八年間の来し方を語り聞かせる羽目になった。二〇歳そこそこで男の子を産み、出産直前に結婚した相手とは、その後一〇年もしない内に別れ、母親と息子と三人暮らしというところまで話したところで、カーチャが嬉しそうに叫んだ。

「いやだシーマチカ、気味悪いよ。わたしたちウソみたいにお互いの生き方なぞってた!

それで離婚の理由が夫の浮気だったら完璧だ」

「そこのところはたしかにパーフェクト。まっ、理由というよりきっかけに過ぎなかったけれど」

「ウワハハハハハ」

「でもカーチャは自分の希望通りの仕事に就いている」

言ってからしまったと思った。カーチャが笑うのをやめて志摩の顔をのぞき込む。

「良かったら話してみない。なぜダンサーにならなかったのか」

「ならなかったじゃなくて、なれなかったのよ。才能が足りなかった……ううん、いいよ、慰めてくれなくて。自分が一番分かってるんだから」

「シーマチカのその言い方には悔しさと未練がタップリ残ってるなあ。才能って素質の実現能力のことよ。どういう経緯でその方向で努力するのをやめたの？」

「それ、話すと長くなる。カーチャはいつまでモスクワにいられるの？」

「シーマチカを木曜日にモスクワ空港で見送るまで」

「よく休みがとれたね」

「同僚たちが協力してくれたんだ。二八年ぶりに日本から会いにきた親友がモスクワで待ってるって言ったら二つ返事で」

「ねえ、カーチャ、三一年前、あの大雪の降った日に、わざわざわたしの家まで訪ねてきてくれたでしょう。あのときカーチャは、もしかして、近々帰国するかもしれないと思って訪ねてきてくれたの？」

「シーマチカ、分かってたの？」

「もちろん、あの時点でそんなこと分かるはずないでしょ」

志摩は、外務省の資料館で見た在プラハ・ソビエト学校教職員一同から当時のソ連邦外務省人事局教育部部長にあてた一九六一年一月二七日付けの電文コピーを書き写したノートを見せた。カーチャの両親を含む先生方が、オリガ・モリソヴナとエレオノーラ・ミハイロヴナの解雇を取り消すよう当局に嘆願する文面に目を走らせながら、カーチャは感心感嘆する。

「へーえ、ニーナのところにそんな資料があるとは思いもよらなかった。シーマチカみたいに遠くにいる方が目の付け所がいいんだわ」

「日本語ではそういうの、『灯台もと暗し』っていうのよ」

「ふーん、なるほど。まさに灯台もと暗しで、あの頃は父や母がそんな手紙をしたためていたなんて知らなかった。でもね、父や母の同僚たちがしじゅう集まってヒソヒソ話し合っていたのは知っていた。それで二八日の朝、学校に行く前に、両親が大事な話があるって、かしこまって切り出してきたの。もしかしたら、本国に召還されるかもしれないから覚悟しているようにって言われた。もちろん、『なぜ？』って即座にたずねたけれど、『それは、言えない』って突っぱねられちゃった。父も母も今まで見たこともないようなこわばった蒼白な顔してたから、それ以上たずねられなかったのよ」

「それで、あたしの家を訪ねてくれたのね。それまでは何度誘っても、来てくれなかったのに」

「だって、本国を出る前に外国人とのつき合いはくれぐれも慎むようにって何度も注意されていたもの。父や母が派遣教員候補になってから審査されたとき、あたしも一緒に連れて行かれたでしょう。そのとき、外務省人事局とか党の市委員会とかの人たちにさんざん言われたの。『外国のスパイ網は巧妙に張り巡らされているから、いついかなるときも警戒心を緩めないように』ってね。ハハハハ、バッカみたいね。モスクワで通っていた小中学校の校長にも、おじいちゃんやおばあちゃんにもお別れの挨拶のときに言われた。『気をつけなさい。一生を棒にふることになるから』って」

「ごめんね」

「どうしたの、いきなり」

「そんなことぜんぜん知らないで、気楽に誘っていた。ずいぶんつらい思いさせちゃって」

「悪いのは、シーマチカじゃなくて、馬鹿げた妄想に駆られていた体制でしょう」

「でも、あの頃は、それが今みたいに崩壊するなんて夢にも思えなかったし。今さらながら、よく、あたしの家まで訪ねてきてくれたと思うよ」

「あのときは、シーマチカの家に行くだけの勇気が湧いてくる時期だったのよ」

「時期？」

「そう。あたしだけじゃなくて、父や母を含むあの学校の、どちらかというと優等生タイプの教職員に。だって当局のふるいにかけられた選りすぐりですものね。その優等生タイプの教職員にああいう電文をしたためるだけの勇気が湧いてくるような時期だったのよ。覚えてる、あの年、一一月七日の革命記念日直前に、レトナの丘のスターリン像が撤去されたでしょう」

そういえば、そんなことがあった。ある日夜空に大爆発音が響き渡ったので、アパートの窓を開けると、下の広場で人々が歓声を上げていた。翌朝、学校へ向かうバスがレトナの丘にさしかかったとき、運転手さんが朗らかな声で言った。

「ほら、みんな、丘の上を見てごらん」

世界最大と言われていた巨大な大理石のスターリン像が木っ端微塵に砕け散っていた。

「重石《おもし》がとれて、プラハの街もようやく呼吸がしやすくなったな」

それは、志摩にとってはすっかり忘れてしまっていたほどの過去の一こまに過ぎなかったが、カーチャにとっては大事件だったのだ。カーチャだけでなく、社会主義を奉じる国を母国とする人々にとっては切実な出来事だったのだ。

「ソ連人でスターリン時代の粛清に無関係でいられた人なんて皆無じゃないかなあ。あたしだって父方の叔父は銃殺されているし、母方の祖父はラーゲリ送りになっている。あの学校の教員だって、親類縁者に粛清の犠牲者が出なかったと言い切れる人は一人もいなかったと思う。だから一九五六年にはじまったスターリン批判が、だんだん広がっていって、あの年の秋にはモスクワのレーニン廟からスターリンのミイラが撤去されたでしょう。いままで恐怖のあまり、心の奥底に封印して眠らせていた正義感や勇気が、オリガ・モリソヴナとエレオノーラ・ミハイロヴナに対する外務省当局からの解雇通知で目覚めたのよ」

「カーチャ、オールド・ファションもコンビはラーゲリ帰りだったんだね。バイコヌール平原のアルジェリアという名の労働強制収容所に入れられていたと見て間違いないのね」

「うーん、二人がラーゲリに収容されていたのかどうかはまだ推測の域を出ていないんだなあ」

「なぜ？　オリガ・モリソヴナもエレオノーラ・ミハイロヴナも『アルジェリア』と『バイコヌール』という言葉に対する反応が異常だったじゃない！」

「どうもひとつ引っかかることがあるんだ。ラーゲリに収容されたことのある者に一九五〇年代当時、出国の許可がおりたなんて考えられないのよ。『前科者』ではないあたしの両親が一九六〇年にチェコスロバキアに赴任するときでさえ、あれだけ厳しい審査をパスしなくてはならなかったでしょう。実は図書館の同僚に母親がポーランド人の女性がいてね。両親は銃殺、彼女自身もラーゲリ帰りなの。母方のワルシャワの親類から毎年のように招待状が来ていて、渡航申請をするのだけれど、何度やっても許可が下りなかった。死ぬ前にこの目で母のふるさとを見ておきたいと口癖のように言っていたけれど、半分あきらめていた。去年の暮れソ連邦が崩壊してようやく許可が下りるようになったのに、今度は彼女の体調が優れなくて」

「それは、すべての元ラーゲリ収容者に対してそうだったの？　あたしの記憶では、六〇年代にも七〇年代にも八〇年代にも、ラーゲリ体験を持つソ連の作家や詩人がずいぶん日本に来て日本の作家と交流したり講演したりしてたわよ。まっ、めぼしい作家はみんな投獄されてたからね。名誉回復された人たちは関係ないのかな」

「短期間、ソ連邦の宣伝のために外国へ派遣される有名人は別。ただしちゃんとKGBのお目付役がピッタリ張り付いてたものね。長期間、外国に滞在するための許可は絶対に下りなかった。ましてや五〇年代でしょう。ソ連邦市民が常時携帯を義務づけられている身分証明書には、前科が全て記されているのよ。それを提示しなくては、外国行きのパスポートは取得できないわけだから」

「そうそう、二人の国籍、ソ連邦ではなくて、チェコスロバキア連邦だったの、知っていた？」

「エーッ、それも初耳だあ。その情報も外務省の資料館？」

「そう。毎年契約を更新する現地採用の職員だったってことは知っていた？」

「ううん。たとえそうだとしても、在留ソ連人だとばかり思っていた」

「ほら、チェコスロバキア社会主義共和国連邦市民ってちゃんと書いてあるでしょう」

志摩はノートを開き、外務省の資料館でファイルから書き写した箇所を見せた。

「うーん、ますますこんがらがってくるなあ……でも何だか眠くなっちゃった」

カーチャはベッドの上に座っていたのをそのままズルズルと水平状態になって、たちまち寝息をたて始めた。服を着たまま。無理もない。カーチャは今日一日中仕事をしてから、飛行機でモスクワまで駆けつけてくれたのだ。オリガ・モリソヴナの謎解きに夢中になっているうちに、お互いの来し方と現在については十分に語り合うのをなおざりにしてしまった。

志摩は目が冴えて寝付かれず、先ほどの手記の続きを読んでおくことにした。この著者は、明日、いやすでに今日の午前中に会うことになっているとカーチャが言っていたことだし。


春先まで、新しい囚人たちが次々と運ばれてきた。住居は土と干し草をこねて造った煉瓦で出来たバラックだったが、速成なのだろう、まだ煉瓦が十分に乾いていないため、屋内には湿気がこもった。

生乾きのバラックは、たちまち女たちで満杯になっていった。モスクワからの女たちが多かったが、ウクライナ、アルメニア、ベラルーシ、グルジアなどソ連各地の収容先から運ばれてきた。

絶えず強風が吹き荒れるバイコヌールの大気は、気温以上に体感温度が低い。なのに、バラック全体にストーブが一台。それに、バラック内に林立する二段ベッドは骨組みだけで、マットレスも枕も付いていない。収容所当局は、新入りの受け入れに忙殺されていて、わたしたちに何一つ生産的な労働を命じるわけでもなかった。

自分たちの手で生活基盤を創っていくしかなかった。近くに大きな湖があり、その周囲には大量に葦が生えていた。衛兵とその犬たちに監視されながら、わたしたちは葦を刈っていった。監視下であれ、久しぶりに労働で汗を流すのは、心地よかった。その葦を編んでマットレスと枕を作った。葦はまた燃料にもなった。ストーブにくべると、勢いよく燃えてくれた。

それにしても恐ろしい寒さだった。水は湖に張った氷を割って汲む。ある日、当番で、二つのバケツになみなみと水を張って天秤棒で運んでいる最中に足を滑らせて転んでしまった。二つのバケツの水をもろにかぶったわたしはたちまち氷の鎧に覆われた。バラックの仲間たちが駆けつけて、慌《あわ》てて張り付いた氷の皮をはぎ取ってくれたのだが、何とわたしはほとんど濡れていなかったのだった。

そんな風に過ごしながら、わたしたちは待った。春の訪れをひたすら待った。

春になれば寒さもやわらぎ、もう少ししのぎやすくなる。草木が茂って食料も調達しやすくなる。それに、春になれば、所長以下収容所の正式スタッフが赴任してくるということだった。アクモラの収容所そのものが、まだ完成途上というか、いかにも大わらわの突貫工事の真っ最中であった。おそらく一九三七年から三八年にかけていきなり大量に逮捕した囚人たちの数に今までの収容所施設と職員ではとうてい間に合わなかったのだ。内務人民委員部そのものの中で大規模な粛清が進行していたこともあって、どこの収容所も人員不足だったらしい。

ようやく中央から派遣された所長一行が到着したと知るや、女たちは衛兵らが阻止するのもはねのけて、所長室前に殺到した。所長が扉を開けて顔をのぞかせると、口々に自分の名を名乗り、肉親の安否をたずねるのだった。息子は今どこに収容されているのか。娘は無事なのか。病気の母は治療を受けられているのか。痴呆症の父はどこに送られたのか。

所長は、どの質問にも与《あずか》り知らぬと答えた。女たちは納得せず、いつまでも所長室の前に立ち続ける。すると所長は、紙とペンを持ってきて配り、訴えを記すよう命じた。

女たちは必死で書いた。自分と家族の逮捕がいかに不当であるかを訴え、家族の居所を知らせてくれと嘆願した。わたしも書いた。夫のアンドレイは今どこにいるのか。生きているのか、それとも……せめてそれだけでも教えて欲しい。最高検察局宛て、スターリン元帥宛て、カリーニン最高評議会議長宛て……どれだけたくさんの手紙を書いたことか。何週間経っても、何カ月経っても、回答はなかった。あの手紙は一体どこへ消えたのだろう。

家族の安否は、結局分からずじまいだった。むりやり引き離された肉親を想うと胸が張り裂けそうになる。その気持ちは誰もが同じだった。中でも気の毒でならなかったのは、逮捕時、乳飲み子をかかえていた女たちだった。生木を引き裂くように、赤子と切り離され、その後一切の消息を知らされずにいた。彼女たちは、日に何度も後悔した。あのとき、赤ちゃんを手放さなければよかった。胸をかきむしって己を責め立てた。なぜ、あのとき官憲の言葉に屈してしまったのか。なぜ、もう少し頑張らなかったのかと。

　それというのも、乳飲み子をかかえて収容所までたどり着いた女たちもいたからだ。彼女たちは、日に三度、子供用バラックに乳を含ませに通うことを許されていた。元映画女優のラヒル・プリセツカヤも、そんな一人だった。バラックの二段ベッドの上段をわたしが、下段をラヒルが使っていたので、まもなく親しくなり、これまでの経緯を聞き出すことができた。彼女は、ブティルカ監獄でも、特別な獄房に入れられていたという。乳飲み子をかかえた一〇〇名もの女たちが、寿司詰め状態で収容されていたそうだ。日に一度、巨大なたらいにマンガン入りの湯を湛えたものが獄房に運び込まれる。このたらいの湯に、代わり番こに赤子たちを浸からせ、次におむつを洗った。洗ったおむつは、母親たちが自分の頭や肩にかけて乾かした。

「だから、あそこに較べたら、ここは天国みたいなものよ」

　スラリとした都会風の美女は、微笑んだ。ラヒルは、有名なバレエダンサー、メッセレル家の出身で、姉に預けた長女マイヤのことを、日に何度も想いおこしては、あれこれ気を揉《も》んでいた。マイヤは、その後『瀕死の白鳥』が当たり役となって、ボリショイ劇場のというよりも世界的大プリマとなる。そう、マイヤ・プリセツカヤのことである。

ラヒルに限らず、祖国の裏切り者の妻や娘や妹や母たちは、華やかな経歴の持ち主が多かった。娑婆にいたらとうてい近寄れないような女優やオペラ歌手やダンサーや詩人、作家、学者がいた。その夫たちも有名な文学者や学者や映画監督や軍人や党の指導者だった。皆、何らかの悪意に基づいて逮捕され、従って、自分たちの夫も父も、自分たち自身も無実であると分かっていた。だから、収容所の女たちのあいだには、無言の連帯のようなものが漂っていた。

むろん、例外はどこにでもあるもので、自分だけは無実だが、他の人々はことごとく犯罪者だとかたくなに思い込んでいる人もいた。わたしと同じ車両でここに連行されてきたゴリの党員がそうだった。彼女の名前も覚えていないし、彼女が八年も食らった原因となる夫は、一体どんな職務に就いていたのかも知らないが、彼女は、わたしたち全員をあからさまに避けてすごし、自分だけは犯罪者集団の中にいる唯一の罪無き犠牲者であると、ことあるごとに言い張った。誰も彼女を説得しようなんて思わなかった。心の底から軽蔑し無視しただけだった。

さらに暖かくなってくると、名簿をたずさえた収容所スタッフが各バラックを回って、専門家別リストを作成した。そして、医療関係者グループ、農業関係者グループ、建設関係者グループというふうに、いくつものグループが組織された。

わたしは建設関係に配属された。このグループにより分けられた女たちから設計班がつくられ、設計班を指導する目的で、別の収容所からフィルソフという高名な建築家が派遣されてきた。噂では、「産業党」事件で一〇年食らっているということだった。「産業党」事件に関係して数千人の建築家やエンジニアが銃殺されたり収容所送りになっていた。罪名は「事業妨害」。生産部門で故障や事故が起こると、必ずこの罪名がつけられ犯人捜しが開始された。故障や事故の原因の九九・九九パーセントは、革命前から使われ続けて老朽化した設備とレベルの低い労働力であったのだが。

フィルソフは、見るからに知的な品のいい初老の男だった。フィルソフを見ていると、同じく建築家だった父のことを思いだし、父の同僚だった建築家たちの顔が次々に浮かんだ。その誰もが逮捕されていることに思い当たって愕然とした。この時はじめて、父が早死にしたことを僥倖《ぎょうこう》だと思った。

フィルソフ指導下の設計班には、錚々たる女流建築家がそろった。わたしのような卵は、つまり建設大学の学生は、あと一人。他はみな建設現場の経験を持つ女性たちだった。設計班には、収容所の基本施設の設計がすべて任された。縫製工場に煉瓦工場、発電所、ボイラー室、風呂場、厨房と食堂、それに、収容所の外に、収容所スタッフや収容所に雇用されている自由人のための映画館まで。

五月に入ると、アルジェリア全体が動き出した。収容者全員に仕事が割り振られ、労働に動員されるようになった。病院も組織された。そこには、娑婆で医師や看護婦をしていた人たちが配属された。

わたしは、他の収容者に較べてかなり恵まれている方だった。もっぱら小屋の中で設計図を書くのが仕事だったから、衛兵に追い立てられたり、番犬に吠えつかれたりしなくてすむ。

　一方、人文系や芸術系など、収容所には必要とされない教育を受けた女たちはずいぶん辛い目にあった。多くの者は、日干し煉瓦造りに動員された。裸足で粘土を干し草とこね合わせ、十分にこねた後、木枠にそれを流し込み、次に木枠を日当たりのいいところへ運んで、木枠の中から生乾きの煉瓦を叩き出し、乾燥させる。

　別のグループの女たちは、そうやって出来た日干し煉瓦を積み上げて壁を造った。機械化ゼロの世界。日干し煉瓦の重さは一個二〇キログラム。これを一日一二時間、運び続けなくてはならない。

　畑仕事にまわされた女たちもいた。耕し、蒔き、育て、収穫した。ステップ地帯の太陽は容赦ない。風は強く、頬を傷つける。皮膚が擦り剝け血がにじむほど、砂混じりの風がたたきつける。

　特に身体の弱い女たち、病人や老人のグループがより分けられ、手芸工房が組織された。レース編みの画家が下絵を描き、それをなぞって朝早くから夜遅くまで女たちは刺繡をした。レースを編んだ。ブラウスの襟やクッションカバーやテーブルクロスを縫った。ほとんどの女が視力を台無しにした。製品はモスクワへ運ばれ、また輸出へまわされた。戦後、それもずいぶん長い間、モスクワ市内の店頭で、わたしは何度も「アルジェリア」手芸工房製と一目で分かるデザインの刺繡もののブラウスやレース製品を見かけたものだ。

　こうして春が過ぎ夏が来て秋を迎え冬を越し、月日は流れていった。大陸のまっただ中にあるカザフスタンの冬は途轍もなく寒く、夏は途方もなく暑かった。しかし、季節の移り変わりや気温の落差に関わりなく、収容所の生活は恐ろしく単調だった。朝は、バラックごとに点呼、それから食堂で黒パンをかじり水っぽい大麦の粥をすする。朝食後はすぐに仕事がはじまり、夕食は同じ食堂で、同じく黒パンと大麦の粥。夕食後もまた仕事。一日の労働時間は一二時間。休日無し。

お腹は絶えず空いていた。いつも食い足りなかった。黒パン一切れ、野菜スープ一杯、それにカップ一杯の大麦粥。来る日も来る日も同じメニュー。月が改まろうと、季節が移り変わろうと、十年一日のごとくである。満腹感にひたったことは、一度もなかった。身体は、タンパク質と脂肪とビタミンを求めていた。当然、食べ物に関する話は、タブーだった。それでも、ときどき誰かが脱線した。

「ああ、なんてあたしたち、馬鹿だったんだろう。娑婆にいた頃は、一生懸命、料理に凝ったりして。パイを焼いたり、ゼリー寄せをつくったり。パンにたっぷりバター塗って、ニンニクをかじりながら食べるのが、実は一番のご馳走だったのに」

こんな話を聞くと、胃はけいれんをおこした。

「後生だから、いい加減にしてちょうだい。もうダメよ。禁句よ、食べ物のことは」

誰かが、堪えきれなくなって悲鳴をあげる。もちろん、そこで食べ物の話は打ち切りとなる。しかし、すでに、皆の心の中にはイメージが出来てしまっていて、それがどんどん膨らんでいく。だから、誰かがしゃべっていたときよりもさらに苦しくなるのだ。

毎日が寸分の狂いもなく同じ。それが延々と続く。毎日がモノトーンな灰色である分、眠りにつくと、脳味噌は幸せだった頃の記憶を総天然色で再現してくれるのだった。夢を糧に、わたしたちは生きながらえていた。昼間は、見た夢を思い起こし、語り合った。

夜になると、今にも消えそうな小さな電球が灯った。本もラジオも手紙もない。休日も祭日もない。

もっとも五月一日と一一月七日だけは、特別だった。この両日は、わたしたちは、それぞれのバラックに閉じこめられ鍵をかけられた。収容所内を歩くことさえ禁じられた。囚人に祭日は与えられなかったが、収容所のスタッフや衛兵たちが祭りを祝うためである。収容所の出入り口すべてが閉じられ、当番兵が櫓に残るだけで、その他全員が収容所をあとにして、町の方へ繰り出すのだった。

最初の一年間が過ぎた。この間、外からの情報は一切無かった。手紙も、仕送りも。

そして、ある日、収容所中の女たちが興奮するような出来事が起こった。女囚の一人が手紙を受け取ったのである。郵便切手が貼ってあってその上にスタンプが押してある正真正銘の封書だった。封筒には、子供の字で「アクモリンスクし、ママたちのろうや」と記してあった。手紙をよこしたのは、八歳の少女だった。

「パパとママがたいほされたあと、わたしもたいほされてこじいんにいれられました。ママはいつかえってきてわたしをむかえにきてくれるの。ここは、とてもつらいの。さびしいの。まいにちないてます。ママ、はやくむかえにきて」

こんな小さな女の子が、どのように母親の所在地を知ったのだろう。ＮＫＶＤの職員の中にも、優しい心の持ち主がいたのかも知れない。

でも、圧倒的多数の職員はゾーッとするほど冷酷で、囚人をいじめて楽しんでいるようなところがあった。アリョーナの身に起こったのは、まさにそういう出来事だった。アリョーナの苗字は覚えていないが、とても上品な人だった。逮捕時、四歳の娘はアリョーナにしがみついた。逮捕状を持参したＮＫＶＤの職員も根負けして、娘の荷物もまとめるように命じた。これで、娘とは離れ離れにされることはないだろうと信じて、アリョーナは、二つのスーツケースに身の回りの品を入れた。一つは娘用に、もう一つは自分用に。ところが、ルビャンカに連れてこられてから、娘の方は子供用施設に収容すると言い渡された。それを聞いた娘は必死になって母親の首にしがみついてきて声を限りに叫んだ。

「いやよ、いやよ。ママと一緒じゃなくちゃどこへも行かない。絶対にいやよ」

男たちは母娘を引き離そうと、最初は五人がかりで殴ったり蹴ったりしたが無駄だった。それで次に拳銃の金属部分で幼女の肘をガンガンたたいた。痛みと恐怖のあまり、娘は手をゆるめ、その瞬間、母親からひっぺがされて別の獄舎に連れ去られた。母と娘のスーツケースが取り違えられたことに気づいたときは、すでに手遅れだった。アリョーナの手元に残ったスーツケースには、娘の衣類と人形が入っていた。ということは、娘の手元には、母親の衣類が納まったスーツケースが行ってしまったのだろう。それでも、スーツケースを交換することはおろか、娘の居所さえ教えてもらえなかった。

アルジェリアに収容されてから二年目に入って、ようやく外界との文通が許されるようになった。そして、アリョーナは、娘が死亡したとの通知を受け取った。通知を読み終えたとき、アリョーナの美しい栗色の髪の毛は真っ白になっていた。そして、言動も、あきらかにおかしくなった。日がな一日ベッドの上に娘の衣服を並べて、話しかける。まるで生きている娘がそこにいるかのようであった。

9

「シーマ、シーマチカ」

カーチャの声だ。

「もう、八時半。九時には、ナターシャとマリヤ・イワノヴナとホテルのロビーで落ち合う約束だったでしょう」

目を開けると、小太りの中年女が志摩の身体を揺すっていてギョッとした。中年女と目があって、志摩は、カーチャの声は昔のままなのに、幅も奥行きも昔の三倍ほどに膨張した今の姿形にはまだ慣れてない自分に気づいて苦笑した。

「ああ、また服着たまま寝てしまっていた」

「はい、まずシャワー浴びて眠気さまして、早く身支度すること。ガリーナ・エヴゲニエヴナのところへは、キッカリ一〇時にうかがうことになっているんですからね」

「仕切り魔ぶりは、ちっとも変わっていないね。嬉しくなっちゃう」

「ほれほれ、早く」

カーチャにせき立てられるようにバスルームに飛び込み、冷たい水を浴びると、ボヤーッと寝ぼけた脳味噌も引き締まってくる。先ほどカーチャが口にした固有名詞が意識の端に引っかかってきた。

「ガリーナ・エヴゲニエヴナだって？」

バスタオルで濡れた髪と身体を拭きながら、カーチャにたずねる。

「ええ、ガリーナ・エヴゲニエヴナ・ステパノワ」

「G・E・ステパノワって、どこかで聞いた名前だわ。ああ、誰だっけかなあ……」

「はい、コーヒー飲んで」

「相変わらず段取りいいのね、カーチャは」

「ルームサービスで取り寄せたのよ」

「ありがと。うーん、美味しい。ねえ、カーチャ、今日午前中に、この『カザフスタンのアルジェリア』っていう手記の著者に会いに行くことになっていたはずでは……あっ、G・E・ステパノワって彼女のことだ」

「シーマチカ、やっと、目が醒めてきたみたいだ」

そこへ、ロビーに到着したナターシャとマリヤ・イワノヴナから電話が入り、志摩は猛スピードで身支度を済ませて、カーチャとともに階下へ向かった。ふたりと落ち合ったところで、カーチャが切り出した。

「今、時刻は九時一〇分。ガリーナ・エヴゲニエヴナのお宅はタガンスカヤ通りに面しているから、ここからタクシーで三〇分もあれば、十分に間に合うはず。それより、リュウマチの具合がよろしくなくて、一時間しかお会いする時間がないの。だから、こちらからぜひとも伺っておかなくてはならないことを整理して、聞きそびれることのないようにしておきたいんです」

「それじゃ、項目を書き出していきましょうか」

志摩は、ノートとペンを取り出した。ノートを開くと、ちょうど寝る前に手記を読みながらメモした頁だった。それで読んだ内容を手短にマリヤ・イワノヴナとナターシャに伝えていると、尋ねておくべき事柄が次から次へと浮かぶ。しかし口火を切ったのはマリヤ・イワノヴナだった。

「ではシーマチカ、書き取ってくださる？　第一問。ブティルカまたはアルジェリアでディアナことバルカニヤ・ソロモノヴナまたはそれとおぼしき人物に逢ったかどうか。第二問。オリガ・モリソヴナとエレオノーラ・ミハイロヴナまたはそれとおぼしき人たちにアルジェリアで逢ったかどうか」

カーチャは、ちゃんとメモしたか確かめるように志摩のノートをのぞき込み、

「あっいけない、用事を思い出したわ」

いきなり立ち上がって、フロントの方に向かった。

「ガリーナ・エヴゲニエヴナがブティルカ監獄で世話になったオリガ・モリソヴナは、鳶色の瞳をしているとあったけれど、背格好とか、容貌は似ていたのかしら、ディアナに」

ナターシャは、皆が気にかかっていることを言葉にした。オリガ・モリソヴナとバルカニヤ・ソロモノヴナがすり替わったとしても、当局の看守や衛兵に気づかれないほど似ていたのかという点だ。ナターシャの言うことを書き留めながら、志摩はあのポスターのことを思い出した。

「エストラーダ劇場はまだ閉まっているわよねえ」

きのう、たまたま劇場ロビーのホールで見かけた「ディアナと青いコウモリたち」のポスターのことを話した。

「あのポスターの写真さえ見せれば、たちどころにわかるはずだわ。人の容貌は、いくら言葉で言い表してもなかなか伝わらないもの」

「うんうん、それはいいアイディアだ」

いつのまにか、カーチャが戻っていた。

「劇場はまだ閉まっているけれど、裏口からなら入れる。わたしとマリヤ・イワノヴナに任せて。守衛さんとは、家族のような仲だから」

「ええ、ええ。ナターシャはもう何度もチケットを頼まれて工面してさし上げたことがありますのよ。無理を聞いてくれるはずです」

「しまった。インスタント・カメラ持ってない」

「ホテルの売店にあるでしょう。エストラーダに寄るのなら、もう出発しなくては。さあ」

カーチャに急かされて、ホテルの売店に向かったが、一〇時開店ということでまだ閉まっていた。フロントにかけあったものの、売店はホテルとは別な業者が入っているので、その従業員が来るまでは、開店出来ないし、ましてや商品をいじることは出来ないと断られてしまった。

「エストラーダ劇場の真向かいにコンビニがある。あそこで見かけたような気がする」

というナターシャの声に励まされて、ホテル玄関口でタクシーに乗り込んだ。ところが、コンビニでは、使い捨てカメラはたくさん置いてあったが、ポラロイドカメラは品切れだった。

「どうしよう」

「そんなことより、約束の時間に遅れては失礼だわ」

カーチャは、時間を気にしてイライラしてきた。時計は、もう九時三〇分を指している。

突然、マリヤ・イワノヴナが声を弾ませた。

「ポスターをはずして持っていきましょう」

「エッ⁉」

「そうよ。なぜ早く気がつかなかったんだろう。どうせ今日は一九時開演のソワレ（夕方の部）しかないのだから、劇場が開くのは一八時。会場係の人がやって来るのは、どんなに早くとも一五時だわよ。バレるはずないわ」

そう叫んで、ナターシャはコンビニを飛び出して正面の道路を横切って走っていった。カーチャもあとに続く。

「シーマチカ、劇場の裏口のところでタクシーつかまえて、マリヤ・イワノヴナと待ってい
て」

「了解」

しかし、劇場前のタクシー乗り場にタクシーは一台も駐車していなかった。

「ここにタクシーが並ぶのは、劇場がはねた後の客ねらいですもの、いくら待ってもダメ。流しの白タク拾うしかないですわね」

マリヤ・イワノヴナの指示に従って道路際で片手をあげて立っていると、すぐに小型車が止まった。

「どこまで？」

通勤途上のサラリーマンといった感じの男が窓から顔を出した。

「タガンスカヤ通り」

「ちょっと寄り道になるなあ。まあ、いいっか。乗りな。ただし一ドルだよ」

交渉成立しそうになったところで、

「でもこの車じゃサイズが小さいわ。あと二人プラス大きな荷物があるのよ。ご親切にありがとう」

脇からマリヤ・イワノヴナが介入してきて断ってしまった。志摩にしきりにウインクしながら、小型車の背後に向かって手を振っている。白いバン。

「やだ、マリヤ・イワノヴナ、これ救急車じゃないですか！」

「だからこそ、好都合ではありませんこと」

運転席の窓から白衣と白い帽子を被った男が二人も顔を出した。

「どこまで？」

「タガンスカヤ通り」

「乗りな」

「あと二人いるの」

「ああ、いいよ。二ドルいただくよ」

そこへ、裏口からナターシャとカーチャが大きな額縁をかかえて走ってくる。

「おいおい、女の強盗団かい」

「当たらずとも遠からず」

バンの後部ドアが開いて中へ乗り込むと、やはり本物の救急車である。担架とか点滴用具とかが取り付けてある。唖然とする志摩の耳元にナターシャがささやく。

「こんなのに驚いちゃダメよ。モスクワでは、タクシーも白タクやってんだから。みんな生活が苦しいのよ。わたしがサボイ・ホテルのバーで踊ってるのと同じ。こないだなんか、パトカーの白タクに乗せてもらったばかりよ」

車が発車したところで、マリヤ・イワノヴナがつぶやいた。

「それよりも、手ぶらで押しかけてよろしいのかしら」

「さすがマリヤ・イワノヴナ、舞台裏生活が長いだけあって、大事な小道具のことも忘れない」

「運転手さん、道路際で花を売ってたらストップしてね」

「注文の多い客だね。しかし、面白いな。何しに行くの？」

「内緒。ほらほら、そこの地下鉄駅出口のところで、花屋が三軒も並んでいるじゃないの。止めて」

カーチャは、車を降りると、足早に走っていった。しばらくすると、クリーム色のバラを五、六本、それにボール箱を一つ小脇に抱えて戻ってきた。車に乗り込んでドアをバタンと閉めると、ニッコリと微笑んで告げた。

「では、運転手さん、今度こそ全速力でタガンスカヤ通り九番地まで」

「そう行きたいところだけれど、この辺り、毎朝ひどい渋滞なんだなあ」

「料金二倍はずむから」

「そう来なくっちゃ。先払いでお願いするよ」

志摩が一ドル紙幣を四枚、助手席の男に手渡すと、彼は窓を開けた。それから右手に何かを抱えて車の屋根にペタッと取り付けた。とたんにウーウーとけたたましいサイレン音が響きわたる。音の発生源は、志摩たちの乗ったバン。たちまち、前方に道が開けた。マリヤ・イワノヴナが最初の小型車を断ってまで救急車にこだわった理由が志摩にもようやく分かった。

目的地にたどり着いたのは、約束の時間のギリギリ三分前。建物を一目見てカーチャが叫んだ。

「まあ絵に描いたようなフルシチョーバ！」

フルシチョフ時代に大量に建てられた安普請のアパート群はあっという間にスラム化した。ボロ屋のことをロシア語でトルシチョーバという。フルシチョーバというのは、フルシチョフとトルシチョーバを掛け合わせた造語。外壁があちこちはがれていて、いかにも突貫仕上げで積み立てられた煉瓦が欠けたり、崩れかかったりしている。五階建てアパートの最上階にガリーナ・エヴゲニエヴナは住むという。エレベータは無い。一九三七年に二三歳だった彼女は、今七八歳。リュウマチを患っている彼女に、この階段の上り下りは、あまりにも酷だ。階段室は薄暗く、電灯の電球はどの階のものもことごとく切れていた。しかも、階段の踏み板の端があちこち欠けていて危ないことこの上ない。

四人がようやく四階と五階の中間の踊り場にたどり着いたところで、階段室がパッと明るくなって、晴れやかな声が聞こえてきた。

「ああ、良かった。待ち遠しくて仕方なかったんですのよ」

ガリーナ・エヴゲニエヴナは上背のあるスラリとした女性だった。銀髪はショートカット。砂色のタートルネックのセーターとズボン、その上に薄紫と水色が混ざり合う手編みのショールを羽織っている。通された部屋の内装も、質素ではあるが洗練された美意識を物語っていた。廊下にも、居間の壁一面にも本がビッシリ並んでいる。

カーチャがクリーム色の薔薇の花束を差し出すと、

「まあ」

と溜息のような感嘆の声を漏らした。そして大きな水色の瞳を薔薇の花びらに注いだまま立ちすくんだ。その優雅なたたずまいに志摩は思わず見とれ、若い頃はさぞやと想像して胸に痛みが走った。

「あら、ごめんなさいね」

われに返ってガリーナ・エヴゲニエヴナは消え入りそうな声で言い訳をした。

「花にはからきし弱くて……」

監獄にもラーゲリにも花が全く無かった。だからラーゲリから釈放されて居住許可された町にたどり着き、駅前広場で花を目にした瞬間その場を動けなくなった。日が暮れるまでただただ見つめていたというのだ。本当は、その町に着いてから一二時間以内に所轄の警察署に出頭し届け出をしなくてはならない身分だったというのに、あやうく忘れてしまいそうになった、と。

「へえ、ピロシキより花なんですねえ」

志摩は感嘆して、あわてて「花より団子」という日本の諺《ことわざ》の説明をした。カーチャがコメントする。

「ちょうど『ウグイスを寓話では養えない』というロシア語の諺に相当するんですね」

すると、ガリーナ・エヴゲニエヴナは、水色の瞳を細めて控えめに微笑んだ。

「それがね、寓話無しには生きていけないんですのよ」

心なしか声が弾んでいる。

「本当よ、寓話のおかげで生き延びたんですよ、わたしたち」

ラーゲリ生活で最も辛かったのは、一日一二時間もの過酷な重労働でも、冬季の耐え難い寒さでも、蚤シラミの大群に悩まされ続けた不潔不衛生でも、来る日も来る日もひからびた黒パン一枚と水っぽいスープという貧弱な食事のために四六時中ひもじかったことでもない、と言い出した。

「それはもちろん恐ろしく辛かったけれど、そんな中でも人間には何とか生きよう、生き延びようとする力が湧き出てくるものなんですよ」

力の湧き出る根元を絶ち、からくも残った気力を無惨にそぎ落としていったのは、ラジオ、新聞はおろか肉親との文通にいたるまで外部からの情報を完全に遮断されていたこと。

「ほら、最初の一年間は文通が禁じられていたでしょう」

そして何よりも本と筆記用具の所持を禁じられていたことだった、と言った。

「それが一番辛かった。だって家畜みたいでしょう」

ところが、ある晩、女たちが日中の労働で疲労困憊した肉体を固い寝台に横たえる真っ暗なバラックの中で、やわらかなアルトが聞こえてきた。女たちが耳をすますと、それは一人芝居だった。芸達者な役者は、たった一人で何時間ものあいだ観客を舞台に釘付けにすることが出来る。幸運にも、ガリーナ・エヴゲニエヴナのバラックには、そういう役者がいた。キーラ・ザフトマン。本職は女優ではなく、化学者だったのだが、女たちはたちまちキーラの舞台の虜《とりこ》になった。キーラは次々に書物を朗読してくれた。『モンテ・クリスト伯』や

『アンナ・カレーニナ』や『三銃士』や『罪と罰』やその他何冊もの本を読んで聞かせてくれた。役者たちは本番前に台本に何度も目を通し記憶を確認しリハーサルをする。収容所には本が無かった。だからキーラが読んだのは、記憶の中の本。一晩で、キーラは、一章分の朗読をし、女たちは続きを聞くのが楽しみで次の晩を心待ちにした。どの長編小説も、誰もが一度は目を通したことがある名作だった。それでも誰一人として、キーラの「読み間違い」に気づくものはいなかった。

触発されて元俳優の女囚が『オセロ』の舞台を独りで全役をこなしながら再現してくれたりもした。

それからは毎晩、それぞれが記憶の中にあった本を思い起こし、声に出してああだこうだと補い合いながら楽しむようになった。かつて読んだ小説やエッセイや詩を次々に「読破」していった。そのようにしてトルストイの『戦争と平和』やメルヴィルの『白鯨』のような大長編までをもほとんど字句通りに再現したのだった。

「あんな悲惨な境遇にいたわたしたちが、アンナ・カレーニナに同情して涙を流し、イリヤ・イリフとエヴゲーニイ・ペトロフの『一二の椅子』に抱腹絶倒していたなんて、信じられないでしょうね」

肩をすくめて、ガリーナ・エヴゲニエヴナは静かに笑った。

夜毎の朗読会は、ただでさえ少ない睡眠時間を大幅に侵食したはずなのに、不思議なことが起こった。女たちに肌の艶や目の輝きが戻ってきたのだ。

「自由の身であった頃、心に刻んだ本が生命力を吹き込んでくれたんですよ」

そのうち、音楽や踊りの達人たちも芸を披露するようになった。ハリコフ・オペラのプリマ、オレンニコワもいたし、レニングラード・オペレッタ劇場の指揮者マリアンナ・レルもいた。レルは、収容者から成るオーケストラを作った。楽器が無いのに、人の声で協奏曲や交響曲まで「演奏」してしまうのである。本職はダンサーではないのだが、恐ろしく踊りの上手い女もいた。

「もう、毎晩が学芸会。どんなに身体がヨレヨレに疲れていても、歌を聴き踊りを見ていると、不思議と元気になるんですもの。収容所当局には、歌舞音曲は無用の長物だったかも知れないけれど、わたしたちにとっては、生き続ける気力の元でした」

ガリーナ・エヴゲニエヴナがようやく話し終えたところで、

「それから、これ」

カーチャは、ボール箱を差し出した。

「まあ、これは……」

「ラーゲリの屋台で買われたものほど美味しくはないでしょうけれど」

「ホホホホ、よく読んで、覚えていて下さったわね。本当に今でも大好物なんですよ。紅茶を入れますからね」

「ガリーナ・エヴゲニエヴナ、どうか、お構いなく」

「そんなこと、おっしゃらないで。一緒におつきあい下さいな」

皆を丸テーブルの周りに座らせると、ガリーナ・エヴゲニエヴナは、手元のポットから紅茶茶碗に紅茶エキスを注いで、一人一人に手渡した。各自がテーブルの真ん中にでんと構えるサモワールの蛇口をひねって、熱湯を茶碗に注ぐと、紅茶エキスと混ざり合って紅茶となった。濃いめに入れた紅茶を薄める要領だ。

「さあ、お土産の糖蜜菓子をさっそくいただきましょう」

志摩は、すすめられるままに砂糖でコーティングされた手のひら大の糖蜜菓子を口に含んだ。そして昨晩読んだガリーナ・エヴゲニエヴナの手記の一節を思い出した。

「アルジェリアでは、月に一度、屋台が来て買い物が出来た。まだ金が手元に残っている者は、一〇ルーブルでニンニクかタマネギを買った。あるいは、ドロップか香辛料入りの糖蜜菓子を買った。糖蜜菓子はホコホコと粉っぽく甘かった。これ以上美味しいものは世の中に存在しない。そんな風にさえ思えた。今もわたしは、糖蜜菓子が好きで、よく買う。でも、もちろん、あの頃のように美味な糖蜜菓子には、もう出会えない」

たしかにホコホコと粉っぽくて甘過ぎるほど甘い。子供の頃食べた駄菓子を思い出した。

「それは絵みたいね？」

ガリーナ・エヴゲニエヴナがナターシャのかかえる額縁に興味を持った。咄嗟《とっさ》にナターシャはカーチャと志摩とマリヤ・イワノヴナに向かって、どうしようかという顔つきをした。キチンと打ち合わせを済ませて来なかったものだから、どの質問から始めるのかも取り決めていなかった。いきなりあのポスターを見せてもよいものかどうかでさえ話し合っておかなかった。

ナターシャはエイヤッとばかりに、額縁を覆っていた新聞紙をはがした。ガシャン。茶碗が割れる音がした。ガリーナ・エヴゲニエヴナがすっくと立ち上がったのと同時に、茶碗を茶碗受けの上に落としたのだ。茶碗のことなど全く眼中にないかのように、ガリーナ・エヴゲニエヴナはナターシャの抱えるポスターのディアナに頰をすり寄せて目を閉じた。

「………」

「ご存知なんですね」

「お願いです。このポスター、わたしに譲って下さい」

「これは、借り物なので、後ほどカラーコピーをとって差し上げます」

「ありがとう」

「これは、誰なんですか？」

カーチャが切り出した。

「………」

「お書きになった手記の中に、オリガ・モリソヴナという女医さんが登場しますね」

ガリーナ・エヴゲニエヴナはビクッと身体を引きつらせたが、一言も発しなかった。

「その女医さんに似てませんか」

カーチャはたたみかける。

「………」

マリヤ・イワノヴナがガリーナ・エヴゲニエヴナを抱き締めてゆっくりと噛んで含めるように話しかけた。

「ガリーナ・エヴゲニエヴナ、もうソ連邦は崩壊したんですよ。ソ連共産党も解散してしまったではありませんか。ご存知でしょう、KGBの国内監視網も解体されたんです。大丈夫ですよ、もう本当のことをおっしゃっても」

「………」

「ポスターの女性は、ディアナという芸名のダンサーです。本名は、バルカニヤ……」

と言いかけたマリヤ・イワノヴナの声に、いきなりガリーナ・エヴゲニエヴナの声がかぶさった。

「……ソロモノヴナ・グットマン。モスクワ・ミュージック・ホールの人気ダンサーだった」

「やはり、ご存知だったんですね。アルジェリアでご一緒だった？」

「別なバラックでしたけれど、見かけました」

「でも、一言も彼女のことは記されてませんよねえ」

「………」

ふたたびガリーナ・エヴゲニエヴナは口を閉じてしまった。そこへ電話の呼び出し鈴が鳴る。受話器を取ったガリーナ・エヴゲニエヴナは、それをカーチャに取り次いだ。

「そうでしたか。わざわざありがとうございます」

受話器を置いたカーチャは、ガリーナ・エヴゲニエヴナの顔を真っ直ぐ見つめた。

「バルカニヤ・ソロモノヴナ・グットマンのことを一言も記されなかったのは、彼女が、もうこの世に存在していないことになっていたからでしょう。今、メモリアルの人から電話があって、処刑者名簿にバルカニヤ・ソロモノヴナの名前があることを確認しました。一九三八年一月二一日、スパイ罪でとのことです」

志摩は、カーチャがホテルを発つ直前に、フロントに立ち寄ったのを思い出した。あのとき、彼女はきっとメモリアルの知人に電話を入れたのだ。

「でも、実際にはバルカニヤ・ソロモノヴナは生きていた。ということは、別な名前を名乗っていたわけですよね」

ガリーナ・エヴゲニエヴナは顔を上げて、ゆっくりと頷いた。そして押し黙ったまま目を閉じた。志摩たちが声をかけることも出来ずに見守っていると、また突然、口を開いた。

「うす茶色の日干し煉瓦のバラックが、もうウンザリするほどいくつもいくつも続いていて、その周囲は鉄条網が張り巡らされていた。鉄条網に沿って五〇メートルおきに見張り櫓がそびえていてね。鉄条網の向こうはステップ。見渡す限りステップが広がっていたんですよ。でも、春になるとステップは緑色に染まり、夏になると赤茶けてくる、冬になると白くなる。でも、いつも無反応で無表情、いつも鉄条網越し。だから、アルジェリアで一番素晴らしいのは、空だったのよ。空だけが表情豊かで、悲しんだり喜んだりしてくれた。だからわたしは……」

ガリーナ・エヴゲニエヴナは、一旦口を開くと今度はまるで憑かれたように止まらなくなった。

「だからわたしはちょっとした隙を見ては、仕事場を抜け出して空を見つめたものだった。二六号棟バラックの裏の、見張り櫓からは死角になっているところへ座り込んでね。とくに日が暮れる前に空が焼けるさまはいくら見ても見飽きなかった。雲が色々な形に変化していく様子を目で追ったりもした。

雲は、なぜか人の顔に見えたの。どの顔も亡くなった人の顔だった。父の顔、早死にした弟の顔、ブティルカ監獄やこのラーゲリに来てから亡くなった人たちの顔。どの顔も苦しそうに歪んでいたり、悲しそうに引きつっている。そういう顔が現れてはまた消えていく。

あるとき、雲がアンドレイに見えたの。どこかに横たわって目を閉じている。亜麻色の巻き毛が高い額を縁取っていた。一瞬その唇が微笑んでいるように見えたのだけれど、次の瞬間、悲痛な表情に変わって、それからボワーッと霞んで消えてしまった。いつのまにか身体の震えが止まらなくなって顔が涙でびっしょり濡れていた。アンドレイは死んだ、殺されたって、その時わたしには分かったの。そのことを実際に確認できたのは、自由の身になって、さらにずっと後になってからですけれどね。ほら、これを見て下さいな」

ガリーナ・エヴゲニエヴナは立ち上がった。真っ赤に泣きはらした目を隠すように顔を上に向けて本棚からファイルを抜き出し、その中から、小さな紙切れを取り出して机の上に置いた。ソ連邦の紋章が印刷された、葉書大の紙だった。

死亡証明書
市民ステパノフ・アンドレイ・アダモヴィッチが、一九三七年一一月一六日、三二歳にして死亡したことに関して、以下のように一九八九年九月一日に登記簿に記載された。
死亡原因　銃殺
死亡場所　ロシア連邦モスクワ市
登記所所在地　プロレタリア地区登記所

証明書発行期日　一九八九年九月一日
証明書発行責任者（登記所所長）署名

「えっ、これだけ!?　こんなぶっきらぼうな紙切れ一枚だけなんですか!?」

「ええ、ええ。たった、これだけ。アンドレイのことを何年も何年も調べ回って、でも当局は相手にもしてくれなかった。結局分かったのは、これだけなんですよ。しかも、この証明書が発行されたのが、ついこのあいだ……」

「一九八九年とあるから、今から三年前ですね」

「そう、もう三年前になるかしらね。メモリアルの人たちを中心に辛抱強く運動をしたのが実って、やっと死亡証明書が発行されることになったの。そうじゃないと、お墓もつくれないでしょ。墓地の区画を頒《わ》けてもらえないんですもの」

ここにはたしか一時間しかいられないはずなのに、こちらが聞きたい話の核心からどんどん遠のいていく。志摩は心配になってチラリと腕時計に目をやると、もうここに来てから四〇分も経過していた。ナターシャもカーチャも見るからにイライラしてきている。何とか話の方向を転換しなくてはと焦る志摩は、突然先ほどのガリーナ・エヴゲニエヴナの話を思い出した。

「毎晩のようにバラックの中で朗読会や歌や踊りの夕べを催すようになったというお話をして下さったとき、『本職はダンサーではないのだが、恐ろしく踊りの上手い女もいた』とおっしゃいましたよね。それは、ひょっとして本名と身分を隠したバルカニヤ・ソロモノヴナではなかったのですか？」

「いいえ、彼女は、別のバラックに収容されていたと申しましたでしょう。そうそう、先ほどの話、中途半端なところで途切れてしまいましたわね。二六号棟バラックの裏で空を眺めていて、あるとき、雲がオリガ・モリソヴナの顔に見えたんです」

「ブティルカ監獄で同じ獄房に入れられたボトキン記念病院の消化器専門の女医さんでしたね」

志摩が確かめようとしたまさに同じことをカーチャが口にした。

「ええ。涙があふれ出てきて仕方なかった。思わず叫んだの。『オリガ・モリソヴナ！』って。そしたら、

『あの世に旅立つ人たちは自分の影をこの世に残していくらしいね。その影は雲の形をとる

こともあるって、この辺りの民間伝承にあるんだとさ』。

背後でハスキーな声がして、振り向いたわたしは、もう一度叫んでしまった。

『オリガ・モリソヴナ！』

なんだか、頭が変になりそうだった」

「でも、それは、オリガ・モリソヴナではなかったんですね」

「でも、よく似ていました。背格好も髪の色も目の色も声も。

『オリガ・モリソヴナをご存知だったの？』

彼女が真剣な顔をして尋ねてきたものだから、あらためてまじまじと顔を見つめて、ようやく別人だと分かったぐらい。

『誰なの、あなたは？』

とたんにわたしの方が警戒したものだから、彼女も後ずさった。それから、ずいぶん長い間おたがい見つめ合っていた。わたしの方が堪えきれなくなってたずねたの。

『オリガ・モリソヴナはどうなったの!? お願い、教えてちょうだい！』

彼女は、周囲を気遣うように小声になった。

『どこで、お会いになったんですか？』

『ブティルカで。とてもお世話になったの。オリガ・モリソヴナが助けてくれなかったら、死んでいたかも知れない』

『妹は銃殺されているはず。それもわたしの身代わりになってね』

『エッ!?』

『オリガ・モリソヴナ、こんなところにいらしたんですか？　急患ですよ』

そこへ病院の看護婦が彼女を迎えにやってきてしまったのね。わたしは謎をいっぱいかかえたままその場に取り残されて、しかも、このことは、決して他言してはならない、自分の胸にしまっておかなくてはと思うものだから、落ち着かなくてね。仕事場に戻っても何も手に着かなかったし、その晩は一睡も出来なかった」

「もしかして」

「ええ、今日はじめてですのよ、第三者にお話ししたのは。翌日、同じ場所で空を眺めていたら、思った通り、彼女がやって来ました。姉妹だけあって、声も発声法もソックリですね、と申し上げたら、幼児期の発声法の教師は同じだったし（ふふふ、お母さまのことですね）、護送列車の中で扁桃腺炎にかかり喉を潰して妹と同じ声になってしまったと悲しそうに微笑みました。それから話してくれたんです。オリガ・モリソヴナは胃癌におかされていて、職業柄、死期が間近であると自覚していたそうです。姉のバルカニヤ・ソロモノヴナが自分より先に逮捕されていたので、オリガ・モリソヴナはブティルカに収容されてからは、あらゆる伝手《つて》を頼って姉に関する情報を掻き集めたこと。その結果、夫に連座して逮捕されただけなので流刑で済む自分と違って、姉は外国人との交際ゆえに逮捕された以上、スパイ罪に問われていて、従って死刑を免れないだろうことを探り当てたそうです。それで、ある機会をとらえてすり替わった、と……」

「すり替わったということは、実は、ここへお訪ねする前から、多分そうだろうとしか考えられなかったんです。でも、いったいどんな風にすり替わったんですか!? わたしの調べた限り、すり替わるなんて、どう考えても不可能なんです」

カーチャだった。カバンから資料のようなものを取り出して開いてみせる。

「これはモスクワ中の監獄から銃殺刑が決まった囚人たちが送られてくる処刑場だったブートヴォの記録なんです。一九三七年から三八年にかけての銃殺刑のほとんどはブートヴォで執行されているんです。ほら、ここを見て下さい」

カーチャは、赤鉛筆で線を引っ張ったところを示しながら読み上げる。

「囚人たちは、処刑場の建物に入るまで、連行されてきた本当の理由を知らされていなかった。当局が面倒な騒ぎを極力避けたかったためだ。処刑直前に刑について知らされる仕組みになっていた。ただし、その前にかなり丹念に人物認定作業を行った。生年月日と誕生地、姓名父称を詳細に確認することになっていた。それを物語る書類が残っている。当時の刑務所の異常な混み具合や、捜査から刑の決定を経てその執行にいたる目もくらむようなスピードからして、ブートヴォの処刑場に、兄と弟を間違えて連行してきたり、銃殺刑ではなく流刑八年を言い渡されたものを連れてきたりすることがしばしばあった。それが明らかになった時点で即刻刑は中止された。写真が書類に添付されていないため人物認定が不可能な場合も刑は延期され囚人はもといた刑務所に送り返された。途轍もない大量処刑のプロセスにおけるこの『綿密癖』は、滑稽でさえある」（注3）

志摩は、カーチャの朗読し終えた資料を奪うように取りあげて、目を凝らした。もう一度ゆっくりと一字一句確かめながら黙読する。それから資料を最初の頁から最後の頁までめくってみる。タイプ打ちだが、文章の裏付けとなる資料の出所を詳しく記してある。

「これは、もうすぐ本になる原稿なの。半分ポーランド人のわたしの同僚が……」

「ああ、あの収容所帰りの方ね」

「そう、その彼女が、この粛清の犠牲者に関する資料を発掘して発行する会のメンバーなの。それで、この資料、コピーさせてもらったのよ。彼女の両親もこのブートヴォで銃殺されているはずということで、ここで処刑された人々の名簿作りにも関わっているのよ」

「わたしのアンドレイもブートヴォで殺されたんだわ、きっと。ほら、ここに、書いてある。最初にブートヴォで処刑されたのは、ドイツ人、次にラトヴィア人、ポーランド人……」

いつのまにかガリーナ・エヴゲニエヴナが資料をのぞき込み、食い入るように活字を追っている。

「オリガ・モリソヴナもそうだったのでしょうね。スパイ容疑の者がプライオリティー・リストの筆頭だったと記してある」

「それにしても、どういう風に彼女はバルカニヤ・ソロモノヴナと入れ替わったんですか？」

「あら、そういえば、どのようになんて尋ねもしなかった。もう、すでに事実としてすり替わってしまっていたのですもの。そのまますんなり受け容れてしまいましたよ、その事実を。今みなさんが読まれた資料に書かれた内容など全く知らない身分でしたからね、疑問を持つまでにならなかったんですよ。それに、今お読みになった資料に記されていることは、いかにも官僚主義のなせるワザって感じですわね。官僚は、書類さえ整っていればよろしいんですのよ。きっとその辺にふたりがすり替わった秘密が隠されているのではないかしら」

「それらしいことをお聞きになったんですか？」

「いいえ。そんなに頻繁に会って長話できるような状況ではなかったんですよ。居住するバラックが離れてましたし、仕事場も、わたしは建設部設計班で、彼女は医療班でしたし」

「バルカニヤ・ソロモノヴナは、モスクワ・ミュージック・ホールの人気ダンサーですよ。信じられませんよ。どうして、医師がつとまったんですか!?　舞台で演技するのとは違いますよ。現に生死を彷徨《さまよ》うような患者がいたのでしょう？」

「そういえば、そうですわねえ。いま皆さんに言われて気がつきましたわ。彼女、とても医師が板に付いていて、天職って感じでしたよ。患者さんたちに、それは信頼されていたし、人気があったし」

「本当ですか？　ガリーナ・エヴゲニエヴナのお逢いになったバルカニヤ・ソロモノヴナ・グットマンて、間違いなくこの方ですよね？」

ナターシャが、「ディアナと青いコウモリたち」のポスターのディアナを指先でたたく。

「ポスターでは髪を金髪に染めて、メイキャップしているけれど、間違いなく、これは、わたしがアルジェリアで逢ったバルカニヤ・ソロモノヴナです」

「思い出しました」

　ここへ来てはじめてマリヤ・イワノヴナが口を開いた。

「バラは、医大を中退していましたよ。軍医だった父親の遺言に従って医学部に入学したものの、どうしてもダンサーになりたくなって退学したって言っていました。一方で六歳下の妹は、ダンサーの父親にかなり本格的に仕込まれていたというのに、医学生のバラが勉強するのを傍らで見ていて、いつのまにか医学部を志望するようになったんですって」

「よく思い出しましたね」

「ハンガリーの曲芸団がミュージック・ホールにやって来たことがありましてね、その一人がリハーサル中に綱渡りの綱から落ちて足を骨折したんです。救急車が駆けつけるまで、バラがテキパキと処置して、みな目を見張ったことがあった。そのときに、バラが、自分はなり損ないの医師だと言ったんです」

　ベルの音がした。

「ああ、病院に行く時間です。ボランティアの人が迎えに来てくれたんだわ」

　ガリーナ・エヴゲニエヴナは玄関の扉を開けに部屋を出た。時計を見ると、もう一一時一五分。

「あたし、まだどうしても聞いておきたいことが最低三つある」

　志摩がささやくと、ナターシャとマリヤ・イワノヴナもさかんにうなずく。

「でも、今日はもう無理よ」

　カーチャが三人を説得し始めたところへ、ガリーナ・エヴゲニエヴナが二〇歳前後の女性とともに部屋に戻ってきてその女性に志摩たちを紹介した上で、言った。

「こちら、ボランティアのポリーナさん。いつも本当にお世話になっているんです。ところで、シーマさん、その三問とやら、おっしゃってみてくださいな。即答できるものは、お答えして、時間のかかるものは、今日、帰宅するのが、四時頃だと思いますから、またお立ち寄り下さいな」

「本当によろしいんですか、お言葉に甘えて」

「ええ、ええ。だって、皆さんがいったい何者なのかもわたしはまだ知らされてませんのよ。ですから、わたしの方からも、お聞きしたいことがありますし」

「ぜひ、たずねて差し上げて。わたくしからもお願いいたします。ガリーナ・エヴゲニエヴナは、黄昏《たそがれ》時になると、とても人恋しくなられるんです。にぎやかになるのは何よりです」

それまで黙ってにこやかな笑みを浮かべていたポリーナが言い添えた。

「それでは、ガリーナ・エヴゲニエヴナ、長いお時間、ありがとうございました」

「あら、先ほどの三問とやらは？」

「後で参りましたときのために、とっておきます」

「ダメダメ。もうダメですよ、わたしの好奇心に火を点けてしまいましたからね。こうなったら、ちゃんとおっしゃってからでないと、このフラットを出して差し上げませんよ」

「では、まず第一問目。手記の中に、アリョーナという女性が登場しますね。美しい栗色の髪をした上品な女性と書いてありました。愛娘と引き裂かれて、二年後にその娘の死を知って白髪になり気がふれてしまう」

「ええ、アリョーナのことは、今も思い出すと胸が締め付けられます」

「アリョーナは、ロシア語のエレーナという名前の愛称ですよね。でも、ときどきエレンとかエレオノーラなんていう名前の人もアリョーナと呼んだりする。もしかして、その方のフル・ネームは、エレオノーラ・ミハイロヴナ・セルゲーエワではなかったですか？」

ガリーナ・エヴゲニエヴナは、明らかにオヤッという表情になった。しかし、答えは、期待するものとは裏腹だった。

「アリョーナの苗字は覚えていないけれど、今おっしゃったセルゲーエワではないことだけは確かです。これは断言できます。そうそう、父称はパヴロヴナ。エレーナ・パヴロヴナと呼ばれてました」

ガッカリした志摩たちの顔を見て、ガリーナ・エヴゲニエヴナは、付け加えた。

「でもエレオノーラという名前の婦人はいましたよ。別に」

「えっ！　背格好は、髪の毛の色は、瞳の色は？」

「その方のお話はとても長くなりますから、午後四時以降にいらしたときにお話ししましょう。さて、第二問は？」

「オリガ・モリソヴナにすり替わったバルカニヤ・ソロモノヴナは、刑期を全うしてラーゲリを出所したんですか？」

「それは、わたしの方が知りたいぐらい。彼女の刑期は八年、わたしは五年で、しかも恩赦があって三年目には流刑に切り替えられたので、その後、彼女がどうなったのか、知るよしもないんです」

「アルジェリアからの脱走が成功した例はあるんですか？」

「それも正確なところは分かりかねます。われわれ囚人には正確な情報を教えてくれませんもの。でもアルジェリアでは、わたしの滞在中はなかったと思います。あったら必ず噂が流れますから。これで、三問終了ですわね」

「いえ、ごめんなさい、今のは三問目ではなくて、二問目の続きだったんです」

「おやまあ、では、最後の三問目の質問をどうぞ」

「アルジェリアに勤めていた看守や職員にミハイロフスキーという男はいませんでしたか？」

「ミハイロフスキー？　ロシア人は、苗字ではふつう呼びませんからね。名前と父称は？」

「さあ」

志摩が言いよどんだところで、カーチャが助け船を出してくれた。

「ボリス・アントノヴィッチだったと思う。体重一二〇キロ以上。魚のような目をした女好きの」

さすがカーチャは、ロシア人だ。人の名前と父称を自動的に記憶する、と志摩が思った瞬間、ガリーナ・エヴゲニエヴナが倒れそうになってボランティアの女性が抱きかかえた。ガリーナ・エヴゲニエヴナの顔から血の気が引いていた。

10

志摩はポリーナとともにガリーナ・エヴゲニエヴナを抱きかかえてソファーに横たえた。手を握りしめるとゾッとするほど冷たい。胸騒ぎがする。罪の意識に苛《さいな》まれて身の置き所がなかった。自分があんな質問攻めにしなければ、ガリーナ・エヴゲニエヴナは、こんなことにならなかったはずだ。

「ごめんなさい、ごめんなさい」

ガリーナ・エヴゲニエヴナは閉じていた目をうっすら開けて血の気の失せた唇で笑みをつくった。

「あなたのせいなんかじゃないのよ。心配しないで」

「良かった。下に救急車を待たせてあるのよ。あたし、呼んでくる」

カーチャが急いで玄関に向かう。

「待って、カーチャ！　まさか、こういう展開を予想していたわけではないでしょうね？」

志摩もカーチャの後を追う。階段室は薄暗く、足元がおぼつかない。でも音響効果は素晴らしい。カーチャが大急ぎで階段を駆け下りる音とともに、志摩の声も大きくこだまする。

「ううん。たまたまよ、たまたま」

カーチャの声も何度もこだまする。一階玄関の扉が開け放たれてパーッと光が射し込んできた。

「ああ、やっと来た、来た!」

と叫んでいる。さっき、ここまで運んでくれた救急車の助手席に座っていた人ではないか。そういえば、降りるとき、一時間後に迎えに来てくれるようカーチャが頼んでいた。

「さあ、本業のお仕事をしてもらわなくちゃ!」

救急車の二人のスタッフにテキパキと指示するカーチャを見ながら、ほんとにこういうときの手抜かりのなさは昔のままだと、志摩は思った。

「ありがとう、もう大丈夫。心配しないで」

担架で救急車に運び込まれたガリーナ・エヴゲニエヴナは簡易ベッドに横たえられると、一緒に乗り込んだポリーナにつかまって半身だけ起こし、心配そうにのぞき込む志摩たちに向かって言った。

「それよりも、必ず今日、四時過ぎにはいらして下さいね」

声そのものはまだ弱々しかったが、声の調子には力強い意志が感じられた。

「手記に書けなかったことをお話しします」

「四時にご自宅に戻れるとは限りませんよ。無理ですよ。無理」

救急車の助手席にいた人は、なんと医師だった。暇な遊び人風の顔つきが別人のように引き締まっている。先ほどフラットまで迎えに行ったときには堂々と脈をはかり聴診器を当てていた。

「いいえ、わたしはもう大丈夫です。絶対に絶対にお話ししておかなくてはなりませんから。フラットに戻らせていただき……」

ガリーナ・エヴゲニエヴナは、ポリーナの手を振り払って起きあがろうとしてフラフラッと寝台の上に倒れた。

「参ったなあ、もう。お願いだから、無茶しないでくれる。下手すると、死ぬよ」

医師はブツブツ言いながら、ガリーナ・エヴゲニエヴナの身体を寝台備え付けのベルトで固定した。ガリーナ・エヴゲニエヴナは苦しそうに顔をゆがめ大きく目を見開いて口をパクパク動かした。

「四時に会いに来て」

あきらかに、そう言っている。

「必ず必ず四時にうかがいますよ」

志摩は思わず大声を張り上げた。

「どこの病院に運ばれるんですか」

すかさず、カーチャが医師にたずねる。

「第一候補は第三病院の循環器病棟だけれど、行ってみなくては分からないな。それより急がなくっちゃやばいよ。その手どかしてくんない。邪魔なんだよ、ほら、扉閉めるから」

カーチャは扉枠に左手をかけたまま右手でポケットをまさぐりカードを取り出してポリーナに手渡した。

「病院が決まったら、ここに知らせて下さい。日本人のシマ・ヒロセの部屋につないでもらって」

ポリーナがうなずくのとバタンと救急車の扉が閉まるのは同時だった。

「何、あのカード」

「シーマチカが泊まってるホテルのフロントのカウンターに束ねて置いてあるでしょうが。ホテルの名刺よ」

「へーっ、気づかなかった」

「では、お二人は、なるべく早くホテルにお戻り下さい。わたくしとナターシャでこれ、もとに戻しておきますから」

マリヤ・イワノヴナが、ナターシャがかかえる大きな額縁を指さした。新聞紙の破れた裂け目の中からショッキング・ピンクのドレスを着たブロンドの女が艶然と微笑む。エストラーダ劇場のホールから黙って借用してきた「ディアナと青いコウモリたち」のポスター。

「返す前に、カラーコピーをとっておきましょう。ガリーナ・エヴゲニエヴナに約束したじゃないの。忘れたの？」

「さすが、ナターシャ、よく覚えていてくれたわね」

「よく言うでしょう。頭は一つより、二つある方が、良い考えが浮かぶものだって」

ナターシャは日本語の「三人寄れば文殊の知恵」に相当する諺を口にした。

「そうそう、ガリーナ・エヴゲニエヴナのお見舞いに行くときの良いお土産になるわねえ」

「あら、カーチャ、わたしも、そのコピー、絶対に欲しい」

「シーマチカ、わたくしだって」

結局、マリヤ・イワノヴナも、ナターシャも、もちろんカーチャもコピーが欲しいということになり、まずは車をひろって全員で志摩の宿泊するホテルに向かうことになった。ホテルのビジネスセンターにコピーサービスがあることを思い出したのだ。

ところが、ホテル二階のビジネスセンターに来てみると、コピー可能なサイズは最大がA3で、縦一メートル半、横一メートルもの大きなポスターをコピーできる機械などあるはずがないことに気づかされたのだった。一同ガッカリしかけたところで、カーチャが思い出した。

「朝閉まっていた下の売店が、もう開いているはず。ポラロイド・カメラで撮りましょう」

「いいえ、ポラロイドで撮影したものは、日持ちしないのよ。一カ月もすれば色あせてしまって、長期保存には適さないから、普通の写真機で撮影した方がいいと思う」

「シーマチカ、でも現像に時間がかかりそうですわね」

「他に手がありますか？」

「仕方ありませんわね」

ところが、二四枚撮りフラッシュ付きの使い捨てカメラをホテルの売店で買い求めたところで、売り子が有り難いことを教えてくれた。スピード現像サービスを利用すれば、明日午前中には、仕上がったものを受け取れるというのだ。

「いつまでに、フィルムをお預けすればいいのですか？」

「ちょうど一時に巡回が来ます。それに間に合わなければ、五時。ただし、そうなりますと、お受け取りは、午後になってしまいますが」

「そうと分かったら急がなくっちゃ」

カーチャが言い終わらないうちにナターシャの声がした。

「ここがいいわ。ほら、ここ、ここ」

階段を三、四段上がったところに額縁を立てかけて立っている。

「シーマチカ、早く撮って」

志摩はファインダー越しにポスターを見た。ポスターが全部おさまるところまで後ずさってシャッターを押す。念のためもう一枚。ディアナの姿だけ何枚か撮り、さらに顔だけアップで撮った。

撮りながら、オリガ・モリソヴナがこの写真を見せてくれたときのことが蘇ってきた。先生がこの写真を取りだした紙ばさみには、さらに何枚もの写真が入っていた。

「わあーっ、素敵、オリガ・モリソヴナ！　ねえ、見ていいですか？」

志摩たちが、そうお願いするのを待っていたかのように、オリガ・モリソヴナは喜んで紙ばさみを志摩たちに手渡してくれた。もちろん、つぎのように注意はしたけれど。

「貴重な写真だから、絶対に傷つけたり、無くしたりしたら承知しないよ」

写真はどれもセピア色をしていて、若くて美しい先生の姿ばかりだった。

プラハのソビエト学校で何か行事がある度に、契約している写真師が学校にやって来て写真を撮りまくっていた。撮影した写真に番号をふったものをアルバムに貼ってサンプル集として後日回覧し、希望の写真を番号で申し込むようになっていた。志摩も毎回欠かさず申し込んでいたから、プラハ・ソビエト学校時代の写真アルバムは五冊もある。でも、その中にオリガ・モリソヴナの写っているものは一枚も無い。元のサンプル集にも一枚も無かった。先生は老いて醜くなった自分の姿を直視したくなかったのだろう。ずっとそう思ってきた。でも、あれだけ写真師が精力的に撮りまくっていたのに、対象からはずれるなんておかしい。オリガ・モリソヴナは服装にしても化粧にしても言動にしても、あれだけ派手で奇天烈《きてれつ》だったのだから、格好の被写体ではないか。ということは、自ら意識的に撮影されることを避けていたとしか考えられない。そういえば、エレオノーラ・ミハイロヴナの写真も一枚も無かった。

「シーマチカ、リョーシャの姿もちゃんと撮っておいて下さいな」

マリヤ・イワノヴナの注文に従ってピアノ弾きに焦点を合わせる。口ひげのどハンサム。

「これが、四人目の亭主。酒に身を持ち崩しちゃったけどね」

オリガ・モリソヴナのしゃがれ声が聞こえてきそうだ。ピアノ弾きの背後にがっしりした身体つきのトランペット吹き。

「見て、このマッチョ。どう、いやらしい目つきをあたしに絡みつかせてるでしょう。大変なのよ、いつも図々しく付きまとうものだから、リョーシャが妬いて、妬いて」

残り三人のバンドマンたち、ギターとマンドリンとパーカッションもアップで撮っておく。

「あと二枚、フィルムが残っているわ」

「わたくしたち四人の記念撮影をしてもらいましょう。ねえ、お嬢さん」

マリヤ・イワノヴナが売店の女性にお願いして、フィルムは無事使い切った。

「では、各フィルムを五枚ずつ」

「いいえ、これから、いろいろ調査に使うかも知れないから、多めに頼んどきましょう」

「では、一ダースずつ。ただし、ちゃんと写っているものだけにしてね」

「かしこまりました。明日の一〇時半以降に取りに来て下さい」

「それでは、わたくしとナターシャはエストラーダに戻ります。まずポスターをもとの場所に戻さなくてはなりませんからね。それに、わたくしは午後二時には新しい出し物の衣裳合わせに立ち会わなくてはなりませんから。ナターシャは今日午前中のリハーサルをさぼってしまいましたから、午後は絶対に欠席するわけにいかないはずですし」

「いやだ、マリヤ・イワノヴナ、ご存知だったんですか？」

「ナターシャ、新しい出し物の初日は、今度の金曜日ではありませんか。プリマのあなたがこれ以上リハーサルを抜かすわけにはいきませんことよ。ウカウカしているとレーリャやソーニャに主役を奪われてしまいます」

「うーん、でも、ここまで来たら、最後まで知りたい。どうしよう。謎が一つ解けると、また新しい謎が出てくるのですもの。ガリーナ・エヴゲニエヴナがエレオノーラという名の女性が他にいたとおっしゃっていたのは、エレオノーラ・ミハイロヴナのことだったのか。ミハイロフスキーのことも、明らかに何かご存知の様子だったし」

「ナターシャ、いずれにせよ、今日は無理よ。お見舞いに行くにせよ、明日以降になるわ。とにかく、何か新しい進展があったら、必ず知らせるから」

ナターシャはさんざん迷った末、リハーサルに行くことになった。

ナターシャとマリヤ・イワノヴナを見送って、フロントに部屋の鍵をもらいにいくと、鍵とともにメモ用紙が手渡された。

「一二時三〇分に、ポリーナ様よりお電話あり。シマ・ヒロセ様に以下のご伝言。第三病院は満床で、モスクワ市第三三病院循環器科病棟に収容。容態安定。明日にも帰宅できる見通し。当方午後七時以降は、自宅にいる予定なので、電話下さい」

最後にポリーナの電話番号が記してあった。

一安心したところで、志摩とカーチャは突然空腹を覚えた。

きのうカーチャと取り決めた予定では、今日の午後はボリショイ・バレエ学校の卒業生名簿を見に行くことになっていた。ジーナの手がかりが見つかるかも知れない。志摩が土曜日に立ち寄った際は、事務職員がいなかったため、見ることが出来なかった顚末は、カーチャに話してある。それに二八年前のカーチャにそっくりな可愛い女の子にもう一度会って確かめておきたいことがあった。しかし、その前に腹ごしらえだ。ホテルのルームサービスは時間がかかるので外に出ることにした。

「あたし、モスクワ生まれのモスクワ育ちで、プラハで過ごした五年間を別にすると、大学卒業するまでこの町にいたのに、最近のモスクワは、すっかり様変わりしてしまって、ぜんぜん分からないなあ。昔あった気の利いた食い物屋は姿を消してしまったし。安くて美味しくて素早く食事が出来て、しかもここから歩いて行けるほど近くにある店、できれば、ホテルからボリショイ・バレエ学校に向かう途中にあれば理想的なんだけれど、そんな都合のいい店、あるわけ無いか」

ちょうどまさにピッタリおあつらえ向きの店が、ホテルの真向かいにあるのを志摩は思い出した。店に入るとかなり込んでいる。

「これじゃ順番が来るまでずいぶん待たされそう。別な店にしよう」

「シーマチカ、ここにしましょう。これだけ込んでいるのは人気のある証拠。ああ、それにこの美味しそうな香り。絶対ここがいい」

カーチャはそう言いながら志摩の肘をつかんで、行列の最後尾に並んでしまった。

客の回転が速いのだろう、一〇分もしないうちに順番がめぐってきた。

「このきのこスープ、最高！　おかわりしよう」

カーチャの食べっぷりには驚かされる。二八年前と較べて背丈は変わらないのに体積が三倍になっただけのことはある。

「本当にここ、安くて美味しい。これからはモスクワに来る度に立ち寄らなくては。シーマチカはモスクワ滞在わずか六日目にして、よくこんな穴場を見つけたものだわ」

「前回八月に初めてモスクワに来たときに、たまたま同じホテルに宿泊していた日本人カメラマンが教えてくれたの。取材で来ているから時間に縛られているのに、レストランは予約が必要だし、注文してからデザート食べ終わるまで最低二時間はかかってしまうでしょう。ここは店名の『一、二、三』のとおり、注文してから料理が届くまで三秒とかからない。それに立ち食い形式だから、急いでかき込んでも様になるしって、ロシア人のカメラマン仲間に教えてもらったんですって」

「ちょっと待って。八月にモスクワに来てたの？」

「ええ、二週間近く休みをとって。でも、そのときは何も手がかりがつかめなくて。外務省の資料館も申請書を提出して入館許可が下りるまで最低二週間かかるなんて知らなかったし」

「ねえシーマチカ、なぜ今年の八月になって、三〇年近くも昔のことを調べる気になったの？　どんな風の吹き回し？　去年の暮れにソ連邦が崩壊して、調査がし易くなったなんていう、もっともらしい理由だけじゃ駄目よ」

「六月に姪の結婚式があってね、七面鳥の丸焼きが出たのよ」

「何言い出すの、シーマチカ!?」

「パサパサしていて大味でちっとも美味しくないでしょう、七面鳥って」

「……………」

「きっとスープの出汁にした方が美味しいんだろうなあって思ったとたんに、オリガ・モリソヴナの口癖が口を突いて出たの」

「ハハハハハ、そうか、そうか！　七面鳥は思案の挙げ句、結局スープの出汁になっちまったんだよって、よく怒鳴ってた」

「プラハを離れてからも、あたしはダンサーを目指していたからオリガ・モリソヴナのことはずーっと気になっていた。もちろん、オールド・ファッション・コンビにまつわる謎も含めて。でもダンサーの夢が挫折してからは、オリガ・モリソヴナのことを思い出すのは辛くてね。心して記憶の外へ追いやっていた。それに挫折したダンサーが離婚して子供抱えながら生活基盤づくりから始めるので死に物狂いだった。今を生きるのに精一杯で、いつのまにか少女時代にワクワクしていた謎のことさえ完全に忘れていた。それが、五カ月ほど前に七面鳥の丸焼きを口に含んだとたんにオリガ・モリソヴナのダンスの授業が目に浮かんだの。おそらく今の翻訳の仕事も軌道に乗って、息子も来年には大学を卒業する。あたし自身、生活も心も落ち着いて余裕ができてきたところだったんではないかな。それから芋蔓式にカーチャやスヴェータと一緒に謎解きに夢中になっていた頃のこと思い出して。ちょうどソ連邦が崩壊して半年経っていたでしょう。調べるなら今をおいて他にはないと思ったの」

「あたしもずうっと気になっていた、オリガ・モリソヴナとエレオノーラ・ミハイロヴナのことは。モスクワにいるときも地方に行ってからもバレエの公演があると、必ず出演者一覧を入手してジーナの名前を探したものだわよ。ジナイーダ・マルティネクは見当たらなかったけれど、ジナイーダという名前のダンサーがいるときは無理をしてでも公演を見に行った。あたしたちのジーナかどうか確かめるためだけにね。結局いまだに行き当たらないのだけれど。でもオールド・ファッション・コンビについて本格的に調べるようになったのは、ペレストロイカが始まってから。図書館に、今までなら発禁本扱いの西側で出版された刊行物が次々に入ってくるようになってね。役得でいち早く目を通すことができたでしょう。その中に、ジャック・ロッシという元フランス人コミュニストで二四年間もスターリンの監獄や強制収容所をたらい回しにされて、それでも生き延びて西側に出た人が刊行した『グラーグ便覧』（注4）という本があったの。ほら、これ」

カーチャは大きなカバンの中から一冊の本を取りだして付箋の付いた頁を開いた。

「ここ見て」

カーチャの指さす箇所を読んで志摩は吹き出した。

「**きんたま**　きんたまより上には飛べない（俚諺《りげん》――克服できない限界はあるものだ）」

カーチャは次々に付箋を付けた頁を開いて志摩に読ませていく。

「**考える**　①去勢豚はメス豚に乗っかってから考える　②七面鳥が考えたら首をちょん切られてスープにされた。**ちんぼこ**　①他人の掌中のチンボコは太く思える……いやだ、これオリガ・モリソヴナのボキャブラリーそのままじゃない！」

「でしょう。この本は、用語集の体裁をとりながら、ラーゲリの生活というか文化を物語る内容になっているのよ。オリガ・モリソヴナの独特の言い回しや諺は、どの諺辞典にも載っていなかったのが、ここにいっぱい出てきたものだから、嬉しくなっちゃった。そうか、ラーゲリ帰りなのかなって、そのとき初めて考えたんだ。もちろん、プラハ時代の同窓生の消息もなるべくつかむよう努力してきたし、何人かには会いにも行った」

「スヴェータには会えた？」

「スヴェータとはモスクワに帰ってからも仲良くしてたのよ。家もそう遠くなかったし」

「ああ、こんなときに情報魔のスヴェータがいたらなあ」

「あたしだって、そう思う。でもスヴェータにだけは、絶対に会えなくなっちゃった。一九六七年だったかしら、父親がプラハの大使館に再赴任するのに付き添って搭乗した飛行機が墜落して」

「………」

「シーマチカ、なぜレオニードのことを聞かないの？　あっ、赤くなった。シーマチカの恋していたレオニード・コズイレフの消息は、残念ながらつかめなかったけれど、父親が自殺したでしょう。あの原因は、おおよそ分かってきたわ」

カーチャは、『グラーグ便覧』をバッグの中に仕舞い込み、別な本を取りだした。

「フルシチョフの補佐官やっていたクルラツキイが最近出した回想記（注5）。ここにコズイレフのことが書いてあるのよ。クルラツキイって文学新聞の編集長で、ペレストロイカの波に乗って、派手で過激なこと吐いてたんだけど、昨年八月のクーデターでメッキが一気に剝がれちゃったんだ。クーデター派が圧倒的優位にあった最初の三日間、雲隠れしてたものだから。そういう人、結構多かったんだけれど。彼もその一人。まっ、スターリン時代の恐怖が身に染みついているんだろうね」

「あら、この人、スターリン時代からフルシチョフの近辺にいたのね」

志摩は、カーチャに渡された本の目次に目を走らせる。

「補佐官というよりも、フルシチョフのスピーチ・ライターだったのよ。ソ連時代の文学者にとって、お決まりの出世コース。まあ文章はたしかに読みやすい。自画自賛が鼻につくけど最近軒並み出ている、今だから話せる歴史の舞台裏ものの中ではベストテンに入るのではないかしら。それでね、この本の中にコズイレフだけでなくプラハのあの学校に通ってた人たちの苗字が結構出てくるのよ。ほら、覚えてるでしょう、ペレストロイカ以降、ソ連外務省報道官に就任したゲラシモフとか、ゴルバチョフの補佐官になったチェルニャーエフとか、シャフナザーロフとか、『プラヴダ』編集長になったフロロフとか。みんな同窓生の父親でしょう」

「うんうん。シャフナザーロフの息子は二年下だった。今、映画監督になっている」

「とにかく、あの頃プラハにいたソ連人の多くが、その後ゴルバチョフのブレーンになっているのだけれど、彼らが最初に世に出てきたのはスターリン時代が終わった頃だったのね。つまりフルシチョフの『雪解け』で芽吹いた世代の代表格だったってわけ。フルシチョフの天下になってからクルラツキイはフルシチョフのスピーチ・ライターをやる傍らソ連共産党中央委員会直属の研究所に配属される。そこでコズイレフやシャフナザーロフたちに出会うのね。ほら、その付箋を付けたとこ」

「お姉さん方、悪いけど、当食堂の売り上げ向上に協力してくんない？」

食堂の配膳係が、顎先で、食堂前の長蛇の列を指し示す。

「あっ、ごめんなさい。美味しかった。また来ます」

食堂を出たところで、志摩は時計を見た。二時半。ボリショイ・バレエ学校の教務部を訪ねるのには、ちょうどいい時間になる。しかし、本の内容が気にかかる。

「一時間だけホテルに戻りたくなったんでしょう」

カーチャは察しがいい。

「本は逃げたりしない。それよりジーナの手がかりはなるべく早くつかんでおいた方がいいと思うの。さらに別なところへ足を運ばなくてはならなくなる可能性もあるし。シーマチカはしあさってには日本に帰ってしまうのだから」

「分かった。本は夜読むことにする。でもカーチャは罪作りね。どうせなら、この本のこと持ち出すの今晩にしてくれれば良かったのに」

「悪い、悪い。今わたしが話してしまってもいいのだけれど、やはりシーマチカ自身に読んでもらいたいの。コズイレフが自殺した原因だけでなく、息子のレオニードがなぜあんな寂しい、人を寄せ付けないような瞳をしていたのか、これを読むと分かるから」

そうだ。あのゾーッとするほど美しいグリーンの瞳。あの瞳に見据えられるのが怖かった。志摩のことも、他の誰のことも、まるでモノをみるように見た。ジーナを見るときだけ違った。目元がやわらいだ。

「さあ目を覚まして、シーマチカ！　ボリショイ・バレエ学校は、どっちの方向だっけ。あっ、ごめん、シーマチカには目の毒だから、夜まであたしがあずかっとく」

カーチャは、志摩の手から素早く本を取り上げて、バッグにしまい込んだ。志摩はたちまち、一九六〇年代のプラハから、一九九二年一一月のモスクワに引き戻された。

せわしなく行き来する人々の吐く息が白い。雑踏の向こうに黄色いどっしりした建物がある。ルビャンカと恐れられたところ。あの地下室に連れて行かれたら二度と生きて帰ってはこられないとまで言われた。昔ＮＫＶＤ、その後ＫＧＢの本部となったところ。今日会ったガリーナ・エヴゲニエヴナも、逮捕後まず連れてこられたのが、あの建物だ。手前の円形広場の真ん中に銅像の台座だけが残っている。そこに、そびえていたＮＫＶＤの前身、非常委員会の初代長官ジェルジンスキーの銅像は、昨年八月、クーデターが失敗した時点で市民の手で引きずりおろされてしまった。公式にはジェルジンスキー広場と名付けられていた広場も、昔の名前ルビャンカに戻った。もっとも、それ以前から誰もがルビャンカとしか呼ばなかったらしいが。

広場の手前で地下に降りて地下鉄に乗る。駅の中も地下鉄の中もひどい込みようでカーチャとはまともに話ができなかった。フルンゼンスカヤ駅で降りてバレエ学校の近辺までやってくると、さすがに市の中心部の喧噪が嘘のようだ。志摩はすでになじみの大きくて重いガラス張りの扉を押して、カーチャとともに中に入る。玄関ホールはガラス張りだというのにほの暗い。たしか教務部主任のオフィスは、左手廊下を真っ直ぐ行って右側三つ目の扉のはずだ。

「ちょっと、部外者の立ち入りは困りますよ！」

薄暗いホールの片隅に座っていた小柄な老婦人が立ち上がって駆け寄ってくる。志摩が土曜日に立ち寄ったときには、こんな注意をされることもなかった。あのときは子供を週末引き取りに来る親の一人と思われたのかもしれない。

「教務部主任のオフィスに用があるんですが」

「主任から事前に知らされてませんでしたよ、来客があるなんて」

「卒業生の名簿を拝見したいんです」

「ちゃんと許可証は、持ってきているんでしょうね」

「えっ、そんなーっ！」

「卒業生名簿は、プライバシーに関わることですからね。簡単に誰にでも見せるわけにはいきません。まず、申請書を提出して、学校の運営評議会の許可証を発行してもらってからにしてください」

「はい。すぐ申請書を書きますけど、許可が下りるまで、どのくらいかかります？」

「ふつう一週間。最低三日はみてもらわないと」

「えーっ、わたし、その三日目に日本に帰っちゃうんです。何とかなりません？」

と言いかけた志摩の袖口をカーチャが引っ張る。さかんに目配せして志摩の耳元にささやく。

「蛇の道は蛇よ。名簿の件は、あたしに任せなさい。それよりも、例の女の子……」

志摩はただちに軌道修正した。

「分かりました。名簿の件は、いいです。ここの生徒さんのマリーナ・ルドネワさんにお会いしたいんですけれど」

「ちょっと、待って」

老婦人は座っていた椅子のあるところまで行き、首にかかったチェーンに取り付けた眼鏡をかけると、机の下からファイルを取りだし、卓上ランプを付けた。

「マリーナ・ルドネワは、四年生だわね。てことは、今チェルカッキー先生の古典のレッスンだ。二時に始まったから、あと一時間二〇分ほどで休み時間になる。そこのソファーにでも腰掛けてお待ちなさるといい」

年輩婦人に多い、職務に意固地なほど忠実なタイプかと思ったが、意外に親切だ。ホールの壁際に、大きなソファーが置いてある。ここではエカテリーナ・マクシモワやマイヤ・プリセツカヤも教鞭をとるというから、座ったことがあるのだろうか。そんなことを考えながら腰を下ろすものだから、志摩の顔は自然にほころんでくる。

「ねえ、カーチャ。ちょうどいい。あの本出して。待ち時間に読んでしまう」

と志摩が言ったのと、カーチャが老婦人に話しかけたのが同時だった。

「すみません。お電話、借りられますかしら」

「ああ、どうぞ。その机の上の右の方のが、外線用だから」

カーチャは、番号案内で外務省資料館の電話番号を調べて通話先をいくつかたらい回しされたものの、ようやくニーナまでたどり着いたようだった。ニーナの自宅には、今朝ホテルから電話をして、二人が出会えた報告をかねて感謝の意を伝えていたのだが、さすがのカーチャもニーナの職場の電話番号までは控えておかなかったみたいだ。

「ニーナ、お助けついでに、力を貸して欲しいの」

カーチャは、手短にジーナのことと、志摩との調査の経緯を話し、何とかボリショイ・バレエ学校の卒業生名簿を、通常の手続きを経ないで見る方法はないものかたずねたのだった。バレエ学校は、文化省の傘下にあるから、その資料は最終的に文化省資料館の管轄下にある。外務省の資料館と文化省の資料館とは、交流があるはずで、ということは、ニーナのコネが利用できると踏んだのだ。カーチャの読みは的中した。

「ありがとう。一〇〇〇回キスさせて。一生、借りが出来ちゃった」

カーチャは電話を切ると、意気揚々と志摩の座るソファーのところまでやってきて、ドカッと腰を下ろした。その弾みでポンと志摩の身体が跳ねた。

「まあ、見てらっしゃい」

カーチャは志摩に向かってウインクした。それから、二分とかからなかったような気がする。

「シマ・ヒロセさんとエカテリーナ・ザペワーロワさんですね。どうぞ、こちらへ」

廊下の奥から痩せぎすの中年男が現れたのだ。長い廊下を男の後について突き進みながら、カーチャは志摩の耳元にささやいた。

「いいわね、シーマチカ。あなたは、日本からやって来た舞踊史の研究家で、現在ボリショイ・バレエ学校の歴史に関する著書を執筆中ってことになってるから、そのつもりで」

通されたのは、教務部主任の執務室ではなくて、その二部屋手前の扉の奥だった。応接室のような調度になっている。

「今、名簿をお持ちします」

そう言って男が消えると、入れかわりにトレーをかかえた女が入ってきてコーヒーを出してくれた。

「この学校の歴史を書いて下さるんですって。そりゃあ栄光の歴史にも、もうすぐピリオドが打たれるから、書くのなら今のうちですわね」

志摩やカーチャが答える隙《すき》も与えずに女はまくし立てた。

「国のお金が、もう一年以上滞ってるんですよ。先生方のお給料だって、最後に支払われたのは、いつかしら。バレエ・シューズだって、配給がストップしているから、継ぎ接《は》ぎしながら何とか持ちこたえているけれど……」

「お待たせしました。この頁からが、六七年以降の卒業生です」

先ほどの男が分厚いファイルを広げたまま抱えて戻って来て、ファイルを机の上に置いてくれた。

「当時は、毎年、入学時の採用人数が女一五名、男一五名の三〇名でした。九年後の卒業時まで残るのが、年次によって違いますが、一〇名から二〇名。中途編入者を含めての人数ですから……」

「えーっ、そんなに歩留まりが悪いんですか⁉」

ジーナは卒業できたのだろうか、と志摩とカーチャは心配になってきて、それでは退学者名簿を見せてくれと頼もうとしたところ、先ほどの女に先制されてしまった。

「あら、挫折する理由には、事欠かないのよ。怪我とか、肥満とか、厳しい練習に耐えられないとか、別の道に進みたくなったとか……」

「どうぞ、ごゆっくり。何かございましたら、教務部主任の部屋におりますから」

男は女を牽制《けんせい》するように言って退去し、何かまだ言いたげな女も扉の向こうに消えた。

名簿は何枚も紙とカーボン紙を重ねてタイプ打ちされたものである。日本のように印刷された名簿を作成する習慣などないようだ。それを言うと、カーチャは驚いた。

「エッ、日本の学校って、そんなことするの」

「ええ、小学校から大学まで。意識しないくらい当たり前に作成している。一度その学校に関係したら一生付いて回るって感じ。定期的に同窓会やクラス会を開くし」

「そんなことするなんて想像もしなかった。ああ、プラハの学校の卒業生名簿があったらなあ。それに同窓会。そんなの、あったらいいなあ。名簿があれば、出来そうだものね」

「さあカーチャ、こちらの名簿も見ましょう」

ボリショイ劇場付属バレエ学校は、九歳から一〇歳の子供を入学させるので、この学校の一年生は、普通学校の三、四年生に相当する。ジーナはプラハのソビエト学校に通いながらチェコスロバキア国立バレエ学校にも通っていた。プラハのソビエト学校の八年を中途で切り上げて、ボリショイ・バレエ学校に転校したということは、おそらく一四、五歳の時で、順当にいけば、ジーナは六学年に編入されたはずだから、卒業は四年後の一九六七年度になる。しかし、一九六七年度の卒業生には、ジナイーダという名の女性はいなかった。

「ほら、シーマチカ、六八年度には一人、ジナイーダという子がいる。ジナイーダ・シャルコワ。一九四八年一〇月二一日生まれ。駄目だ。この子、編入じゃない。一九五九年に入学してる。六九年は、どうかしら。あっ、二人もいる。でも、二人とも入学組だ」

「ジーナにとっては、屈辱的だったかもしれないけれど、もしかして一年生からやれと言われたかも知れないね。とにかく一九七二年度の卒業生まで見てみよう」

一九七五年度の卒業生まで調べて、ジナイーダという名の卒業生はさらに五人見つかったが、結局あのジーナに該当する者はいなかった。編入者も二人いたが、編入した年が、それぞれ一九六八年と七〇年であるし、生まれ年も五三年と五五年で、あきらかにジーナより若かった。

「カーチャ、ジーナは優秀だったから、高学年に入れてもらえたのかもしれない。念のため、ジーナが編入した一九六三年の翌年度の卒業生から見ていこう」

一九六四年度、六五年度、六六年度の卒業生リストには、全部あわせてたった一人しかジナイーダは見あたらなかったが、入学者だった。ジーナがボリショイ・バレエ学校に編入したというのは、嘘だったのだろうか。

「シーマチカ、ジナイーダという名前にこだわらないで、六三年に編入した女性を全部洗ってみよう」

しかし結局、一九六四年度から一九七五年度までの卒業生のうち、女子の編入者は七人しかおらず、編入年と生年月日、出身地から判断してジーナではないと思われた。

「ねえ、カーチャ、ボリショイ・バレエ学校というか、現在の正式名称はモスクワ国立舞踊アカデミーだけど、ボリショイ劇場に関連する舞踊学校って他にないの？」

「うん。戦争中は、疎開したみたいだけど、ずーっと、ここにあるだけよ」

「すると、ジーナはボリショイ付属ではなくて、レニングラードのワガノワ記念バレエ学校に編入したのではないかな。あそこも名門よねえ」

「シーマチカ、ちょっと、待って。やはり、中途退学者名簿は無いのか、尋ねてみよう。無かったら、入学者名簿でもいいじゃない」

「さっきの男の人、教務部主任の部屋にいるって言ってたわね」

志摩は立ち上がって廊下に出るつもりで扉を開けた。そこへ先ほどの玄関番の老婦人が通りかかり、志摩とカーチャを認めると、駆け寄ってきた。

「ああ、こちらにいらしたんですね。マリーナ・ルドネワなんだけど」

「ああ、すっかり忘れていた。もう休み時間になったんでしたね。そういえば、さきほどベルが鳴ってました」

「それが、マリーナは今朝、学校に戻って来てなかったんですよ。トゥーラ—モスクワ間の鉄道が事故で不通になってしまって。さきほど寄宿舎に電話が入って、復旧を待って今日中にこちらへ戻ると言ってきたけど、いつになることやら」

「ありがとうございました。宿泊しているホテルからここまですぐなんです。だから明日また立ち寄ってみますので、よろしく」

「ああ、マリーナにはわたしから言っといてあげよう。で、調べものの方はうまくいったんですか」

「いいえ。卒業生名簿に目当ての人が見つからなくて。それで、中退者名簿を当たってみようかと思ってるんです。そういうのが、あればの話ですが、もちろん」

「さきほど、あなた、日本に帰るとか言ってらしたわね。ということは、探しているのは日本人の卒業生？　外国人の卒業生リストは、そのファイルの一番最後のところにまとめてありますよ。特別枠だからね、人数少ないし」

「あっ、あった、あった！」

　カーチャが叫んだ。

「ジナイーダ・マクシモヴナ・マルティネク、一九六三年九月一日付けでチェコスロバキア国立バレエ学校および在プラハ・ソビエト大使館付属八年制普通学校から編入。チェコスロバキア市民、一九六七年に卒業してる。これだ！」

志摩もカーチャがかかえるファイルをのぞき込む。保護者の名前の欄には、「マクシム・マルティネク」とあり、プラハの住所が記してあった。卒業後の就職先の欄には、「プラハ国立バレエ団」とある。

「そうか。わたしが国内でバレエ公演のたびに目を皿にしてジーナの名前を探しても見つからないはずだわよ。ジーナはプラハに帰ってたんだもの」

「ねえ、カーチャ、今四時半でしょう。プラハは二時間の時差があるから、二時半。そのプラハ国立バレエ団に電話かけてみましょう」

急いで、ジーナに関する名簿のデータを書き写し、念のため、ジーナと同期の卒業生一七名の氏名と就職先も書き写して、名簿ファイルを教務部主任の執務室に返しに行った。一九六三年から六七年にかけて教官だった人が今も教鞭をとっているかと尋ねると、すでに皆退官しているとのことだった。しかし、存命の人については、連絡先が分かっているので、必要とあらば、いつでも教えてくれると、男は確約してくれた。

男と玄関番の老婦人に何度も礼を言って、バレエ学校を後にした。

ホテルにたどり着くなり、国際電話の交換手にプラハ国立バレエ団を申し込むと、嘘みたいにすんなりつながり、しかも、たまたま受話器を取った女性がジーナのことを知っていた。というよりも、東洋的な顔立ちのプリマとして、かつて大変人気があったらしい。

「ジナイーダ・マルティネクは、この団に一〇年勤めて、七七年か七八年だかに、ロシアに渡ってしまいましたよ。結婚相手がロシア人だったみたいで。えっ、お母さまですか？　お祖母《ばあ》さまもお母さまもずい分前に亡くなられてますよ」

11

スターリンが亡くなって最初の数カ月間は、不安と希望が交錯する日々だった。レーニン廟に新たに安置されたスターリンの遺体の前でNKVD長官ベリヤが発した弔辞は不吉な響きを放って人々をおびえさせたが、フルシチョフやマレンコフ、その他の指導者たちの演説には、新しい息吹《いぶき》のようなものが感じられた。

その頃、わたしが大学院修了と同時に配属された中央委員会直属の研究所は、一時期、中央委員会の建物の中にあった。そのため、研究所の職員となった党員たちは、指導部と同じ党の基礎組織に所属することになった。そんなわけで、基礎組織の会議には、当時の国家の錚々たる指導者たちが出席したのだった。忘れられないのは、マレンコフ閣僚会議議長が基調報告を行ったときの会議だ。演説の趣旨は、どうやら、「国家と党に巣くう官僚主義を完膚無きまでに叩きのめす」というものだったが、ほとんど第一九回党大会で自分が行った演説の焼き直しだった。「一部の国家機構が党の統制から逸脱している」とか「人民の要求を軽視している」とか「汚職の横行と共産党員のモラルの低下」などなどお決まりの文句をまるでリフレインのように繰り返した。

演説そのものは退屈だったが、それを聞かされる人々の顔を見るのは興味深かった。彼らこそ、マレンコフが叩きのめすべきと断じる党や国家の高級官僚たちだった。どの顔も、不審と困惑と不満と恐怖に引きつっていた。

マレンコフの報告が終わると、墓場のような静寂が会議場をおおった。それを破ったのが、活き活きとした明るい声だった。声の主はフルシチョフだった。

「何もかも、君の言うとおりだよ、マレンコフ同志。だがねえ、官僚機構こそが、われわれの支えなんだよ」

このときはじめて一斉に盛大な拍手がわき起こり、それはいつまでも鳴りやまなかった。たったこれだけのフレーズで、新しい党第一書記は、閣僚会議議長が長たらしい情熱的な演説で得られなかったものを勝ち取った。もっとも、後年、フルシチョフ自身は、この官僚機構と不仲になり、その力を思い知らされる結果になるのだが……。

研究所内部でも、大きな変化が起こっていた。スターリンの死後二カ月目だったか、中央委員会は研究所に、「歴史における人民大衆の役割」というテーマの論文を準備するよう依頼してきた。

執筆責任者となったのが、哲学者のアレクサンドル・コズイレフ博士だった。まだ若いが、歴史における個人の役割についての論文ですでに斯界《しかい》では名の通った学者で、研究所の副所長でもある。コズイレフはわたしを論文執筆のための助手に任命し、わたしは資料集めや調査を手伝うことになった。

コズイレフ博士が最初に論文の要旨をつづる、それにわたしが目を通して議論しながら肉付けしていくという方法をとった。下書き段階の博士の論文に目を通しながら興奮を禁じ得なかった。個人崇拝を鋭く批判し民主主義を徹底させることこそ官僚機構の再生には欠かせないと雄弁に説いていた。

「まさにこれです、博士！　こういう改革をこそ国も国民も必要としています」

「フョードル君、それで相談なんだが、ソ連各地、国民各層の生活と意識の実態調査をしようと思うんだが」

「まさか世論調査ですか？　そういう社会学的方法は、ブルジョア的だとさんざん非難されてきたではないですか」

「調査にどんな名称をつけるかなんて、どうにでもなる。重要なのは、具体的に嘘偽りのない実態を把握することなんだ。監獄や収容所、農村や工場、指導部の特権、不労所得の出所、病院や商店のサービスなどの赤裸々な実態だ」

コズイレフ博士は、そう言いながら研究室の中を大股で歩き回った。

「いいかい、官僚主義に対する人民の心の底からの不満の声を聞き取り、意識にのぼらせなくてはいけないんだ。それがない限り改革は成功しないからね」

わたしは、すっかりコズイレフ博士のアイディアに夢中になり、実態調査の大規模な組織化に取りかかった。リャザン州を最も典型的な州として抽出し、集中的に調査することにした。まず、州内のすべての監獄や収容所を訪問して、囚人や看守たちからの聞き取り調査を行った。また学生たちを動員して工場の食堂と官庁の幹部用食堂の食事の比較を行ったりもした。さらには統計庁から、所得配分に関する資料を取り寄せて分析を行った。

二カ月もすると、研究室は資料の山で埋まった。そして明らかになる事実は、どれも戦慄的なものだった。とくに印象に残っているのは、リャザン州一州だけで、当時、年間殺人件数がイギリス一国のそれを上回っているという数字だ。

研究所の所長も、もう一人の副所長も、このデータに基づく論文の、中央委員会への提出を思いとどまるよう主張した。しかし、コズイレフ博士は譲らなかった。

「いつまでも真実から目を背けていてはならない」

というのが、博士の最も言いたいことだった。そして、わが国が科学、技術、労働生産性と国民の生活水準において、どれほど西側から立ち後れてしまっているのか、具体的な数字をあげて指摘し、いかに官僚機構が自浄力を失い、農民も労働者も労働意欲を喪失しているかを述べた。

これは、三〇年以上も前のことなのに、未だにわが国はコズイレフ博士の述べた同じ問題のまわりをウロウロしている気がする。

論文は結局、中央委員会に提出されたが、心配されたおとがめはなかった。むしろ、フルシチョフには、かなりお気に召したようで、これが後にわたしが彼の補佐官に取り立てられるきっかけとなったことを後で知った。時代は確実に変わってきていた。

この時以来、コズイレフ博士は、すっかりわたしを信頼するようになり、何か問題となる論文や記事を読むと、注目箇所に下線を引いて、「こんなことがあり得るか？」、「そうだろうか？」、「正しいか？」、「あらあら」などとコメントを書き入れてわたしに手渡した。わたしは、その下に「おおいにあり得る」、「そうなのだ」、「間違ってる！」、「まあまあ」などと書き込んで返したものだ。

ソビエトにおいて民主主義を確立する可能性について夜を徹して語り合ったこともある。議会への代議員選挙を複数立候補制にしなくてはならないこと、議会を単なる予め用意された政策案や法案を形式的に承認するために一時的に招集される集まりから、常設の機関にするべきだということ、また権力による弾圧を防ぐために裁判に陪審員制度を導入すべきだということ。その必要性をいかに魅力的な理論で説得力あるものにするかについても。

とにかくコズイレフ博士はエネルギッシュでいつも快活だった。毎朝ジョギングを欠かさず、情熱的に議論し、いつもうまそうに食事をし、張りのある大きな声で笑った。

だが、親しくなってからというもの、陽気なコズイレフ博士の顔に時おりドキッとするほど暗い影がよぎるのに気づいた。それは、ほんの一瞬のことで、最初は自分の目の錯覚ではないかと思ったほどだ。しかし注意して観察していると、暗い影はしばしばコズイレフの表情を支配した。

ある日、帰宅してから研究中の資料を仕事場に忘れたことに気づいたわたしは、真夜中にもかかわらず研究所に戻った。研究室に近づいたときに、すすり泣きが聞こえた。ドアを音を立てないように開けて中をのぞくとコズイレフ博士だった。机に突っ伏して泣いていた。わたしは博士に気づかれないようにそのまま研究室へは入らずに家に戻った。

博士は大柄でなかなかの美丈夫だったし、話が面白く人を楽しませる達人でもあったから、研究所の女たちにたいそう人気があった。当然、妻帯しているものと思っていたら、独身だった。というよりも離婚していて再婚する気はさらさらないようなのだった。その理由をたずねるのは、なんとなくはばかられた。

研究所に勤務するようになって三年目、一九五六年の二月に第二〇回党大会があり、フルシチョフがスターリン批判の秘密報告を行った。しかし、それに先行する形で、スターリンが亡くなった五三年も半ばを過ぎた頃から、粛清によって監獄や収容所に監禁されていた人々が続々と釈放されて家族の元に戻ってきていた。

その中に、コズイレフの元妻がいた。ベラ・コロコロワというイタリア歌曲を得意とするボリショイ劇場のオペラ歌手。猫に似たコケティッシュな美貌と豊満な肉体が人気のソプラノだった。イタリア大使館のパーティーに招待されて出かけていったのを怪しまれて逮捕されたということだった。一九四九年の暮れのことである。

一九四九年といえば、年頭から大々的な反コスモポリタン・キャンペーンが展開されていた。祖国を持たないコスモポリタンとは、「外国かぶれ」を意味していた。外国礼賛者は、ブルジョア的な生活様式の宣伝者だと非難され、外国人との接触は、スパイ行為、売国行為とみなされた。またぞろ一九三七年の再来かと人々は震え上がった。キャンペーンは日増しにヒステリックになっていった。映画監督や作家や芸術家が次々に「コスモポリタン」と名指しで糾弾され、自己批判をさせられた。「コスモポリタン」の圧倒的多数は、ユダヤ人だった。ベラ・コロコロワもそうだった。

コズイレフ博士の名誉のために言っておくと、博士がベラ・コロコロワと離婚したのは、彼女が突然逮捕される一年前のことで、あくまでも個人的な理由によるものだった。

名誉回復されたベラ・コロコロワは、遠い収容所からモスクワに戻ってきたが、すぐに病院に収容された。多くの男性を魅了した美しく健康そのものだった身体は衰弱し病におかされていた。見舞いに行ったコズイレフ博士は何時間も彼女と話し込み、戻ってくると、長期休暇を研究所に届け出た。

それから三カ月もしないうちに、コズイレフ博士の元妻は病院で息を引き取った。研究所の職員たちとともに葬儀に参列したわたしは、遺影を持つ少年が博士によく似ているのに気づいた。ただし、瞳だけはベラ・コロコロワそっくりな美しく透き通った緑色をしていた。その瞳からは、葬儀のあいだ一滴の涙も流れなかった。そして隣でさめざめと泣くコズイレフ博士を冷ややかに見つめていた。

葬儀からしばらくしてコズイレフ博士は職場へ復帰した。やつれてはいたが、今まで通りエネルギッシュで陽気だった。ただし、以前のように研究に夢中になって終業時間など無関係に夜遅くまで研究室で粘ることはなくなった。同僚たちと一杯ひっかけに飲み屋に立ち寄ることもなくなった。午後五時近くなると、ソワソワしはじめ、五時になると一目散に家へ向かった。

「いやあ、息子と一緒に夕食を食わなくてはならんもんで」

照れくさそうに言い訳した。

あの葬儀の時の遺影をかかえた少年は、やはりコズイレフ博士とベラ・コロコロワの息子だった。ただし、息子が二歳になるころ、二人は離婚し、息子はベラが引き取った。息子が三歳になるころベラ・コロコロワは逮捕された。逮捕されたとき、やって来たNKVDの職員にベラは息子をコズイレフに預けてくれと懇願した。NKVDの職員は、コズイレフのフルネームと連絡先をたずねたので、ベラは自分の願いが受け容れられたものと思った。監獄と収容所での地獄の四年間、息子は父親の元で健やかに育っているはずだという想いが、彼女の苦悩を和らげ、生きる勇気を与えた。

しかし、釈放され収容されたモスクワの病院に見舞いに来た元夫は、息子をともなってはいなかった。しかも元夫は開口一番、ベラに息子のことを尋ねた。息子はベラとともに同じラーゲリに連れて行かれたものと思い込んでいたのだ。ベラの逮捕後、コズイレフは、息子の行方を調べるため奔走したが、まともな回答を得ることが出来ずに苦しんだあげく、そう考えることにしたという。

息子はベラにとってもコズイレフにとっても行方不明になっていたことを、このとき二人ははじめて知った。半狂乱になったベラは、元夫を詰《なじ》った。

「なぜ、もっと懸命に捜してくれなかったのか。あなた以外にそれが出来る人はいなかったのに」

コズイレフはうなだれて立ち尽くすしかなかった。

ベラが落ち着きを取り戻したところで、コズイレフはベラが逮捕されたときの詳細を聞き出した。そして、精力的に息子捜しに取りかかった。

息子捜しは難航を極めた。粛清の対象となって処刑されたり収容所送りになった人々の子女は、特別孤児院に収容されたのだが、「罪深い」親との縁を絶ちきるために、元の氏名を抹消されて新しい氏名を付けられた。物心ついてからそういう目にあった子供は、元の氏名をおぼえていたが、ベラとコズイレフの息子は、母親と引き裂かれたときまだ三歳である。本人は、自分の出自に関する一切の情報を知らされずに中央アジアの僻地の孤児院で育った。コズイレフ博士が息子を捜し出せたのは、奇跡である。おそらく博士は、フルシチョフのおぼえめでたかったことも幸いして、NKVDの内部文書の閲覧などの便宜をはかってもらったのではないだろうか。

ベラは、息子の姿を認めると、ベッドから起きあがり、最後の力を振り絞って息子を抱きしめた。その翌日、安堵の表情を浮かべて死んでいった。

コズイレフ博士は息子を引き取った。しかし、いつまでたっても息子は、博士に懐《なつ》かないようだった。そのことで、ずいぶん博士は苦しんでいた。

ある日、フルシチョフの訪米を間近に控えて、わたしが書いたスピーチ原稿の第一稿をコズイレフ博士にチェックしてもらう必要があった。ところが、博士は茫然自失状態で、わた

しが部屋に入ったことにも気づかぬ有様だった。両手で博士の肩をつかみ揺すって、

「アレクサンドル！　どうした、しっかりしろ！」

と怒鳴りつけると、はじめて我に返った。その顔は悲しみにゆがんでいた。そして、呻くようにつぶやいた。

「息子は、僕を許していないんだ」

「………」

「いや、許していないと言うより、息子は、僕を軽蔑している。妻が逮捕されたにも拘わらず、僕が逮捕されずにいるだけでも恥ずべきことなのに、その間ずっと体制の御用学者であり続けたことを、心の底から軽蔑している」

「………」

「たしかに、僕はあの時期、息子捜しを途中で断念した。怖じ気づいたんだ。卑怯にも、ベラが息子をラーゲリに帯同しただろうなどと都合のいい解釈を考えついて、自分の良心を眠らせていたんだ」

わたしは、コズイレフを慰める言葉が見つからず、彼の背中をさすり続けるしかなかった。

それから一週間後、コズイレフ博士は無断欠勤した。ガス自殺をはかったのだった。息子を学校に送りだした後、窓や扉を封印し、台所のガスレンジとオーブンのスイッチをひねった。幸い、隣のフラットの独居老婆に異臭を気づかれて、通報され、命をとりとめた。

回復後、しばらくしてコズイレフ博士は研究所の所長に辞表を提出した。その時点では、

もう引き留めることは不可能だと所長も他のスタッフも心得ていた。しかし所長以下誰もが、いや研究所の上部機関である中央委員会のスタッフも、そしておそらくフルシチョフ自身も、博士のことを尊敬もし愛してもいたので、心から博士とその息子の今後の生活と心の安定を願わないわけにはいかなかった。

コズイレフ博士は、元来、中世の宗教哲学、わけても宗教改革期のそれを専門としていたので、再びその分野に立ち戻りたいとの希望を持っていた。そこで浮上したのが、チェコスロバキア科学アカデミーへ客員教授として赴任する案である。というのは、博士には、宗教改革者ヤン・フスの思想に関する論文がいくつかあり、ヤン・フスの故郷チェコスロバキアでも高い評価を受けていた。

一九六〇年秋、わたしがフルシチョフの国連訪問に同行して帰国後しばらくすると、コズイレフは息子とともにプラハへ赴いた。わたしは空港まで見送った。コズイレフは、まるで一回り若返ったかのように潑剌として上機嫌だった。いつのまにか背丈が父親ほどに伸びた息子の眼差しは、相変わらず冷ややかではあったが、それでも以前に比べると、顔つきがずいぶん明るく穏やかになっている。これから新しい生活を歩み出す親子の覚悟と希望のようなものを感じて、わたしも嬉しくなった。

だからといって、それから二年もしないうちに、コズイレフ博士が自ら手首を切って果てるとは想像もできなかった、とここで言い切るつもりはない。むしろ、コズイレフ自殺の報を耳にしたとき、そういう結末をも予想していたような気がした。

コズイレフ博士の自殺は伏せられて公には病死という発表だった。心筋梗塞とかいう死因が考え出されて、研究所でも形ばかりの葬儀が執り行われた。息子は帰国したとの噂だったが、葬儀には出席しなかった。

スターリン存命中の恐怖の体制下では、人々は、否応なく粛清する者、粛清される者、粛清を免れる者の三つのカテゴリーに分類された。もっとも、粛清する者も粛清を免れた者も、いつ粛清される側に転落するか分からない脅威にたえず晒され続けていた。皮肉なことに、そのおかげで、粛清を免れた人々は、己の良心と真っ正面から向き合うことを回避できた。雪解け後は、そのやっかいな良心と絶えず向かい合わなくてはならなくなった。感受性鋭いコズイレフ博士の良心は、その重荷に耐えられなくなったのだろうか……。

「シーマチカ、ストップ！　そこまで。その先は、コズイレフのことも、レオニードのことも書いてないから」

カーチャが手を伸ばしてきて、志摩から『クルラツキイの回想記』を取り上げて、本の中のある文章を指し示した。

「ねえ、変だと思わない、ここのところの記述？　コズイレフ親子がプラハに移住したのが、一九六〇年の秋と記されているでしょう。レオニード・コズイレフが、プラハのあたしたちの学校に転校してきたのは、たしか一九六一年の一月だったはずよねえ」

「ええ、カーチャが転校してきたのが、一九六〇年の九月で、レオニードはそのちょうど四カ月後だった。そこのところは、あたしも読みながら、オヤッとは思ったの。クルラッキイの記憶が不正確なのかも知れないね」

「いや、それは考えられない。ボスの国連訪問に同行した直後とあるでしょう。かなりたしかな記憶なのではないかしら……ああ、忘れるところだった、電話、電話！」

カーチャが思い出してくれて、志摩はハンドバッグをまさぐり、先ほどフロントで手渡されたメモを取りだした。時計の針はもう午後七時半を指している。メモに指示されたとおり、ガリーナ・エヴゲニエヴナに付き添っていたボランティアの女性ポリーナの自宅に電話を入れた。

「明日にも自宅に戻れるという話だったのだけれど、見合わせることになりましたの」

「エッ、何か危険な兆候でも？」

「いいえ、最初に帰宅してもいいと医者が言ったのは、ガリーナ・エヴゲニエヴナが一人住まいと確かめないでのことだったんです。誰もいない家に戻すのは、やはり不安だということになりまして」

「お見舞いは、よろしいんですか」

と尋ねようとして、ガリーナ・エヴゲニエヴナの容態を心配してというよりは、彼女から聞き出したい情報の方を気にしている自分に気づいて、恥ずかしくなり志摩は声を飲み込んだ。

「エッ、何とおっしゃいましたの？」

「あっ、あの何か必要なもの、お持ちしましょうか？」

「それより、ガリーナ・エヴゲニエヴナは、皆さんがいらっしゃるのを心待ちにしてらっしゃいますよ。明日一一時から一三時まで、それから一六時から一八時までが面会時間ですから、ぜひ行って差し上げて下さい。皆さんにどうしても話しておきたいことがあるって、帰り際わたしの腕をつかんで何度も何度もおっしゃってましたから」

「ええ、必ず。一一時の、早い時間帯の方でうかがいます」

「部屋は六階の六五八号室です」

　ポリーナは、モスクワ市第三三病院の住所と、病院の敷地内の循環器科病棟の場所を教えてくれた。

　受話器を置くと、カーチャがすかさずたずねてくる。

「シーマチカ、ガリーナ・エヴゲニエヴナの手記は、もう最後まで読み終えたの？」

「ううん、あと少し。明日お会いする以上、最後まで読んでおいた方がいいわね」

「そうそう。礼儀上だけではなく、おそらく、シーマチカのモスクワ滞在日程から考えて、ガリーナ・エヴゲニエヴナにお会いできるのは、今回は明日が最後ではないかしら。だから、彼女から聞き出せることは、事前に全て洗い出しておいた方がいいと思うの」

「カーチャは、生まれながらの図書館員だわね。昔から本を読ませるのが、本当にうまいんだもの。あら、誰かがノックしている」

　ドアを開けると、トレーをかかえたボーイが立っていた。

「ルームサービスをお持ちいたしました」

カーチャがテーブルの上の書類を片づけながら言った。

「あっ、それ、わたしが頼んだの。どうぞ、このテーブルに置いてって下さい」

コーヒーとサンドイッチのセットが四点。

「今晩は、まだまだ読ませたい資料があるの。夕食時間を節約したいくらいに」

「カーチャ、これ四人前だけど、他に誰かまだ来るの？」

「ハハハハ、四セットだけれど、わたし流の二人前。さあ、食べよう」

カーチャがポットから注いでくれたコーヒーをすすりながら、サンドイッチを頬張る。そして、ガリーナ・エヴゲニエヴナの手記に取りかかった。


アルジェリアに来て二年目にようやく文通が許されるようになった。完全に外界から隔離された状態が続いていたから、年に二通だけという制限付きだが手紙を書いてもいいと発表されたときは、嬉しくて嬉しくて心臓が爆発しそうになるほど興奮した。でも、誰もが、いざ書く段になると、誰宛てにどこへ書いたらいいのか、分からなくなってしまった。そして人々の心にまた波風が立った。

近親者たちの中の、誰がまだ自由の身でいるのか、殺されずにいるのか、幸運にも捕まらなかったとしても、せっかく書いた手紙を迷惑がって受け取ってもらえないかも知れないし、受け取ったとしても、返事を書く勇気まで持ち合わせているとは限らないではないか。たとえ、そうでも恨む気持ちにはなれなかったけれど、年に二通という貴重な可能性を、そんな風に潰してしまうのは、やりきれなかったのだ。

それでも、書かずにはいられなかった。書いている手紙が宛名人に届くのか、読んでもらえるのか、そもそも相手が生きているのかも分からないというのに、一日の重労働を終えると、みな手紙に向かった。手紙を書いていると、毎日抑えつけていた心の最もやわらかい部分が否が応でも蠢《うごめ》きだして、朝泣きはらした目をしている女が多くなった。

そして、さらにしばらくすると、ぱらぱらと返事が届くようになった。わたしの母は、すぐに返事をよこした口だ。それは、飛び上がるほど嬉しかったが、いつまでたっても、返事が来ない者のいるなかであからさまに喜びを表情に出すのは、ためらわれ、感情を抑えつけるものだから、余計にじわじわと身体の隅々まで嬉しさが行き渡った。

手紙とともに、心づくしの品々が送られてきた。薫製のハムと缶詰と甘いお菓子。あーあ、こんな贅沢品にお金を使うなんて！　豚の脂身の塩漬けと砂糖がどれだけ買えたことか！　母に感謝しつつも、ついそんなことを思ってしまうのだった。

母の住所は変わっていた。わたしが逮捕された後、母は住んでいた広めのフラットを追い出され、別なフラットに他の数家族とともに押し込められ、小さな狭い部屋をあてがわれたという。今までの家財道具がおさまるはずもなく、はみ出したものはすべて中庭の物置に収納するしかなかった。その後のことだが、戦争が始まると、物置小屋は取り壊され、そのどさくさに家具も書籍もどこかへ持ち去られてしまった。建築家だった父の貴重な蔵書も、こうして雲散霧消してしまった。

職場では、誰もが逮捕された近親者について語ることはしなかった。同情を買うよりは、余計な災いの上塗りになる可能性のほうが高かったのだから当然である。

母ももちろん、黙り通した。そして、誰にも知られないようにこっそりと月に一度だけクズネツキー・モストにあるNKVDの出張所を訪れるのだった。出張所前には、長蛇の列があり、一日がかりで列に並ばなくてはならなかった。一二、三時間立ち尽くした末にようやく自分の番が来て、小さな窓口からぶっきらぼうに、

「娘さんの居所は不明です」

と言い捨てられるのがオチだったのだが。

一九三八年の一年間は、毎月一度、母はそのように過ごした。そして毎回、回を追う毎に行列に並ぶ人々の数が増えていることから判断して、逮捕者の数は増え続けているようだった。

年末にエジョフがNKVD長官を失脚して、一九三九年に入ると、逮捕速度は、少し減速気味になった。釈放される人々までちらほら出てきた。NKVDの新しい長官にベリヤが就任してから最初の数カ月は、締め付けがゆるんできているような気がして、母は希望を新たにしたという。しかし、それも長続きはしなかった。

レニングラードからやって来た母の無二の親友セイラは、生粋のペトログラード出身者が続々と逮捕され、徒刑先に送られていると訴えた。生粋のペトログラード出身者というのは、

革命前のレニングラード市の登記簿に、貴族や役人、軍人として登録されていた人々とその家族のことだ。セイラの妹の一族全員は、舅が元近衛兵だったために、シベリアのオムスク州に流刑になってしまった。

職場でも締め付けが厳しくなっていった。職場を勝手に休んだ場合と、遅刻した場合についての新しい条例が突然発布されたのだ。新しい条例に基づいて、職場では、違反者を厳格に取り締まるようになり、簡易裁判所も急に忙しくなった。そしてまた次々に逮捕者が生まれ、奴隷労働に従事させられるべく遠方へ追い立てられて行くのだった。鉄条網で囲われた炭坑や、ウラルの鉱山や、シベリアの建設現場へ。

勤務時間に遅刻すると、半年間にわたって賃金が半額に減俸されることになり、たった一日ないし二日の欠勤が、三年ないし五年の流刑を意味するようになった。

そういう浮世での苦しい事情はラーゲリにいたわたしにはもちろん知りようがなかった。母がわたしの手紙を受け取ったのは、そのような辛い日々のこと。一九三九年の暮れのことだった。

そのうち収容所内は別な出来事で大騒ぎになった。数人の女たちが呼び出され収容所を出ていったのだ。いったいどこへ、どんな理由で？　しばらくすると、また別な女たちが呼び出されて収容所に戻っては来なかった。再び不安と期待が交錯する日々が始まった。一部の囚人は収容所から流刑へ切り替えられるらしい。この噂はたちまち収容所内に広まった。しかし、それはあくまでも噂であって、本当のことは誰も知らなかった。

五度目には、わたしにもお呼びがかかった。他の三人の女たちとともに収容所所長の部屋まで来るように言われたのだ。

「諸君へ下された刑は見直された。従って、残りの刑期は、収容所ではなく、流刑地で過ごしてもらうことになった。これから護送列車でアルマ・アタ市まで移動して、そこで流刑先に関する指示を受けるように」

それにしても、なにが減刑の理由なのだろう。もっとも、逮捕の理由も徒刑の理由も荒唐無稽だったのだから、減刑の理由だけ理にかなっているというのもおかしい。とはいうものの、やはり気にはなった。ずっと後になって、フルシチョフによる「雪解け」以後のことだが、わたしと同期のアルジェリア組は、つまりわたしと同じ時期に五年から八年の徒刑を宣告された女たちは「名誉回復」され、あわせて一字一句違わない通告書を政府から受け取った。

「貴殿の夫君は、一九三九年に死亡」

とそこには記してあった。全員が銃殺か獄中死かで落命しているのだが、なぜか全員が一九三九年に亡くなっていることになっているのだった。

なぜ一九三九年暮れから一九四〇年初頭にかけて、わたしを含むアルジェリアの一部の女たちの刑は突如流刑に切り替えられたのだろう。

最近になって、ＫＧＢの職員だった人がわたしに語ったことによれば、一九三八年から三九年にかけてＮＫＶＤ内で権力の交替があったことに関連しているのではないか、とのことだ。エジョフが失脚しベリヤが新長官に就任したことを指しているのだが、ベリヤは当初、自分は人道的で寛大かつ極めて公正であるという印象を広めるために、一種の宣伝効果をねらっていたのではないかというのだ。エジョフ長官時代に審議中で未決のままだった数人の囚人たちが無罪放免され、また親類から嘆願書が出ていた数人の女囚（夫や父に連座して収容所送りになったもの）の刑が流刑に切り替えられたらしい。幸運にも、わたしの名前は、ベリヤの目に触れたリストに載っていたというわけだ。しかし、そんなことにベリヤがうつつを抜かしていたのは、長官就任後数週間のことで、以後すっかり自己宣伝については、関心を失ってしまった。だから圧倒的多数のわたしの収容所仲間たちは、最初に下された刑期を最後まで全うさせられた。

要するに、わたしはおそろしく運がよかったということになる。

収容所を出ると決まったわたしたちのことを女たちは心から祝福してくれ羨ましがった。自由の身になったら（といっても、あくまで流刑の身なのだが）、自分たちの様子を肉親に知らせて欲しいと頼まれた。だから収容所最後の日々は、なるべくたくさんの名前と住所を記憶することに明け暮れた。収容所を出るときの身体検査でメモ類は一切持ち出せないことは分かっていたからである。

数日後トラックに乗せられて最初に護送列車で連行されてきたときに到着した場所に運ばれた。乗せられた護送列車は連れてこられた時のものに較べると天国だった。車両はいくつかのコンパートメントに分けられ、片方の通路沿いに格子がはりめぐらされていた。格子の向こう側の通路を護送兵が行き来する。わたしのコンパートメントは、わたしとアルジェリアから出てきた三名だけだった。他のコンパートメントには別な収容所に護送される、あるいはわたしたちのように流刑先へ送られる女たちや男たちが収容されていた。お互いしゃべることは禁じられていたが、護送兵が他の車両へ移ったすきに言葉を交わした。その晩にはペトロパヴロフスクへ到着した。わたしたち四人は、ペトロパヴロフスク監獄に連行された。ブティルカ監獄に較べるとデラックスホテルに思えた。獄房は広々としていて、ほとんどの寝台が空いていた。窓の位置は低く、空を眺めることができた。

それに何よりも、ここは、さらに自由になるためのステップに過ぎなかった。


「シーマチカ、今度は、これ」

ガリーナ・エヴゲニエヴナの手記を読み終えた瞬間を見逃さずに、カーチャが別な書類をテーブルの上に置いた。タイプ打ちのものをコピーしたようだ。

「これは？」

「まあ、読んでご覧なさい」

「外国諜報機関に関わる女にまで手を出したようだね」

「そうかも知れません。忘れましたが」

「あなたの指示に従って、サルキソフとナダリヤは、女の一覧表を作成していたようだね。

その一覧表は押収されておるが、そこには、六二名もの女の名前が載っている。これは、一体何なんだ？」

「同棲相手の女たちです」

「さらに、ナダリヤの手元にあったメモには、三二名もの女の名前と住所が記してある。これも、そうなのか？」

「はい、定期的に肉体関係を取り結んでおりました」

「あなたには、梅毒の罹患歴がありますね」

「梅毒にかかったのは戦争中で、たしか一九四三年に長期治療を受けました」(注6)

どうやら、これは尋問調書だった。尋問されているのは病的強姦魔のようで、サルキソフとナダリヤというのは手下の共犯者らしい。犠牲者の中には強姦され子供まで身ごもった普通学校七年の女生徒までいたが、それについて尋ねられると、被告は、

「あれは和姦だった」

とうそぶいている。読み進むほどに気持ち悪くなってきて顔を背けたら、カーチャと目が合った。

「誰の尋問調書だと思う？」

「大戦前後にソ連版青髭事件でもあったの？」

「青髭かあ、当たらずとも、遠からず……。共産党中央委員会政治局員、ソ連邦内務大臣、

ソ連邦閣僚会議副議長、ソ連邦元帥、社会主義労働英雄……。さらに肩書きは続くわ。まだ言わせる気？」

「えっ、ベリヤ？　これ、ベリヤの調書のコピー？」

「そう。裁判記録のコピーも読んだけど、吐き気がした。数十年間にわたって、どれだけの人を拷問してラーゲリに送り込んで殺したことか。それがあまりにも残酷で途轍もないものだから、ついそちらの方にばかり目が行くけれど、彼が梅毒持ちの強姦魔だったことは、前から噂にはなっていた。実は、その噂を裏付けるようなことも、あの頃、モスクワで学生時代を過ごした母から聞いてはいたの。でも、こうして資料が読めるようになったのは、最近。どうやら本当だったみたいね」

「西側では、ずいぶん前から、ベリヤ＝青髭説が流れていたけれど、それも資料的な裏付けがなかったものねえ」

「ああ、そうそう。シーマチカは英語も読めるでしょう？　これが、その西側で流布したベリヤ＝青髭説のひとつ」

カーチャがスーツケースから取り出して志摩に手渡したハードカバーの本のタイトルは、『内務大臣《コミッサール》』（注7）、著者は、タデシュ・ウィトリン、一九七三年、ロンドンで発行されている。

「英語は、読むのにすごく時間がかかりそう」

「その、付箋付けたとこだけ、読んで。わたしが下線を施したところに注意してね」

ベリヤの車は、赤軍劇場の辺りに停車するのが常だった。その近くに女学校があったのだ。放課後、校舎を出て四方に散っていく女学生を眺めるベリヤはカモシカの群を狙う黒豹のようであった。ベリヤの好みは、バラ色の頬、しっとりと濡れたような唇、まばゆいばかりに真っ白な歯、ぽっちゃりとした感じの一四、五歳の少女。そんな感じの少女を見つけると、首を振って合図をした。それを受けて、背の高い瘦せぎすのサルキソフ大佐が目当ての少女に近付いていき、丁重に自分の後に付いてくるよう言い渡すのだった。ベリヤは一部始終を車の中から望遠鏡で見つめている。少女の目の中に恐怖の色が濃くなっていく様子が手に取るように分かる。言いしれぬ満足感がこみ上げてくる。

少女は、助かる見込みのないことをすでに察している。呆然とする学友たちから離れてサルキソフの後に従う。少女が車の中に入って来てすぐ隣に腰掛けても、ベリヤはそっぽを向いて一瞥だにしない。すべては、これからだ。

サルキソフは少女の手をつかんだままルビャンカの建物に入り、廊下を進み、ベリヤの執務室の所まで来ると、扉の中に押し込む。ベリヤは、おもむろに自分のデスクの前の椅子に腰掛け、小声で服を脱ぐように命ずる。少女が、その足に根が生えたかのように金縛りになったり、ガタガタと震えが止まらなくなったり、泣き叫んだりしたときは、ベリヤは引き出しの中から鞭を取り出し、少女のふくらはぎを打った。少女がいくら泣き叫ぼうと、意に介さなかった。ベリヤの執務室では日常茶飯事だ。ここで笑う者はいない。ベリヤは服を脱ぐよう、繰り返し命令するだけだ。観念して、少女は衣服を剝いでいく。裸になった少女を、ソファーの上に押し倒す。本能的に少女が両足を閉じてしまう場合には、ベリヤは左手で少女の髪をひっつかみ、ソファーの木製の肘掛けに少女の頭を打ち付ける。少女は抵抗を諦める。うら若い処女の肉体に進入し、膜を破いていくこの瞬間の歓喜がたまらない。少女は声を張り上げて泣き叫ぶ。ふっくらした頰を流れるその涙を吸うのも好きだった。少女の方は、ウォトカとニンニクと歯槽膿漏の臭いが混じり合ったベリヤの口臭に吐き気をもよおす。

ときどき、ベリヤは獲物に対して、もう少し手荒ではない接し方をした。穏やかに微笑みながら、怖がる必要はないと説得した。親や兄、姉のことを尋ね、自分の意に従わないのなら、全員をラーゲリ送りにしてやると約束するのだった。

また、ルビャンカではなく、自宅に少女を連れ込むこともあった。そこで、少女にワインを飲ませる。ワインを飲んだ少女は眠りに落ちて、ベリヤは目的を遂げることができた。妻が在宅していても、一向にかまわなかった。妻には、書斎には絶対に足を踏み入れぬよう厳重に言い渡してある。グルジア生まれの妻は、大人しく従順だった。用済みになって、ベリヤの家からおっ放《ぽ》り出された少女が、そのままモスクワ川や高層の建物から身投げするということも、ときどきあった。

わずかこれだけ読むのに、一時間もかかってしまった。

「カーチャ、やっぱり英語はしんどいわ。それに、この資料はどれだけ信憑性があるの？

まるで見てきたような描写だけれど、それにしては、扇情的な読み物風だし」

「うん、たしかに彼の本には、噂やゴシップを膨らませたものが多いのだけれど、ここの、今シーマチカに読んでもらった箇所は、引っかかるのよ」

「引っかかる？」

「実は父が亡くなった直後、初めて母に聞かされた話があるんだ。父には黙り通したことだったらしいのだけれど……」

志摩は、ソビエト学校時代、志摩やカーチャのクラスより二級下のクラス担任だったカーチャの母親アンナ・マクシモヴナのことを思い出した。色白でマシュマロみたいにフワフワしたふくよかだが骨細な感じの美人だった。肉感的な唇と美しい歯並びをしていた。

「ま、まさか」

「そう。ベリヤの屋敷に連れ込まれたことがあったの。母から聞かされた話が、ここに書かれてある体験談とソックリなの」

カーチャは、今度はタイプ打ちの原稿らしきものを志摩の目の前に置いた。来年早々、おそらく『クレムリンの妻たち』（注8）というタイトルで出るラリサ・ワシリエワという新進ノンフィクションライターの原稿だという。レーニン夫人だったナジェジュダ・コンスタンチノヴナからゴルバチョフ夫人ライサまでの歴代クレムリンの権力者たちの妻や愛人たちに関する本人や近親者などの日記、手紙、聞き書きなどを集めて構成する予定らしい。志摩に読ませたいのは、その原稿の一部で、ベリヤの奥さんだったニーナの話の関連で、著者自身が年上の女友達から直接聞き出した話が紹介されている。

「著者が母に取材に来たのよ。母はもうボケが進んでいて、まともなインタビューにはならなくて著者に申し訳なかったんだけど、そのときにこの原稿のコピーをいただいたのよ」

とカーチャは言って早く読むように促す。

「カーチャ、ベリヤの話もいいけれど、これがオリガ・モリソヴナやエレオノーラ・ミハイロヴナの謎と関わってくるというのね?」

「当然じゃないの。ぜひ目を通して欲しいの。傍線にも注意してね。ここで『わたし』っていうのは、著者の友人のことだからね」


わたしは大学卒業を間近に控えていた。大学の近くに、ベリヤの屋敷があって、通学途中、何度か軍服を着用した男たちが、その屋敷の出入り口にたむろしているのを目にしたものだ。新聞や雑誌のグラビア、ニュース映画で知っているベリヤの姿も見かけることがあった。ある日、帰宅途中、ベリヤの屋敷前で何度か見かけたひどく太った軍服の男に呼び止められた。飛び抜けた肥満体だったものだから、わたしの記憶にとどまっていたのかも知れない。言葉遣いは、バカ丁寧だったが、魚のような無表情な目が気味悪かった。

「お嬢さん、お話しさせていただけませんか」

「どういうことです?」

「ある方が、あなたを招待したいとおっしゃってる」

「招待？　どなたですか、それは？」

「決して怪しい方ではありません。ご存知でしょう、お嬢さん、わたしがお仕えしている方を。その方が、ぜひとも、お嬢さんをお招きしたいとおっしゃってるんです」

「でも、同志スターリンは、常に警戒心を持てと言っております。応じるわけにはいきません」

「ですから、何度言わせるんです。わたしがお仕え申し上げてる方をご存知でしょう。何度か、あなたをお見かけして、ぜひともいろいろ援助したいとおっしゃっている」

男は、決してご主人さまの名前を口に出さない。わたしは何一つ援助など必要とは思っていなかった。しかし、振り払おうと思っても、男はしつこく食い下がる。わたしが歩き出すと、一緒に歩き出す。道路を横切っても、さらに付いてくる。そして、同じことを繰り返す。こちらも同じ答えを繰り返す。

「ですから、この招待に応じたら、決して損にはなりませんよ、お嬢さん。今、お嬢さんは、お母様と同居しておられる。その住所だって、こちらは知っているんですから」

「…………」

目の前の景色が暗転した。

「お嬢さんのことは、何もかも知っているんです。夜の一〇時には、お迎えの車を差し向けますから。玄関先に車を付けるような無神経なことはしません。少し離れたところに駐車してお待ちしてますよ」

そう言うと、軍服の男はその場を立ち去った。わたしは市電に乗った。すると、続いて小柄な青年が市電に飛び乗る。青年はわたしが下りる停留所で下り、わたしの住むアパートのフラットまで階段をのぼって付いてきた。これ見よがしに尾行されたってわけだ。青年はフラット番号を確認すると、クルリときびすを返して階段を駆け下りていった。部屋の窓からのぞくと、建物から出た青年が庭を横切り、待ち受けていた黒塗りの車に飛び乗るのが見えた。

　夏時間に加えて勤務時間が大幅延長されていたため、母親の帰りは遅かった。わたしは、グレーのスーツを出してアイロンをかけた。着ていたカジュアルなピンクのワンピースから改まったスーツに着替え、共産主義青年同盟《コムソモール》員バッジを付けた。もしかしたら、あの男の言うように恐れることはないのかも知れない。卒業後のいい就職先を世話してくれるだけかも知れないとも思えてきた。

　一〇時一五分前に、黒塗りの車が、先ほどと同じ場所に止まった。表へ出ると、男が立っていた。わたしが車に乗ると、運転手が男に向かって尋ねた。

「ボリス・アントノヴィッチ、どこまで？」

「レーニンが丘まで。お嬢さん、これから、モスクワ大学の新校舎を見に行きましょう」

「こんなに夜遅く？」

「外はまだ明るいではありませんか。それに、新校舎の建設には、あの方のひとかたならぬご尽力があったのですし」

相変わらず男は、ご主人様の名前を口にしない。

秋の新学期には完成するというモスクワ大学新校舎の正面玄関とモスクワ川を見下ろす丘の中間地点で車が止まった。男は外に出ようと言う。従った。

「あの方にお会いいただけますね。とにかく、ぜひともお嬢様にお会いしたいとのことですから」

「会って、その先は？」

「何もかも欲しいものが手に入るようになります。今のアパートから良いマンションに移ることになります。そうそう、電話はお持ちですか」

「いいえ」

「すぐに電話を取り付けさせましょう。ところで、お母様の勤務先は？」

「時計工場ですけれど、そんなこと、どうでもいいではありませんか。援助なんて、余計なお世話です。何のためにわたしなんかが必要なんです？」

「お嬢さんのことは、かなり以前から観察させてもらっています。質素な暮らしぶりに謙虚な人柄。これに好感を持っています。ぜひともお役に立ちたい。たとえば、よい就職先をお世話したいし」

「それで、どうすればいいんです？」

「お分かりいただけましたね。こうなったら、善は急げです。すぐ車で、今日最初にお会いしたところまで行きましょう。もう遅いですし、あまりお時間を取ることもないと思いますよ」

　母親が家に戻って今頃、自分の帰りが遅すぎるのを心配しているだろうと、わたしは思い、車に乗り込んだ。またたくまに車は目的地に到着した。促されて屋敷の玄関ホールに入った。男はある部屋の扉を開け、わたしを導き入れると、後ろから鍵をかけてしまった。巨大な長方形のテーブルと革張りの椅子が調度された大きな部屋に、わたしはひとりぼっちで取り残された。

　いきなり、猫のように音もなくベリヤが目の前に現れた。わたしは挨拶し、ベリヤは握手を求めてきた。そして革張りの椅子に腰掛けるよう促し自分も隣に座った。老人だった。鼻眼鏡が余計老いを際だたせていた。写真などで見るより、はるかに老いぼれていた。いろいろ尋ねてくる。男は全部調査済みと言っていたが、何も知らないではないか、と思った。

「家族の中に逮捕されたものはおるか？」

「はい」

「誰だ？」

「叔母の夫です、母の妹の。その叔母と同じフラットに住んでいるんです」

「苗字は？」

　わたしは叔母の苗字を言ったが、ベリヤは顔をしかめて、

「その苗字は聞いたことがないなあ。ところで、母親の勤め先は？」

　わたしは答えたが、ベリヤは答えには少しも関心なさそうで、黙ったままずーっとわたし

の身体全体に目を走らせた。

「なんで、あのピンク色のワンピースを着替えてしまったんだ？　とても似合っていたのに。まあ、このスーツも悪かないが、オフィシャルな感じがね」

「でも、オフィシャルなお話だと思って伺いましたが」

「もちろん、そうだ。だが、その前に夕食をとらなくては」

そう言ってベリヤはボタンを押した。よく見ると、長いテーブルの表面は、ボタンだらけだった。音もなく女が入ってきた。部屋の床は毛の長い絨毯が敷き詰められていることに、今更ながら気づいた。そして、どの窓もビロードの分厚いカーテンで覆われていることにも。色は深紅。

「夕食の用意を頼む」

ベリヤの後について巨大な部屋を出た。次の部屋は、やや小さかったが、かなり大きく、たくさんの彫像が所狭しと置かれていた。次の部屋は、大きくはなかった。すでに二人分の食卓が整っていた。葡萄酒に果物、それにパン。

ベリヤはうまそうに食べはじめた。わたしのグラスに葡萄酒を注いだ。

「同志スターリンは、常に警戒心をと言っています。わたしは、飲みません」

「口を湿らすだけでもいいから」

葡萄酒は口を付けた振りだけして、わたしは食べものだけは口にした。ベリヤは、家族のこと、大学のことなど、わたしを質問攻めにした。

「すると、家では母親一人が君の帰りを待っているわけだ。そうだ、今頃娘の帰りが遅いと心配しているだろう。すぐに手紙を書きたまえ、明日朝帰るから心配しないように、とね」

突然わたしは震えが止まらなくなった。青年が部屋に入ってきて紙と鉛筆を置くと、すぐに部屋を出ていった。

「さあ、『ママ、心配しないで、友達のところにいて、朝には帰るから』と、そう書いてやりなさい」

「いやです。わたし今すぐ家に帰ります」

「それは、難しいねえ。もう真夜中だし。バスも電車も動いていない」

わたしの震えはさらに激しくなった。女が入ってきて紅茶を置いた。茶碗に歯が当たってガタガタ鳴った。

「さあ、早く寝よう」

ベリヤはわたしをバスルームに連れていき、自分は出ていった。入れ違いに雲を突くような大男が入ってきて言った。

「あのカーテンの向こうにバスタブがある。身を清めるんだな」

「身を清める必要なんてないわ。十分に清潔なの。風呂になんか入るもんですか」

そう言いながらも、身体が揺らぐほど震えている。大男は出ていった。バスルームを出ると、寝室だった。大きなダブルベッドが構えていた。今度は女が入ってきた。先ほどの夕食の準備をした女だったのか、別の女だったのか、無表情な顔と声だけは同じだった。

「ここで着替えて、このベッドに寝て下さい」

ネグリジェをベッドの上に置いていった。動転していて震えが止まらないのに、シーツが上等なバチスト織りであることを確認している自分がいる。女は出ていった。わたしは、ネグリジェには着替えず、シュミーズのまま、ベッドに横たわり、毛布を羽織った。身体をエビのように丸くした。三〇分ほどしてからだろうか、また音もなくベリヤが入ってきた。長い寝間着姿だった。ベッドの脇に腰掛け、しばらくわたしが震えているのを見つめていた。

「こんな美人が、何を恐れているのかね」

肩に口づけをはじめた。わたしの震えはさらにひどくなり、必死でベリヤをはねのけた。

「怖がることとないって。処女なんだね。まだ、男はいないのかい」

「いません！」

小声で言ったつもりが、悲鳴になっていた。

「いくつなんだい。一七？　一八？」

「二一……」

「それで、今まで何も無かったのかい」

「……はい」

ベリヤは何かわけの分からない独り言をブツクサ言いはじめた。不気味だった。しばらくすると、いきなり思い出したように、わたしの肩に口づけをして、尋ねた。

「お嬢さん、ほんとに何も無かったのかね？」

「はい」

ベリヤの目に睨み付けられると生きた心地がしなかった。ものか虫けらを見るような目。わたしの震えは、さらに激しくなる。突然、ベリヤは立ち上がって音もなく出ていった。

大きな寝室に一人取り残されたが、もちろん眠れるわけがない。両目の水分がカラカラに乾ききってしまうほどまんじりともせずに膝を抱き毛布にくるまって過ごした。

「このまま自分は家に帰されずに抹殺されてしまうかも知れない」

何度振り払っても、そんな胸騒ぎが、引いては返す波のように押し寄せてくる。居ても立ってもいられなくなり、わたしは窓辺に走り寄って、重いカーテンをめくった。三重のガラス窓と格子ごしに空が白けていくのが分かった。

扉が開き、例の肥満体の軍服男が現れて告げた。

「六時には、車が来る。その車で家までお送りしましょう」

五時半頃、女が入ってきた。まるで汚物か雑巾をみるような目でわたしの方を見やりながら、

「服を着るように」

と命じた。すぐさま言うとおりにした。それから車に乗り、自宅に送り届けられるまでのなんと長く感じたことか。母は、わたしの姿を確認すると泣き出してしまった。心配で心配で一晩中一睡もできなかったという。母には全てを話した。意外にも、たいして驚かなかった。そして、わたしがベリヤに犯されずに済んだことを知って安心しきった様子だった。

しかし、わたしの方は安心できなかった。それで大学の指導教官のお宅を訪ねた。博学多識でありながら、優れた常識家でもあり、何より学生想いの教授である。わたしの話を聞くと、教授は急いで全ての窓のカーテンを下ろして言った。

「これからは、他人の家にあまり出入りしないように。他人まで不幸に巻き込むことになるからね。ここを出るときも、別な道を通って帰るように」

その上で、教授は、ベリヤの漁色癖については、すでに世間にはかなり知れ渡っていることと、今まで何人もの女性がその毒牙にかかって人生を台無しにされていることなどを早口でまくしたてた。

「君がからくも助かったのは、おそらく高齢のせいもあって、疲れていたベリヤは、そのときインポテンツになったんじゃないかね。でも、これでことは済まないような気がする。とにかく、すぐにモスクワを離れなさい。周囲の隣人たちには居場所を告げずに、なるべくモスクワから遠いところへ姿をくらますんだ」

言われたとおり、隣人たちには「ボロネジ郊外に行く」と言い残して、わたしはシベリアのイルクーツクの姉のところに身を寄せた。ちょうど母の長期出張とも重なった。八月下旬にモスクワの自宅に戻ってくると、隣人たちは、留守中に何度も男が訪ねてきて、わたしの行き先を聞いてきたという。

帰宅後二日目に、あの最初の日にわたしを尾行した青年がやって来た。

「ああ、やっとボロネジからお帰りになったようで。少佐が、ボリス・アントノヴィッチがお目にかかりたいと言っております」

ほどなくして、肥満体の少佐がアパートの玄関前に現れた。

「用件は何なんです!?」

「用件って、ご存知でしょう、あの方がお嬢さんにお会いになりたいと申しておりまして」

「あの方ですって、なんで名前を言わないんですか?」

少佐は、あきらかに落ち着きを失った。

「自分は職務を履行しているだけです。上司の命令に背くわけにはいかんのです」

「二度とここに来ないで下さい!」

「お嬢さん、こちらは、あなたのことは何から何まで把握していることを忘れないように」

「ふん、それは嘘だわ。わたしはボロネジ郊外ではなくシベリアに行っていたのに、知らなかったじゃないの。とにかく、二度とわたしの前に現れないで!」

閉めようとする扉と扉枠の間に片足を挟み込んできて、少佐は魚のような目でこちらを睨み付けた。

「お嬢さん、必ずまたお会いすることになりますよ」

その通りになった。九月から小学校に勤めるようになったわたしは、絶え間なく尾行につきまとわれるようになった。街角で振り返ると、あの魚のような目に射すくめられることが度々起こった。しかし、わたしも決して一人歩きしないようにしていた。街に出ると、建物から離れて歩くようにもした。建物の上からいつ煉瓦を頭上に落とされるやも知れないから、と姉が忠告してくれたからだ。

　尾行は一一月まで続いた。ある日、誰からも監視されていないことに気づいたときの解放感は言葉にならないほどだ。翌年の三月にスターリンが死に、春が来た。五月末には、学年度が終了し、六月、わたしは休暇先で、ベリヤの裁判が始まったというニュースを知った。


「シーマチカ、母の場合も、この手記の女性よりも四年ほど前の八月はじめのある日、同じように屋敷に連れ込まれて、でも年齢が二〇歳過ぎと分かったとたんに、ベリヤは興味を失って、無事帰されたというのよ」

「カーチャが線を引いた理由は、読めてきた。魚のような目をした肥満体の軍服男、少佐のボリス・アントノヴィッチは、われわれの知っているミハイロフスキー大佐と同一人物ではないかと、睨んでいるのね。たしかに、風体もそれらしいし、何より名前と父称が一致している。でも、そうだとしたら、カーチャのママのアンナ・マクシモヴナも逢っているはずでしょう。ソビエト学校で再会して気づかなかったはず無いと思うんだけど」

「それが、母の担当は、肥満体の少佐ではなかったの。瘦せぎすで背の高い男で、大佐と呼ばれていたと言っていた。ほら、タデシュ・ウィトリンの本の中にも、ベリヤの尋問調書の中にも名前が出てきたサルキソフ大佐だと思うんだ。それから、この手記の女性との大きな違いだけれど、母の場合は、その後一切尾行に付きまとわれることは無かったのよ。それより、ほら、シーマチカ、こちらを見て」

カーチャは、今まで志摩が読んでいた原稿を取り上げて、別な本の、付箋を付けたページを開いて見せた。妖艶な美女の写真である。懐かしい目。忘れもしない、あの目。

「似てるでしょう」

そうだ。レオニードの目をしている。キャプションを読む。

「ベラ・コロコロワ。ボリショイ・オペラの美人プリマ。ベリヤのあまたの犠牲者の一人。ベリヤの執拗な求愛を拒んだことは、高くついた。ラーゲリに送られ、その後、名誉回復されるも、ラーゲリ滞在中に健康を害して釈放後ほどなくして死亡」

「そうか、レオニードのママは、反コスモポリタン・キャンペーンのさなか、スパイ容疑で逮捕されたことになっていたけれど、こちらが本当の理由だったんだ」

「シーマチカ、でも変だと思わない？」

「えっ、何が？」

「ベラ・コロコロワの容姿は、たしかに男を惹き付ける悩殺的な魅力に溢れている。わたしが男なら、間違いなく我を忘れるほどに夢中になったと思う。でも、これは、ベリヤのタイプじゃないのよ！」

「そういえば、そうだ。カーチャが線を引いてくれたように、ベリヤは偏執狂的に一〇代の処女にこだわっていたものね。漁色家だったけれど、女なら手当たり次第というわけでは決してなかった。色白でぽっちゃりしたタイプが好みだった」

「そうなのよ。ベリヤに関する同時代人の証言の、どれを見ても、一九三九年のＮＫＶＤ長官就任から逮捕される一九五三年までの全期間を通して、ベリヤに付け狙われた女性たちは、みな一〇代のぽっちゃりタイプなのよ。もう信じられないような一辺倒なの。だいたい、奥さんのニーナだって、まだ少女時代に見初められて一六歳の幼妻として嫁いだものの、大人の女になってからは、全く見向きもされなかったらしい。ほら、今度は、こっちの本」

カーチャはまたまた別な本を志摩の目の前に差し出した。

「フルシチョフの娘婿だったA・アドジュベイって男が、つい最近出した本なの。ジャーナリスト出身で、舅がソ連共産党のトップにいた頃は、飛ぶ鳥落とす勢いで国内最大紙『イズベスチヤ』の編集長をやってたんだけど、舅が失墜したとたんに公的場面から姿を消していた。ペレストロイカが始まって、やっと発言できるようになったのね。それで、スターリンの死の前後のことも回想しているんだけど、スターリンの生前は、フルシチョフもベリヤもスターリンの取り巻きとして家族ぐるみのおつき合いをしているのよ。で、ここの囲みつけたところ、読んでみて」

ベリヤの屋敷はサドーワヤ環状線とカチャーロフ通りの角にあった。蜂起広場の高層ビルのすぐ近くだ。もっともサドーワヤ環状線とカチャーロフ通り沿いには背の高い石塀が張り巡らされていて、中に建つ低層の屋敷は見えないようになっていた。塀際を通り過ぎるとき人々は、自然に足早になり、寡黙になる。当時は屋敷を警備する制服の男たちが、威圧的な視線を通行人に投げかけるのが常だった。

一九四七年だったか、ある日ベリヤの息子、セルゴの婚約発表パーティーに呼ばれてその屋敷に行った。セルゴは、文豪ゴリキイの孫娘、美女の誉れ高いマルファ・ペシコワと結婚することになったのだ。マルファも婿も、遠慮深く控えめだった。マルファの妹で、演劇学校の学生だったダリヤだけが、ひどく自由奔放に振る舞っていた。

それから、ほどなくして、同じ屋敷にベリヤの一七歳の愛人Lが住みついた。愛人はその屋敷で娘を産んだ。ベリヤの妻のニーナは、愛人との同居に耐えていた。おそらく、八方ふさがりだったのだろう。Lの母親が屋敷に乗り込んで泣きわめき、ベリヤの頬を平手で何度も叩いたのに、ベリヤはそれに耐えていた、という話だ。あくまでも噂なので、実際にそうだったのかどうかは知らないが。しかし、Lは屋敷での生活におおいに満足したらしく、それで母親も事態を受け容れたのだろう、大人しくなったらしい。

今もしばしばLを見かける。すでに若くはないが、未だに震いつきたくなるような魅力的なブロンドである。その度に思うのだ。恋愛と悪行は両立し得るものなのだな、と。(注9)

「たしかに、カーチャの言うとおり、ベリヤは筋金入りの少女マニアだ……そうか。この写真を見る限り、ベラ・コロコロワは、どう見ても、ぜんぜん違うタイプだ。成熟した大人の女のお色気が漂っているものね。身体の線は豹のようにしなやかで、決してぽっちゃりタイプではないし」

志摩とカーチャの目が合った。志摩の頭に浮かんだ考えに、おそらくカーチャはとっくの昔から到達していたのだろう。それを確かめるように志摩は続けた。

「ベリヤという虎の威を借りてベラ・コロコロワに言い寄って、はねのけられた腹いせに彼女を収容所送りにした男がいたのではないか。そういうことができる人物は限られている。それが、ベリヤの使い走りをしていた魚のような目をした肥満体の少佐、すなわち、われわれの知っているミハイロフスキー・ボリス・アントノヴィッチ大佐ではないか。そう、カーチャは考えているのね」

カーチャは黙って頷いた。

「痩せぎすでのっぽのサルキソフらしい軍人に声をかけられたカーチャのママは、ベリヤの関心外だと判明してからは一切付きまとわれなかったのに、デブの少佐は、それ以後も女性にしつこく付きまとっている。たしかに、これは怪しい。でも、もう少し資料的裏付けが欲しいところね。カーチャはこれ以外にベリヤの被害者だった女性たちの手記や聞き書きに目を通したことないの？　そこでも、連絡係が背の高い痩せた男の場合と肥満体の魚目の場合とで、違うの？」

「実は、連絡係の軍人については、どれも詳しく記していないの。ことがことだから、どの女性もあまり詳細には述べてないのよ。直接出向いて取材しようと思ったのだけれど、この手記と同じように、皆本名を伏せてあるから、調べようがなくてね」

「すると、デブの魚目が怪しいという資料は、この一点だけなんだ。だけど、ベラ・コロコロワを陥れたのが、デブの魚目、イコール、ミハイロフスキー大佐とするのは、ちょっと飛躍しすぎではないかな。他にも怪しい人物はいたでしょうに。たしかに、われわれの知っているミハイロフスキーも手当たり次第きれいな先生方を口説いていたから、ひどく女に意地汚い男だったことは間違いないけれど、この手記の中にあるデブのボリス・アントノヴィッチ少佐がミハイロフスキー大佐と同一人物だという確証があるの?」

カーチャは首を横に振った。

「カーチャ、ベリヤのための女性調達係をしていたという、サルキソフもナダリヤもベリヤに連座して処刑されているのでしょう? そのデブの少佐だって、当然処刑されているでしょうに。生き残って、KGBの大佐を続けられたことの方が不思議だと思うの」

「シーマチカ、驚くほど目の付け所がよく似ているね、あたしと。それを調べたんだ」

カーチャは、そう言いながらスーツケースの中から、二枚の紙を取りだした。新聞の紙面をコピーしたもののようだ。

「ほら、見て。これは、一九五三年七月一〇日付けソ連邦共産党中央委員会機関紙『プラヴダ』の紙面。縮小コピーだから、これも使って」

赤鉛筆の囲みの部分を指さして志摩に虫眼鏡を手渡す。こういう用意周到なところは、昔のままだ。

「先日、ソ連邦共産党中央委員会総会が開かれ、中央委員会幹部会議長、同志G・M・マレンコフによる、外国資本の利害のためにソビエト国家の壊滅をめざし、内務人民委員会を政府およびソ連邦共産党の上に君臨させようという背信的犯罪に如実に表れたL・P・ベリヤの反党的、反国家的行動に関する報告を受け、L・P・ベリヤを共産党と全ソビエト人民の敵としてソ連邦共産党中央委員の役職から解任するとともに、ソ連邦共産党の隊列から除名する決議を採択した——すっごい長たらしい文章だね」

「その先も読んでよ」

「同時に中央委員会総会は、L・P・ベリヤのもとで長年にわたってその反党的、反国家的犯罪に加担していたV・N・メルクロフ、V・G・デカノゾフ、B・Z・コブロフ、S・A・ゴグリーゼ、R・Y・メシク、L・E・ウラジミルスキーの六名に関する取り調べを迅速に進めるよう司法機関に促した——ここには、サルキソフの名もナダリヤの名も無いわねえ」

「イニシャルがB・Aの人物も見あたらないでしょう。それから、これも読んでみて。こちらは、さらに半年後の一二月二四日付けの『プラヴダ』なの」

カーチャは、もう一枚の紙を志摩の前に差し出す。

「約六カ月続いた、L・P・ベリヤの犯罪に関する取り調べは、一二月一七日に完了した。これを受けて、一二月一八日から二三日までの六日間にわたって軍事評議会が開かれ、厳正なる尋問内容の確認と公正な議論に基づき、L・P・ベリヤ、V・N・メルクロフ、V・G・デカノゾフ、B・Z・コブロフ、S・A・ゴグリーゼ、P・Y・メシク、L・E・ウラジミルスキーの七名全員に死刑が宣告され、一二月二三日に死刑は執行された——うん、ここにも、女性調達係だった側近たちの名前はないねえ。サルキソフもナダリヤもB・Aも。

新聞に載らないような、取るに足らない下っ端だったからじゃないの？」

「わたしも、もちろん、それは考えた。Ｂ・Ａはともかく、サルキソフとナダリヤについては、あちこちの手記や文学作品や正式の尋問証書とやらの常連なのよ。ベリヤの女性調達係として頻繁に登場している。なのに、不思議なことに、どこをどうひっくり返しても、彼等の処刑について、具体的な期日と場所と罪名について記した資料を見たことがないのよ。忽然と消え失せているの」

カーチャは、スーツケースの中から書類の束を取りだした。人名らしきものが箇条書きでタイプ打ちされている。

「これは、粛清の犠牲者の遺族が作成した、国民監視と抑圧の機関、つまりＮＫＶＤの職員やエージェントで処刑された人たちのリスト。遺族の人たちは当初、自分たちの大事な肉親を殺した死刑執行人や拷問執行人を捜し出そうとして、ＮＫＶＤの職員名簿に当たったのだけれど、あまりにも多数の職員が処刑されているのに驚いたの。彼らは相互に監視し合って食うか食われるかの殺伐たる世界に身を置いていたようね。ほとんどの死刑執行人が、しばらくして自分も処刑されてしまったみたい。だから、死刑執行人名簿を作るはずが、処刑者リストになってしまったってわけ。これが、そのリスト。凄い人数でしょう。一九五三年以降に処刑された人たちのリストは、ここから先なんだけれど、ここに、サルキソフもナダリヤも見当たらないでしょう。イニシャルがＢ・Ａの人たちが一九名いて、その履歴を見る限り、当てはまらないんだなあ。こうなると、彼等はもともと存在しなかったのでは、とさえ思えてくるのよ」

「そうか。ボリス・アントノヴィッチは、フィクションだったのか、それとも単なる通称で本名は別にあるのか、それとも、生き延びたのか。カーチャは、生き延びてプラハに武官として赴任していたと考えるわけね」

カーチャは頷いた。

「ミハイロフスキー大佐は、一時カザフスタンのアルジェリアに勤務していたことだけは間違いないようだから、NKVDの職員だったのは確かだわね」

「シーマチカ、それについては、明日、いや、もう今日か。今日の一一時、ガリーナ・エヴゲニエヴナに確認することになるわね」

「でも、アルジェリア勤務の後、ベリヤのもとで働いていたのかどうかについては、今のところ、この手記しか手だてはないのでしょう」

「シーマチカ、ベラ・コロコロワの写真を、もう一度見て。顔は似ていないけれど、体形とか雰囲気とかが良く似た人が思い浮かばない？　首と顎のあたりとか、胸からウエストにかけてのラインとか。ほら、よーく見て。分からないかなあ。あっそうそう、こちらにも、いくつかスナップがあるのよ」

カーチャは、今度はスーツケースの中から分厚い本を引っぱり出した。表紙のタイトルには、『ボリショイ・オペラ往年のスターたち』とある。カーチャが開いた頁には、ベラ・コロコロワの三つの写真があった。椿姫に扮したのと、トスカに扮したのと、素顔の正面から撮影したのが。カーチャが写真の顔の部分を隠して見せた瞬間、志摩は声をあげた。

「あっ」

「そう、ミハイロフスキー大佐の若い奥さんよ。胸が大きい妖艶な美女」

大使館のパーティーでミハイロフスキー大佐夫人がジプシー・ダンスを踊ったときに、大きな胸がゆさゆさ揺れて男の人たちがひどく喜んだとスヴェータが報告してくれたのを、志摩はつい昨日のことのように思い出した。

「カーチャ、あたしがミハイロフスキー夫人を見かけたのは、二、三度しかないし、ベラ・コロコロワについても写真で判断するしかないのだけれど、同じタイプの女って、まさに、こういうのをいうんでしょうね」

「でしょう。ミハイロフスキーは、女に意地汚かったけれど一応かなりはっきりした好みも持っていた。それが、このタイプだったのよ。この写真を見たとき、あたしは確信したの。ベリヤのもとでご主人の女漁りのための使い走りをやって、ときどきそのおこぼれにあずかっていたデブの魚目少佐はミハイロフスキー大佐だって。そして、レオニードの母親のベラ・コロコロワを死に追いやったのも、ミハイロフスキー大佐だって」

「ねえ、カーチャ」

思わず志摩はカーチャの手を握りしめた。恐ろしい想像が雨雲のように急速に膨らんできて頭の中が真っ黒になっていく。

「ねえ、カーチャ、レオニードは、このことに気づいたはずだよねえ。レオニードは、あたしたちのソビエト学校に転校してきたのは、カーチャの四カ月後、一九六一年の一月だから、ミハイロフスキーが死亡した同年三月には、プラハにいたことになるものね」

「おそらく、大使館に出入りすることがあれば、ミハイロフスキー大佐だけでなく、自分の母と感じがよく似たミハイロフスキー夫人にも会う機会はあったでしょうね」

「ねえ、カーチャ、ミハイロフスキーは、本当に病死だったんだろうか？」

12

モスクワ市第三三病院は鬱蒼たる針葉樹林の中にあった。しかも病院の敷地の向こうには、広大なソコーリニキ公園が広がる。門柱のタイルは剝がれ、塀のあちこちが崩れていたし、門扉は傾いていたが、病院の敷地そのものは広大で、病棟は樹木に埋もれるように点在している。敷地内を歩いていると、一瞬、ここがモスクワの中心部であることを忘れてしまいそうになる。

「どこの病院も、今、国からのお金がストップして苦しいんだ。医師や看護婦は賃金が遅配続きだし、中に入ったらシーマチカは腰を抜かすんじゃないかなあ、医療機器があまりにも時代遅れで」

さすがのカーチャも、こういう場面になると、自国を代表する気分になるらしい。恥ずかしそうに、言い訳している。

「でもこの豊かな緑は最高の贅沢だよ。まるでサナトリウムみたい。入院しながら森林浴ができてしまうじゃない。日本だったら考えられないよ」

「へえーっ、面白い。そんなことに感動するなんて。隣の芝生はよく見える、じゃなくてオリガ・モリソヴナふうにいうと、他人の掌中にあるチンボコは太く見えるって本当だ。病院は緑に囲まれてて当然ってずっと思ってきた。法律で決まっているのよ。病院の敷地の緑地比率は、たしか七〇パーセントか八〇パーセントだったような。それより、あたしたちはいつも日本の進んだ医療機器が羨ましくて仕方ないのに。あっ、ここだ、六号棟。ここの六階の六五八号室だったわね」

病棟の玄関の扉を押したところで、ガウンを羽織った男の患者と鉢合わせた。

「いや、これは申し訳ない。どうぞ、どうぞ、お嬢様方」

男は、扉を手で押さえながら、志摩とカーチャに道を譲る。

「あら、病院の主人公は患者さんなのに、悪いわ。ありがとうございます。ところで、ここは、循環器病棟でしたよね」

「ああ、そうですよ。循環器の鍛錬にはピッタリの病棟です。エレベータがここ一週間、故障してますからね」

そんなわけで、六五八号室にたどり着いた時には、志摩もカーチャも息を弾ませていた。病室には、ベッドが八つあって、本や新聞を読んでいる者、携帯ラジオをイヤホンを付けて聞いている者、面会人と談笑している者、散歩や診察にでも行ったのか、不在の者もいた。見たところ、軽症の患者ばかりの病棟のようで安心した。ガリーナ・エヴゲニエヴナは入り口から右手の一番奥、窓際のベッドに上半身をベッドの背もたれにもたせかけて、何やら熱心にベッド際の男と話し込んでいた。そばに行っていいものかどうか、志摩とカーチャが顔を見合わせたところへ、背後から声がかかった。

「あらあら、ちょうど良うございましたこと。お二人の分も見越して入れてきましたのよ」

振り向くと、マリヤ・イワノヴナが紅茶を注いだ紙コップを五つ載せたトレーを掲げて立っている。ガリーナ・エヴゲニエヴナの面会人を目線で指してささやいた。

「息子さんですって。お嫁さんとお母さんがうまくいかなくて、あまり行き来はないらしいけれど、こういうときは、やはり御心配なんでしょうね」

ガリーナ・エヴゲニエヴナも、こちらの気配に気づいて華やいだ声をあげた。

「ああお待ちしていたんですよ。早くいらして、早く、早く。こちら息子のワジム」

カーチャや志摩とほぼ同年輩の上背のある男は立ち上がって挨拶した。

「母が世話になってます。では、僕は失礼します」

「あら、そんな」

「いえ、仕事抜けてきたもんですから。じゃあ、ママ」

母親の頰に口づけをして出ていった。

「すごいハンサムですね」

「ほほほほ、そう思います？」

ガリーナ・エヴゲニエヴナはまんざらでもない顔をする。

「アンドレイにどことなく似ているの」

一九三七年に逮捕され銃殺された夫の名前を言ったので、志摩はギョッとした。一九三八年生まれとしたら、ワジムは今五四歳。でも今見た限りでは、はるかに若く見える。

「ガリーナ・エヴゲニエヴナ、もしかして、ラーゲリで出産されたんですか？　でも、その経緯は、手記に一切著されていませんでしたよねぇ」

「もちろん、ラーゲリで出産はしていませんよ。ワジムはアンドレイの息子ではなくて、流刑先で出会った二人目の夫とのあいだにできた息子です」

　それから、ガリーナ・エヴゲニエヴナはうつむいて消え入るような小声になった。

「二人目の夫に惚れたきっかけは、アンドレイに似ていたからだと思うの」

　年頃の乙女のような恥じらいだった。志摩とカーチャが質問を投げかける頃合いを測り損ねていると、マリヤ・イワノヴナが助け船のように差し出した紙コップを受け取り、紅茶とともに恥じらいをも一気に飲み干した。

「そうそう、でもラーゲリで出産した女は何人かいましたよ。乳飲み子でいるあいだは、日に三度だけ仕事場を離れて乳をやりに行くことが許されていましたしね。女たちは、無条件に妊婦を大切にし、できるだけその負担を軽くしてあげるために、仕事の肩代わりをしたり、食事も多めに配分してあげたり、細やかに配慮していましたのよ。そうせずにはいられなかったからなのだけれど、ラーゲリに収容される前に子供と引き裂かれた多くの女たちにとっては、それはとても辛いことだった。彼女たちを見ているわたしたちも辛かった。とりわけ不憫だったのは、アリョーナ。彼女の話は、手記で読んで下さってましたね。それに、エレオノーラ・ミハイロヴナだった」

「そのエレオノーラ・ミハイロヴナの背格好は？」

「背丈はロシア女性の平均よりはかなり小柄でした。一六〇センチは無かったと思いますよ。でも、とても上品な愛らしい方で、一九世紀ロシア文学黄金時代の、そう、ツルゲネフの小説の登場人物のようなしゃべり方をするんです。アルジェリアには個性豊かな女性が多かったけれど、あれほど美しい古風なロシア語を話すのは、エレオノーラ・ミハイロヴナだけだった」

「髪の色は栗色じゃございませんでしたこと？　年の頃は、三〇代から四〇代にさしかかった頃」

マリヤ・イワノヴナが身を乗り出した。

「いいえ、白髪でした。美しく結い上げてましたけれどね。だから、一見、七〇歳にも八〇歳にも思えたけれど、実際には、まだ四〇歳にもなっていないと聞きました。アリョーナは、ラーゲリ抑留二年目にして初めて、逮捕時引き裂かれた娘がとっくに死んでいたと知らされた日に白髪になってしまったけれど、エレオノーラ・ミハイロヴナは、アルジェリアにたどり着いた時には、すでに白髪でした」

「瞳は？」

「灰色。あの限りなく優しくて悲しい灰色の目を思い出すと、いまでも切なくなります」

志摩もまた、エレオノーラ・ミハイロヴナの灰色の瞳に見つめられたときの感触が甦ってきて胸が締めつけられた。灰色の瞳をやわらかく輝かせながら、まじまじと志摩の顔を見つめ、決まって同じ質問をした。

「お嬢さんは、中国の方ですの？」

「いいえ、わたしは日本人です」

と答えるたびに、一瞬にして灰色の瞳から華やぎが消えて、言いしれぬ寂しさが漂った。

「エレオノーラがあの若さで総白髪になってしまったことからして、想像を絶するひどい目にあったのだということは、すぐに察しがつきました。でも、可哀想に、よっぽど辛かったのでしょう、記憶の一部が完全に欠如しているようでした。日常生活には、まったく支障無かったし、その他の記憶力はむしろ人より優れているほどだったのだけれど、彼女の身に起こった最も恐ろしいことについては、彼女ではなく、ブティルカ監獄で彼女と同じ獄房だった何人かの女たちや、アルジェリアに来てからエレオノーラと旧知の仲だったことが判明したオリガ・モリソヴナことバルカニヤ・ソロモノヴナから聞き出したあれこれの断片を、わたしなりにつなぎ合わせて想像するしかないんです。だから、そのつもりで聞いてくださいね」

そう断った上で、ガリーナ・エヴゲニエヴナはベッドの上で座り直し、語り始めた。

エレオノーラと接触する機会があったのは、彼女がラーゲリでフランス語の技術文献の翻訳をさせられていて、建設関係の専門用語で分からないことがあると、建設部設計班に尋ねに来ることがよくあったからなんです。立ち居振る舞いも言葉遣いも、仕事の進め方も優雅でエレガントで、わたしたちのようにがさつなところが微塵も無いでしょう。当然、好奇心が湧いてくるのだけれど、あの白髪と灰色の瞳に宿る悲しみを思うと、質問をするのが躊躇《ためら》われてしまって。口をついて出るのは、無難な話ばかり。

ところが、ある日、設計班に同じ建設部資材班のタマラが顔を出したの。タマラはウズベク人。タマラの姿を認めるなり、エレオノーラは喜色満面になって立ち上がりタマラに駆け寄ると、タマラの顔を食い入るように見つめて、何か口走ったの。タマラにも、そこにいた誰にも分からない言葉だった。皆が取り囲んで、エレオノーラの肩を抱き、手を握りしめて、呼びかけた。

「どうしたの？　何がいいたいの？」

エレオノーラは、正気に戻ったけれど、同時にすっかり意気消沈してしまって、力無く答えた。

「彼女は、中国人ではないのね。シャオツィーやシャオツィーとわたしのあいだに生まれた娘のこと、何か知っているかもしれないと思ったの。ごめんなさいね」

「エレオノーラのご主人は、中国の方だったの？」

エレオノーラは頷いた。

「さっきのは、中国語だったのね」

エレオノーラはまた頷いた。そして、灰色の瞳からとめどなく涙が溢れてきた。

「中国人のご主人とは、どこで出会ったのですか？」

「パリ」

「パパパパリって、フランスのパリ？」

「ええ」

「それは、いつ頃のこと？」

「第一次大戦が終わってから五年ほど経っていたかしら。わたしが一八歳になった春だったかと記憶しています」

「エレオノーラは、また、なぜ、そんな若くしてパリにいらしたの？」

「わたしが一一歳になる直前に、わたしの一家はフランスに移住したのです」

「一九二四年に一八歳だってことは、一一歳の時っていうと、一九一七年、十月革命の年ではないの！　ご家族は亡命されたのね。貴族だったの？」

エレオノーラを取り囲んだわたしたちは、次から次と彼女を質問攻めにしました。でも、エレオノーラは、言葉少なに答えると、押し黙ってしまう。しかし寡黙だからこそ、わたしたちの想像力は膨らみ、エレオノーラの波瀾に満ちた来し方が、否が応でも立ち上がってくるのでした。

エレオノーラの一家が亡命したのは、一九一七年の四月。二月革命で三〇〇年間続いたロマノフ王朝が倒されて、反乱に参加した労働者、農民、兵士の代表から成る評議会（ソビエト）の要求に基づいて国会を基盤とする臨時政府が成立します。エレオノーラの父が亡命を決意するのは、この臨時政府が結成された直後だったようです。四月一六日に亡命先からボリシェビキの指導者レーニンが帰国し、翌一七日、首都ペトログラードの駅頭での歓迎集会で有名な演説をしたでしょう。この演説は、「四月テーゼ」と題されてボリシェビキの機関誌『プラヴダ』に掲載されましたが、その内容は、「二月革命で成立した政府は、資本家の政府であって、支持できない。その証拠に、いまだに第一次大戦からロシアは離脱せずにいる」と断じたものでした。

まだ、十月革命でボリシェビキが権力を掌握する前でしたが、エレオノーラの父は、これを読んだ時点で、すでに十月革命を予測して一家の亡命を決断したのだそうです。「四月テーゼ」が、「十月革命の序曲だった」と評されるようになるのは、十月社会主義革命が成就してからのことで、四月の時点でそのことを敏感に察知したエレオノーラの父は、ただ者ではないなと思いましたね。そしたら、やはり単なる貴族のボンボンではなかったみたいです。オリョール県の由緒ある貴族の血筋ではありましたが、妾腹の子だったらしいのね。親から受け継いだ財産の分け前は、正妻の息子の一〇〇分の一ほどだったのに、素晴らしい商才を発揮して、瞬く間に、財産を何万倍にも膨らませて、その頃には、逆に遺産を賭事で食い潰しかけていた腹ちがいの兄に金を貸し付けるようにまでなりました。貸付の担保にしたのが、本家のペテルブルグとオリョール県のお屋敷と土地。こうして、庶子が本家を乗っ取った形になったそうですけど、まあ、非常に機を見るに敏な人物だったことは、察して余りあるでしょう。

「ガリーナ・エヴゲニエヴナ、ちょっと、お待ちになって」

　遮ったのは、マリヤ・イワノヴナだった。

「もしや、エレオノーラ・ミハイロヴナは、あのセルゲーエフ商会のお嬢様？　貿易から鉄道、船舶、保険、銀行まで手広くやっていた億万長者のセルゲーエフの」

「そのもしやなのよ。庶子コンプレックスをバネに、一代で巨万の富を築いた人だけあって、自分の娘には金に糸目を付けずに正統派貴族の子弟にふさわしい本格的な教育を施したらしい。エレオノーラは物心ついた頃からフランス語に取り巻かれて暮らしていたと言っていましたよ。乳母も家庭教師もフランス人だったって」

「そうそう、オリョール県というのは、現代ロシア語の標準語の基準となった地域だから、彼女のロシア語が美しいとわたしたちが感じたのは、あながち偶然ではなかったんだ」

　カーチャは、もうガリーナ・エヴゲニエヴナの語るエレオノーラがわたしたちのエレオノーラ・ミハイロヴナに違いないと確信している風である。志摩ももちろんそうだった。そして、ソビエト学校で習った文学史の一節を思い起こした。

「ツルゲネフもたしかオリョール県の貴族出身だったから、エレオノーラ・ミハイロヴナのロシア語を聞いて、ツルゲネフの小説の登場人物が浮かんでくるのもごく自然なことだったんだ」

「それどころか、エレオノーラの家系は、小説家のツルゲネフ家とは遠縁になるようなことを、ラーゲリにいた文学者が言ってましたよ」

「それにしても、なぜ、せっかく安全なフランスに亡命したエレオノーラ・ミハイロヴナは、ソビエトに舞い戻ってきてしまうのかなあ？　その後のスターリンの粛清の残虐さも規模もあまりにも桁外れで、外部からは想像を絶する出来事だったのかもしれないけれど、あれだけ先見の明と洞察力に恵まれたエレオノーラ・ミハイロヴナの父親が、よく可愛い娘をソビエトへ行かせたものだわ」

カーチャがため息をつく。

「カーチャ、それは、恋、それに望郷の念だと思うな。遠く離れていればいるほど、祖国はどんどん美化されていくものよ。スケールはぜんぜん違うけど、それはわたしも十分に経験済み」

「シーマチカのおっしゃるとおりだと、わたしも思います。億万長者で貴族の血を引く美しいエレオノーラは、パリでも理想的な花嫁として多くの青年に言い寄られていたことと思いますよ。これは、あくまでもわたしの想像です。エレオノーラから聞いたことではありませんよ、もちろん。彼女は決してそんなはしたないこと口にしない人ですし、そもそも自分が青年たちの視線を集めていることなど気づきもしなかったのではないかしら。本当に天使のように清らかな人ですからねえ。父親が雇う超一流の教師たちの個人教授のもとで、貴族にふさわしい最高の教育を授けてもらった彼女は、とても自由にものを考えるお嬢様に育ったみたいで、共産主義関係の文献もずいぶん読みこなしていました。当時は、世界で初めて労働者と農民の国家を実現した革命ロシアに対する知識層や青年たちの熱狂も最高潮に達していた時期ですが、エレオノーラのそれは、何よりも祖国への関心から発していたと、それは彼女自身も言っていました。まもなく彼女は、共産主義文献の講読会を催す学生サークルに参加するようになり、そこで中国からの留学生ヤン・シャオツィーに出会ったようです」

「ガリーナ・エヴゲニエヴナ、今ヤン・シャオツィーとおっしゃいましたね。リュウ・シャオツィーではなくてヤン・シャオツィーだったんですね。どんな漢字を書くかまではご存知ないですよねえ」

志摩は、念のため、「劉少奇」、「陽少奇」とメモ用紙に書いて示したが、ガリーナ・エヴゲニエヴナは首を傾げるばかりだった。

漢字は分かりませんが、ヤンに間違いありません。そうそう、時々わたしたち、マダム・ヤンと呼んでましたから、エレオノーラのこと。……ええと何の話でしたっけ。そうそう、ヤン・シャオツィーは、そのサークルのリーダー的存在のようでした。エレオノーラの家に優るとも劣らない大富豪の御曹司だったみたいですが、共産主義に興味を持ち、反植民地化運動に身を投じて、本国では投獄されたこともあったようです。それを、実家が大金を積んで釈放してもらい、フランスに留学させた。ところが、息子の方は、さらに共産主義にのめり込んでいった。そういう、生い立ちの似通ったところもさることながら、彼女が彼に惹かれたことの一つは、両親が捨てた祖国につながるものがあったからではないかと思うんです。

彼は、ことあるごとに、

「ソビエト・ロシアに行きたい。この目で確かめたい」

と言っていたようです。それから、一度、エレオノーラが、

「シャオツィーとわたしは、ロメオとジュリエットみたいだった」

って、とても懐かしそうに話したことがあります。両家の親戚一同の猛反対にあって、彼女は座敷牢に閉じこめられたり、他のフランス人実業家のもとへ強制的に嫁がされそうになったりしたらしい。でも、もちろん、ロメオとジュリエットと同じで、周囲に反対されるほど二人の愛は燃え上がりました。ついに子の幸福を願う両家の親たちは折れて、二人の結婚を祝福したそうです。

「でも、七年かかったわ」

とエレオノーラは言ってました。

七年間の恋を実らせてようやくシャオツィーとの結婚にこぎ着けたエレオノーラは幸せでした。

「本当に幸せで幸せで、怖いほどだった。自分の人生に割り当てられた幸せの大半を、あのときに使い果たしてしまったのかもしれない」

エレオノーラは、そんな風に言っていました。

長い間、二人の結婚に反対していた両家の親たちも、今まで封じていた愛情が格好の表現の場を得て堰《せき》を切ったように溢れ出たのでしょう。惜しみなく祝福してくれました。シャオ

ツィーの両親は、息子の結婚式に参列するために半月も前からわざわざパリまでやって来たそうですよ。自慢のコックたちやお針子たちを引き連れて。その持参した荷物の量が、度肝を抜くほど凄かった。到着するや、お針子さんたちは、エレオノーラの衣裳づくりに取りかかり、コックたちは、披露宴の料理づくりに着手したそうです。というのも、結婚式はセルゲーエフ家のパリ郊外の屋敷で行われたのだけれど、双方の親たちを満足させるために中国式とロシア式の両方で執り行ったんですって。それは、贅を尽くしたものでした。

「わたしの父もシャオツィーの父も、似ているところがあって、目一杯張り合ってたんだと思うわ」

エレオノーラがそう言ってたのを思い出します。アルジェリアで一日の労働が終わって夕食の行列に並んでいるとき、たまたまわたしの前にエレオノーラがいて、とてもお腹が空いていたから、そういうときは気を紛らわせるためにおしゃべりしていて、結婚式の話になったんです。

エレオノーラの父親は屋敷の敷地内にロシア正教の教会まで建てていたらしいの。そこに娘の結婚式のためにフランスに亡命していたロシア正教の聖職者を集められる限り集めたと言ってましたよ。披露宴のお料理も、中国からやって来たコックたちの作った中国風と、セルゲーエフ家お抱えのコックたちによるロシア風とを用意したそうです。コックたちもライバル心を刺激されて、それはそれは豪華な食卓だったたってエレオノーラが話しかけたところで、

「待って、それ以上話さないで」

そうみんなで懇願したんですよ。耳に毒ですもの。受け取る夕食は硬い黒パンのかけらと水っぽいスープだけだったんですから。

それから、二人はマルセイユから豪華客船で新婚旅行へ出発し、上海のシャオツィーの実家へも立ち寄って、そこでもまた盛大な披露宴が催されたそうです。

一九三一年の暮れのことで、排日運動が高揚していたと言ってました。日本軍が奉天の郊外で満州鉄道を爆破して、それを張学良の仕業だとでっち上げて奉天を占拠して、さらに中国東北部全域を日本軍の支配下におさめてしまったでしょう。翌年の三月には日本の傀儡《かいらい》の満州国を成立させてしまう。二人が中国に滞在していたのは、まさに満州事変の真っ最中だった時期ということになりますね。

それで、最初はシャオツィーとエレオノーラは、満州鉄道経由でソ連に入る計画だったのを取りやめたんです。再び上海から船でマルセイユに戻り、ベルリン、ワルシャワ経由でソ連入りを果たした。一九三二年の一月七日にモスクワの白ロシア駅に着いた。

新婚旅行の形でソ連入りするという計画は、二人には以前からあったのです。というよりも、シャオツィーは当時すでに中国共産党の党員でコミンテルンに派遣された中国共産党の幹部を補佐するためにソ連入りする指令を受けていたんですね。それを周囲に気づかれることなく首尾良く成し遂げるためにシャオツィーは自分たちの新婚旅行を利用することにした。そのことは、もちろん二人とも親たちに内緒だった。自分たちを愛し大事にしてくれる親たちを欺く形になるのはいたたまれなかったけれど、本当のことを打ち明けてしまえば計画は頓挫する。親たちも必死で妨害するのは目に見えていたし、何よりも公安機関に知られてはならなかった。

「パリの両親のもとへ戻って、別れの挨拶をしてこなかったのが、悔やまれてならない」

アルジェリアの建設部設計班のバラックの窓から、鉄条網の向こうに広がる荒野を眺めながら、エレオノーラは何度もつぶやいていた。

「『半年の任期だから』とシャオツィーが言ってましたから、すぐにも戻れるものと思っていたんです。それに、長年あこがれ続けた祖国に足を踏み入れるという興奮で、それどころではなかった」

でも、母国語の中国語に加えて英語、ドイツ語、フランス語、ロシア語が堪能で優秀なシャオツィーは、国際機関であったコミンテルンで重宝されたようで、半年の任期のはずが、一年になり二年になりと、ずるずる延びていく。

「では、それきりご両親とは会ってないのね」

エレオノーラは頷いた。

「ご両親は、あなたがこんなところへ収容されているのをご存知なの？」

エレオノーラは首を横に振った。

「モスクワへ到着してすぐ、両親には手紙を出しましたの。長い言い訳の手紙をね。しばらくして父から返事が来ました。『自分たちの人生だから、自分たちの生きたいように生きなさい。でも、困ったときは、いつでも声をかけておくれ。それから、母さんが可哀想だから、なるべくたくさん手紙をよこしてくれ。心配しないように、生活の様子なども知らせてくれ』という内容で、何度も何度も読み返しましたわ。それからは、かなり頻繁に手紙のやりとりをしてたんですよ。父や母からの手紙だけでスーツケースが一つ満杯になったぐらい。ああ、あのスーツケース、ホテル・ルックスの部屋に置きっぱなしにして出てきてしまいましたわ。なかなか子供が出来なかったわたしが、やっと妊娠して、お産で帰る予定だったのに。コミンテルンからもシャオツィーが了承を取ってくれていたのに……」

六年目の一九三七年一〇月にはシャオツィーが、一二月にはエレオノーラが逮捕されてしまいます。二人とも、わたしと同じように、最初はNKVDのルビャンカの地下室に、それからブティルカ監獄に収容されたようです。

シャオツィーがその後どうなったのか、エレオノーラの記憶がそのあたりからとても不確かになるので分からなかったのだけれど、一九八九年に『戻ってきた名前』(注10)という二巻本が刊行されたでしょう。スターリンの刑務所で処刑された共産主義者たちのリスト。ほら、その二巻目のこの頁に出てきたの、ヤン・シャオツィーって。たった、これだけの情報しかないのだけれど、きっと、この人ではないかと思うの、エレオノーラの言っていたシャオツィーって。

ガリーナ・エヴゲニエヴナが開いて見せた本の頁を志摩とカーチャはのぞき込んだ。一頁に四人ずつ、顔写真と簡単な履歴が記してあるだけ。見開き二頁八人の顔がこちらを見つめている。そっと最後の頁をめくってみると、三〇二という数字が印刷してある。二冊だから、これだけでざっと二四〇〇人。鬼気迫るものがある。

「ほら、ここのところ、読んでごらんになって」

ガリーナ・エヴゲニエヴナが指さした先を目で追う。

「ヤン・シャオツィー。一八九九年九月二九日生まれ。上海市（中国）、中国人。中国共産党員。パリ工科大学卒。コミンテルンに勤務。逮捕時モスクワ市ゴリキイ通り一〇番地ホテル・ルックスに居住。一九三七年一〇月二日逮捕。反ソ謀略活動、国家及び軍の機密情報収集などスパイ活動の容疑で検察は銃殺を求刑。一九三八年二月一四日刑の執行。一九五六年名誉回復」

写真は、正面から撮ったものと側面から撮ったもの。逮捕された直後に撮影されたものだろう。拷問の形跡は認められない。目つきにもショックの色はあるけれど、まだ希望のかすかな光が感じられて胸を締め付ける。

「大変魅力的な顔をしてますでしょう。知的な美しい顔」

ガリーナ・エヴゲニエヴナが言い添えると、マリヤ・イワノヴナが同意した。

「『ラストエンペラー』に主演していた俳優さんにソックリじゃありませんこと」

「それより」

志摩が言いかけたところで、カーチャが引き取った。

していいる。

「ちょっとだけ、シーマチカにも似てる！」

「そういえば、そうですわね！」

ガリーナ・エヴゲニエヴナもマリヤ・イワノヴナも写真と志摩の顔を何度も見比べて感心している。

「東洋人の顔は皆さんから見ると、よく似て見えるんですよ。それよりも、わたしが言いたかったのは、カーチャ、この写真、ジーナにソックリだってこと」

「ウンウン、そうだ、そうだ。でもシーマチカにも似てるよ」

「いやいや、カーチャ、絶対ジーナの方が似てる」

見れば見るほどよく似ている、と志摩は思った。ジーナは一九四八年生まれのはずだから、一九三八年に銃殺されたシャオッィーの娘であることは不可能だろう。でも、エレオノーラ・ミハイロヴナがそう思い込んでもいいぐらいによく似ている。

「あの子は、わたしとシャオッィーの娘ですのよ」

ジーナが初めてソビエト学校に現れて、リラの花香る校庭でダンスを披露した日、エレオノーラ・ミハイロヴナは、得意気に自慢していたではないか。それにジーナまでもが、エレオノーラ・ミハイロヴナのことを「ママ」と呼んでいた。しかし、ジーナはオリガ・モリソヴナのことも「ママ」と呼んでいた。ジーナは、いったいオールド・ファッション・コンビにとって何者だったのだろう。志摩が考え込んでいるうちにガリーナ・エヴゲニエヴナは、再び話し始めていた。

エレオノーラはブティルカ監獄の廊下で、一度だけシャオツィーとすれ違ったようなの。

「シャオツィーは顔が腫れ、傷だらけだった」

ある時、そんなことを彼女が口走ったものだから、尋ねたの。

「それは、いつ、どこで会ったの？」

「最後にシャオツィーと会ったときに、そうだった」

「その最後って、いつのこと？」

「………」

エレオノーラの瞳はボーッと霞んだようになる。そこで、彼女の記憶はとぎれてしまうのね。

結局エレオノーラ自身からは聞き出せなかったのだけれど、アルジェリアにいた別の女たちから聞いた話からわたしが推測すると、おそらく、それはブティルカ監獄の廊下ではなかったかと思うの。

囚人どうしが廊下ですれ違うときは、絶対に顔を合わせないようにする仕組みになっていたって、わたしの手記にも書きましたでしょう。そのために、囚人を連行する看守は、必ず鍵の束をガチャガチャいわせて廊下の先の方まで聞こえるようにするって。その音が聞こえてくると、獄房へ連行される方の囚人は立ち止まらされて、壁に顔を向けるよう強制される。絶対に後ろを通る囚人の顔を見てはならないと言われる。もう一方の囚人も俯《うつむ》かされて、壁面にへばりつかされた囚人の方を見るなと言われる。

ある朝、夜を徹しての拷問の末、尋問室から獄房へ連行されるシャオツィーの耳に、廊下の前方から鍵の束がガチャガチャいう音が聞こえてきた。看守はシャオツィーに立ち止まって、両手を上げて壁面に付けるよう命じた。袖がズルズル下がってきて真っ赤に腫れ上がった両手があらわになった。突然看守が、後頭部をつかんできて、シャオツィーは顔面をピッタリ壁に押しつけられた。その拍子に拷問で受けた頰の傷が壁面にぶつかって、あまりの痛さに、シャオツィーは顔を壁から背けた。その時、連行されてくる囚人の手の甲が目に入ってきた。手の甲に懐かしいほくろがあった。

「エレン？」

思わず声が出た。エレオノーラは、懐かしい声にすぐさま反応し、シャオツィーに飛びついてきた。固く固く抱き合った。

慌てたのは、一瞬の虚を突かれた四人の看守である。なんとか抱き合う二人を引き離そうと必死になった。怒鳴り散らし、鍵束で叩きつけ、足で蹴りつけた。

それでも二人はお互いにしがみついて早口で耳元に話しかけ続けた。とめどなく涙が流れ、このまま死んでもいいと思った。看守たちの暴力はどんどんエスカレートしていき気を失いそうになった。

騒ぎを聞きつけて他の看守たちが大勢駆けつけてきた。銃剣の取っ手で肘を思い切り叩かれ、必死でしがみついていた手は力を失ってだらんと垂れ下がってしまった。その瞬間に二人は両側から引き剝がされた。泣きわめくエレオノーラが、もとの獄房に引きずられるようにして連れ戻された。それから五日間、彼女の両手の感覚は戻らなかった。

この出来事は、エレオノーラと同じ獄房に収容されていた女たちの何人かから聞かされているの。残酷なこと、悲惨なことが毎日のようにあったなかでも、この出来事は忘れられないほど印象に残ったんでしょうね。だってどの女もはぐれてしまった自分の肉親に一目でも会いたいって願っていたから。

逮捕されたときに身重だったエレオノーラは、どこで出産したのか。その記憶も朦朧としていた。でも東洋人の顔立ちをした人を認めると、何をしていても駆け寄っていって、自分の娘のことをたずねる。もちろん、思わしい返事を得られなくて、その度に落胆してボーッと立ち尽くす。痛々しくてね。ある時、そんな彼女の肩を抱きしめてたずねたんです。

「エレオノーラの娘さんの名前は？」

「名前？　ああ、そうでしたね。名前はまだ付けていないんですのよ。シャオツィーと相談して決めなくてはなりませんからね」

「エレオノーラは、逮捕されたときに身重だったのね。どこで、その娘さんを出産されたの」

「…………」

「お産をしたのは、どこだったの？」

「…………」

「ルビャンカ？　それとも、ブティルカ？」

「……………」

エレオノーラは、わたしの質問が全く理解出来ないという焦点のぼやけた眼差しになって口をつぐんでしまう。

でも、おそらく九九・九九パーセントの確率で彼女が出産したのは、ブティルカ監獄だと思っています。ブティルカでエレオノーラと同じ獄房に収容されていた女たちの話を、つなぎ合わせてみると、そうなるんです。

ある夜、尋問室に連行されたエレオノーラは、翌朝、別人のようになって帰ってきた。誰もが最初、新入りの囚人が入ってきたのかと思ったそうだ。

光沢のある美しい栗色の髪の毛は真っ白になっていた。そして、突き出ていたお腹がペシャンコになっていた。背後の扉が音をたてて閉められたとたんに、ヨロヨロッとその場に崩れるように倒れ込んでしまった。女たちが駆け寄って抱きかかえた。目は開いているのだが、何も見ていないようだった。瞬きもしない。まるで死人のようなのに、呼吸はしている。

「エレオノーラ、エレオノーラ」

身体を揺すって呼びかけるのだが、無反応である。その状態が翌日の夜まで続いた。ようやく正気を取り戻したらしいエレオノーラに、いったい何が起こったのか、質問を浴びせたのだが、要領を得なかった。明らかになったのは、この三日間に自分の身に起こった事態についてエレオノーラの記憶が完全に欠落してしまっているということだった。

それは、死産だったのか、それとも生きて生まれたのに処分されてしまったのか。あるいは、身元を分からなくして孤児院に送られてしまったのか。他の身重で逮捕された女たちの経験から推し測って、おおよそそんなことをまず女たちは想像した。ただ、ひとつ気になるのは、それ以前にエレオノーラが話していたことが事実とするならば、胎児はまだ妊娠六カ月目に入ったばかりだということだった。早産だとしたら、早すぎて未熟児未満だ。流産するには、もう安定期に入っているはずだが、逮捕後の過酷な境遇、精神的肉体的ショック、生活条件の激変を考えれば、大いにあり得る。いずれにせよ、あまりにも耐え難い出来事でエレオノーラは記憶を封じ込めてしまったのだろう。いや、あまりにも受け容れがたい事実を記憶力が拒んだのかもしれない。それを、わざわざこじ開けるのは、可哀想だ、だから、もう質問するのはやめようと、女たちは心に決めた。

頭髪の色素と胎児と三日間の記憶が欠落したことをのぞけば、エレオノーラに目立った変化は無かった。そこがブティルカ監獄であることを一瞬忘れてしまうような、優雅な物腰と美しい言葉遣いはそのままだった。

ところが、ラーゲリ行きが決まり、護送前の施設に移された頃から、人々は異変に気づきはじめた。今まで住まわされていた獄房よりもはるかに大きく、収容人員も多いその施設には、いろいろな民族や人種の人々も見受けられた。アジア系の容貌の囚人を見つけると、エレオノーラはいそいそと駆け寄っていって質問するようになったのだ。

「わたしの娘を知りませんこと？　シャオツィーとわたしの娘のこと」

もちろん、尋ねられた側は、エレオノーラの事情を知らない。自分たちも肉親や友人とはぐれて必死で探し求めている立場だから、親身になって答えようと、尋ねる。

「あなたのその娘さん、おいくつなの？　お名前は？　髪の毛の色は？　目は何色？　鼻の形は？」

エレオノーラは何一つ答えられなくなって呆然と立ち尽くすしかない。そんなことが毎日のように繰り返されて、囚人たちは、エレオノーラの質問を優しく受け流すだけになった。

エレオノーラを問いつめることはしなくなったそうです。

エレオノーラの体験した恐ろしい出来事が何だったのか分かってきたのは、あの男が副所長としてアルジェリアにやって来てからです。そうです。ボリス・アントノヴィッチという男です。


「皆さーん、お昼ご飯ですよ。カートまで取りに来て下さーい」

よく響くメゾソプラノが聞こえてきた。しばらくすると、声の主が病室に入って来た。年輩の看護婦。志摩たちに気づいてあわてて駆け寄って来る。

「あらあら、もう一時過ぎてますよ。部外者はお引き取り願います。面会時間はちゃんと守って下さらなくては」

「すみません、あとせめて一五分だけでも見逃して下さいよ」

カーチャが看護婦に頼み込んだのだが、逆に追い立てられてしまった。

「冗談じゃありません。食後は午睡の時間ですからね。他の患者さんたちのことも考えて下さい。さあ、早く！　早く出てって下さい」

「そんな殺生《せっしょう》な……」

なおも食い下がるカーチャを制したのは、ガリーナ・エヴゲニエヴナだった。

「どうせ、あと一五分ではとうてい話しきれない内容ですから、出来たら、また午後四時にお運び下さいな。そうしたら、六時までたっぷり二時間は面会時間がありますから。それとも、もう別な予定が入っていて無理かしら？」

「よろしいんですか？」

「当たり前ですよ。わたしは、ここのベッドに縛り付けられていて何もすることが無いんですもの」

「良かった。では、三時間後にまたおじゃまします」

「ぜひぜひ、必ずですよ」

　ガリーナ・エヴゲニエヴナに何度も念を押されながら、志摩とカーチャとマリヤ・イワノヴナの三人は病室をあとにした。

森のような病院の敷地内を門に向かって歩きながら、マリヤ・イワノヴナは午後四時には再び病院に来られないとさかんに残念がった。金曜日に迫った新作の初日に合わせてダンサーたちの最後の衣裳合わせがあるので、衣裳係の彼女としてはどうしても席を外すわけにはいかないというのだ。

「ああ、バラのことも聞いておかなくてはならないことがまだまだ山ほどありますのに」
「必ず、あとで報告しますよ。それに、あさって日本に帰らなくてはならないわたしなどよ
り、マリヤ・イワノヴナには、ガリーナ・エヴゲニエヴナにお逢いになる機会が今後もある
ではないですか」
志摩にそう言われて、マリヤ・イワノヴナはようやく未練を断ち切ったようだ。
「それもそうですわね。ああ、もう一時二〇分。こんなときに限って時間の速度がむやみに
速くなりますのね。急がなくては。でも、シーマさんがモスクワを発たれる前に、必ずもう
一度会って下さいね」
マリヤ・イワノヴナは志摩を抱きしめてから足早に立ち去って行ったのだが、門までたど
り着いたところで、
「写真、写真」
と叫びながら引き返してきた。
「昨日撮影したポスターの写真、今朝一〇時半には仕上がっていましたのでしょう？」
「病院に来る前に売店に立ち寄ったんですけれど、予定通り一〇時半には写真が届かなくて、
わたしたち――一時の面会時間に遅れないことを優先したものですから……。でも良かった。
うっかり忘れるところでした。これから受け取りに行きます。あとでお届けしましょう
か？」
「それなら、どうせ同じ方向ですから、皆さんとご一緒して、写真を受け取ってから職場へ

向かいます。もうこうなったら、一五分遅れるのも、三〇分遅れるのも同じことですし」

白タクを拾って三人で志摩の宿泊するホテルまで直行した。ホテルの売店で、現像された写真を受け取るときに、売り子は、朝、写真の到着が遅れたことを詫びるついでに、

「なにしろ量が多すぎまして」

と言い訳した。二四枚撮りのフィルムの一コマ一コマの焼き増しを一ダースずつも発注したのだから、当然なのだが、紙袋が四つ。たしかにずいぶんかさばる。写真は、光の量が不足していたのか、ポスターをフルサイズで撮影したものは不鮮明な出来だった。元のポスターを知っているから、何が写っているのか分かるのであって、いきなり突きつけられた人は、これがグランドピアノを囲む美女一人と男性五人のアンサンブルだと判断するのに苦労するだろう。それに較べると、一人一人を別々に撮影したものの方がましだった。少し目を凝らせば、人相風体を確認できる。

志摩は、マリヤ・イワノヴナとナターシャ用に各写真を二葉ずつ選り分けて手渡した。

「ありがとう。では急ぎますので、わたくしはこれで。ポスターはまだ一週間ほどうちの劇場のロビーに展示されているはずですから、今日明日にも劇場の照明係を動員して、もう一度ちゃんとした写真を撮らせておきますよ」

そう言い置いてマリヤ・イワノヴナは走り去った。カーチャと志摩は、すぐにもボリショイ劇場付属バレエ学校に向かうことにした。昨日会うつもりだったマリーナ・ルドネワという女生徒には、鉄道事故で列車が運休したため帰省先のトゥーラから戻っていなかったので

会えなかった。しかし、今朝バレエ学校へ電話を入れると、昨晩遅く寄宿舎に戻っているとのことだった。

志摩は、三日前の土曜日に初めてバレエ学校を訪れた際にその少女に一度会っただけである。でも、そのときに、少女が、ボリショイ・バレエ学校に入学する前に通っていたトゥーラのダンス教室で、

「ジナイーダ・マクシモヴナという名の先生に習っていた」

と言ったことが気になって仕方ないのだ。ボリショイ・バレエ学校出身でプラハ国立バレエ団のプリマだったエリート・ダンサーのジーナが、田舎の町中のダンス教室で教えているなんて非現実的だとは思う。カーチャも、

「まさかねえ」

と何度も首を傾げる。それでも、確かめてみる価値はあると志摩は思うのだ。

「いいわ、シーマチカ。でも、今朝は急いでいて朝食、抜きだったでしょう。これで、そのままその女の子に会いに行ってしまったら、その後ガリーナ・エヴゲニエヴナのいる病院に直行で昼食まで抜きになってしまう」

「カーチャ、いい機会じゃないの！　こういうことでもないと、なかなかダイエット出来ないでしょうが！」

「ダメだ。もたないよ」

仕方ないので、地下のバーでオープン・サンドと瓶入りジュースを買った上で出かけるこ

とにした。日本と違っていい歳をした女が食べ歩きしていても顰蹙《ひんしゅく》を買うということは無い。サラミソーセージの載ったオープン・サンドを頬張りジュースをラッパ飲みしながら、急ぎ足で旧市街の雑踏をかき分けていく。志摩は一瞬、三〇年前のプラハにいるような気がした。よくこんな風にカーチャと一緒にプラハの町中を歩き回ったものだ。

大通りに出て白タクを拾い、ボリショイ・バレエ学校の玄関口に着いたときには、オープン・サンド八個、ジュース二本跡形もなく消え失せていた。

「相変わらず、歯と胃腸が丈夫ね、お互い」

笑いながら確認しあった。

志摩とカーチャを認めると、馴染みになった玄関番の老婦人はニッコリ微笑んで受話器をとり、どこかに連絡を入れてくれた。

「今食堂に電話しましたら、マリーナはまだ食事中でしたよ。ここでは一日三回に分けて食事するんです。太らないためにね。食事が済んだら、ここまで来るように伝えてもらいました。次の授業まで十分に時間はあります。どうぞ、あちらのソファーにでもお掛けになってお待ち下さい。まあ、それにしても大変なお荷物ですねえ」

老婦人は、志摩とカーチャがかかえる紙袋に注目した。

「ああ、これ、写真なんです……そうだ、ねえ、この写真の女性、見覚えありませんか？ちょっと写りが不鮮明なんですけれど」

カーチャは、袋の中をガサゴソまさぐってディアナの写真を取り出した。老婦人は眼鏡を外して写真を手に取った。さかんに顔を近づけたり、逆に遠ざけたりするのだが、玄関ホールは薄暗いこともあり、見えにくいらしく顔をしかめている。玄関扉脇の自分のテーブルに駆け寄ってランプの光の下に写真を置いた。そして、その瞬間、声を上げた。

「ディアナ！　これ、『青いコウモリたち』のディアナじゃなくって！」

「エッ、ご存知でした？」

「もちろん」

望外な展開に志摩はカーチャと顔を見合わせた。カーチャの顔も上気している。

「どこでお逢いになったんですか？」

興奮のあまり声がかすれている。

「どこでって……モスクワ・ミュージック・ホールに決まっているじゃないですか。『ディアナと青いコウモリたち』はあそこの人気スターだったんですよ」

志摩とカーチャがガッカリしたのにも気づかずに老婦人は楽しそうにしゃべり続けた。

「あのころ、わたしは中学生で、同級生の女の子たちと、それはディアナに憧れてましたのよ。舞踊家になることを夢見たのもディアナのせいです。結局、才能が無くて夢はかなわなかったけれど、今もこうして舞踊の近くに身を置いているのは、少女時代の夢の続きなんですよ、きっと。だって、モスクワ・ミュージック・ホールが潰されてディアナを見られなくなった直後から恐ろしい暗い時代に入りましたでしょう。余計に華やかで官能的なディアナの踊りが心に刻み込まれたんですよ……」

「あっ、この女の人、知ってる！」

突然、可愛らしい声がした。小麦色の髪をお下げにして瞳と同色の空色の大きなリボンを付けた女の子。鼻の先がツンと上を向いている。

「ねっ、カーチャ、あなたの少女時代によく似てるでしょう」

「へーえ、あなたがマリーナ・ルドネワちゃん？」

カーチャの質問に女の子は頷いた。

「この写真の女の人、知っているって今言ったわね？」

いきなり二人の中年女に真剣な眼差しで迫られたマリーナは、反射的に後ずさりながら小声で答えた。

「はい」

「どうして知っているの？」

女の子は、さらに後ずさりながら、それでも答えてくれる。

「ジナイーダ・マクシモヴナがいつもハンドバッグに入れていた写真と同じなんですもの」

「そ、そ、そのジナイーダ・マクシモヴナっていうのは？」

さらにズルズルと後ずさっていったマリーナが絨毯の皺に引っかかって尻餅をついた。あわてて、志摩とカーチャは駆け寄って少女を助け起こしながら謝った。

「驚かせてごめんね。そのジナイーダ・マクシモヴナって、もしかしたらわたしたちが探している同窓生かも知れないものだから、つい興奮してしまってね」

それを聞いてマリーナもようやく人心地ついた様子である。

「ええ、覚えてます。先週の土曜日、いらした方ですよね。ジナイーダ・マクシモヴナはダンス教室の先生です。トゥーラで通っていたんです」

「おいくつぐらいの方なの？」

「さあ……。うちのママよりは年上だと思うの。うーん、おばさんたちぐらいかなあ」

「髪の色は？　目の色は？」

「真っ黒。カラスみたいに真っ黒」

「顔立ちは？」

「とっても綺麗なの。ジナイーダ・マクシモヴナはとっても綺麗で、でも滅茶苦茶厳しくて教えるのが上手なの。わたしがここのバレエ学校に入れたのは、ジナイーダ・マクシモヴナの教え方が巧かったからよ」

「すると、アジア系の顔立ちなのかしら？」

「ちょっと、このおばさんに似てるかなあ」

マリーナは志摩の方を目で示した。

「ねえ、マリーナ、ジナイーダ・マクシモヴナは、今もトゥーラのダンス教室で教えているの？」

「ええ。わたしの妹が通っていて教わっているもの」

「そのダンス教室の住所は分かる？」

「そりゃあ。放課後、毎日通っていたんですもの。トルストイ通り三二番。大きなカテドラルのすぐ近くよ」

「電話番号は？」

「覚えてない。そんなに電話すること無かったから。でも、ママに聞いたら知っていると思う」

「ママに聞いてくれないかなあ。お願い」

「いいけど……」

玄関番の老婦人がすかさず気を利かせて、卓上の電話機を持ち上げながら、

「どうぞ、これ使ってちょうだい」

と言ってくれた。マリーナは机のそばまで行って受話器に手をかけたものの、思いとどまった。

「悪いけど、ママは今、職場だから無理よ。工場の昼休みはもう終わっているはずだし」

「終業時間は？」

「五時。今晩ママに電話して聞いといてあげる。おばさんたちの連絡先、教えといて」

カーチャがポケットからホテル・カードを取り出し、そこにシマ・ヒロセと書いて手渡すと、ちょうど始業ベルが鳴った。

「必ず連絡しますから」

マリーナはそう言って音もなく廊下の奥に吸い込まれていった。走り去る姿はさすがバレ

リーナの卵である。

「ジーナもあんな風にまるで体重など無いかのように軽やかに走ったものねえ」

カーチャも同じことを思い出したようだ。

ガリーナ・エヴゲニエヴナが待つ病院に引き返そうと、玄関番の老婦人に礼を言って建物を出ようとしたところで、老婦人に引き留められてしまった。

「ごめんなさい、お急ぎのようだけど、一つだけ教えて下さらない？　そのジナイーダ・マクシモヴナとやらと『青いコウモリ』のディアナとはどんな関係なんです？」

お世話になった手前、無下にも出来ず、老婦人の好奇心を満たすために志摩とカーチャはディアナとジーナについてひととおり掻い摘んで話して聞かせた。

「そうですか。わたしの青春時代のあこがれのディアナが突然姿を消したので、九九・九九パーセント粛清されたものと思っていましたの。スパイ罪で捕まって銃殺されたなんて話も聞かされてましたからね。どうやら無事生き延びたのですね。良かった」

老婦人の両頬は濡れていた。あわててハンカチで頬を拭いながら、老婦人は繰り返した。

「本当に良かった。それを知っただけで寿命まで延びた気がしますよ。いいお話をありがとう」

「いいえ、こちらこそ、ありがとうございます。こんなにお世話になっていながら名乗ってもいなかったなんてご無礼をお許し下さい」

志摩とカーチャがそれぞれ自己紹介すると、老婦人も名乗った。

「わたしは、ライサ。ライサ・イリイチナと呼んで。これからもボリショイ・バレエ学校に用のあるときは、ぜひ声をかけて下さいな」

「ライサ・イリイチナ、よろしかったら、このディアナのポスターの写真一式、差し上げますよ、お礼のしるしに」

「まあ、嬉しい！……あら、懐かしい。この人の演奏はとても扇情的だったわねえ。そういえば、この人の息子もトランペット吹きになってますよ」

「えっ!?」

ライサ・イリイチナが手にもつ写真には、トランペットを抱えた精悍な男がうつっている。オリガ・モリソヴナが、

「見て、このマッチョ。どう、いやらしい目つきをあたしに絡みつかせてるでしょう。大変なのよ、いつも図々しく付きまとうものだから、リョーシャが妬いて、妬いて」

と得意気に注釈した男だ。

「ディアナがスパイ罪で銃殺されたという話は、この人の息子さんから聞かされたんですよ。ジャズ・カフェで、若いのにとてもうまいトランペット吹きがいたので、何度もその店に通うようになって親しくなったの。ある日、『青いコウモリたち』のトランペット吹きが良かったという話をしたら、自分はその息子だと名乗るものだから……」

「当人は、まだ生きていらっしゃるんですか？」

「いいえ。もう二〇年近く前に亡くなられたようですよ。『親父はディアナに心底惚れてい

たのに、ディアナはまるっきり相手にしてくれず、軽薄なピアノ弾きなんかと結婚しちまった。親父は悔しくてピアノ弾きとの仲を引き裂くために、どこかの外交官をディアナに近づけた。ところが、ディアナとその外交官はたちまち恋に落ちて、ピアノ弾きが当局に密告した。それでディアナは捕まってしまった。この時になって親父は、何とか助け出そうと奔走した』って言ってました。ディアナはモスクワ・ミュージック・ホールが閉鎖された後は、ボリショイ劇場に移籍してましたでしょう。それは一時期古典バレエから離れて大衆的なダンスに夢中になりモスクワ・ミュージック・ホールに入り浸っていたボリショイの名プリマ、レペシンスカヤのひきだったそうですね。『レペシンスカヤがスターリンの愛人の一人であることは、当時、業界では公然の秘密だったものだから、親父はレペシンスカヤの線からもディアナを救い出そうともくろんだ。だけど、うまくいかなかった。レペシンスカヤはたしかに愛人ではあったが、そんな力を持っていなかった。むしろスターリンのことを心の底から恐れてびくびくしていたらしい。何も手を打てないうちに、ディアナは銃殺、ピアノ弾きはまもなくビルの屋上から飛び降りて自殺したということだ。親父は絶えず罪悪感に苛まれ一生のたうち回りながら死んでいった』。そう言ってましたからね。今日お聞きした話を、ぜひ息子さんに伝えてあげなくては……いいお話をほんとうにありがとう」

バレエ学校を出て時計をのぞくともう四時をかなりまわっていた。カーチャと大通りまで走って両手を上げて立つのだが、なかなか止まってくれる車がない。やっとつかまえた白タクの運転手は、道をよく知らないためにひどく手間取った。ガリーナ・エヴゲニエヴナとの約束の時間には一時間近く遅れてしまった。

　ようやくモスクワ市第三三病院の門の前に車が到着するや、志摩とカーチャは車から転げ落ちるように飛び出してガリーナ・エヴゲニエヴナが首を長くして待っているだろう病室に向かって全速力で走った。第六病棟の六階まで、一気に駆け上がり、息をゼーゼーさせながら六五八号室に入っていった。

「ごめんなさい、ガリーナ・エヴゲニエヴナ」

　と謝りながら。ところがガリーナ・エヴゲニエヴナが横たわっているはずのベッドには誰もいない。

「あれ、この部屋、六五八号室だったかしら」

　志摩は病室の外へ出て部屋番号を確かめた。間違いない。不吉な予感に、上気していた顔から血の気が引いていく。

「そこのご婦人でしたら、先ほど容態が急変して運ばれていきましたよ」

　向かい側のベッドの眼鏡をかけた五〇年輩の女性が、読んでいた新聞から目を離して教えてくれた。何ということだ。自分たちが遅れたせいでいたずらに気を揉《も》んだためではないだろうか。志摩とカーチャは申し訳なさに身がすくんだ。だから、

「食事中に気分が悪くなってね」

　という女性の言葉に救われた気さえした。

　女性が教えてくれた通り、階段の横にナース・ステーションがあり、そこを訪ねると、先

ほど、志摩たちを病室から追い立てた年輩の看護婦がぶっきらぼうに吠えたてた。

「患者は集中治療室に移されていて、面会なんてもってのほか！」

「でも、回復の見込みはあるのですよね」

「当然です！　そのためにこその集中治療ですから！」

それ以上は、何か尋ねようにも、取り付く島がないという感じである。なおもしつこく病状について聞き出そうとすると、

「あなた方は、患者の肉親ですか？　これ以上は患者のプライバシーに触りますからご遠慮下さい」

と言い渡されてしまった。邪魔だから早く出て行けという素振りである。こうなったら退散するしかない。志摩とカーチャが廊下へ出ると、ガリーナ・エヴゲニエヴナの身の回りの世話を引き受けているボランティアのポリーナが、志摩たちと入れ違いにナース・ステーションに入るところだった。

「どうも」

ポリーナの背後にいた背の高い男性が軽く会釈した。ガリーナ・エヴゲニエヴナの一人息子。たしかワジムという名前だ。二人とも、心なしか落ち着いている。

「今、集中治療室から戻ったところです。駆けつけたときは、もうダメかと覚悟したのですが……」

「ということは、立ち直ったのですか？」

「さすが、おふくろです。ハハハハ、とにかく、ラーゲリ帰りは、しぶとい、しぶとい！」

ワジムは歯を見せて笑い、志摩やカーチャもつられて笑った。

「もちろん、それでも当分、面会は無理ですよね」

「ええ、まだまだ絶対安静だと、医者に言われました」

エレオノーラ・ミハイロヴナの謎は、当分謎のままだな、いや、もしかしたら、永遠に謎のままになってしまうかも知れないと志摩は咄嗟《とっさ》に思った。と同時に、そんなことを考えてしまう自分の浅ましさが情けなくなって俯いた。

「持ち直したけれど、もうそんなに長くはないでしょう」

ワジムは小声で言い添えた。志摩はさらに恥ずかしくなった。そもそもガリーナ・エヴゲニエヴナが病状を悪化させる最初のきっかけを作ったのは、自分ではないか。カーチャも、志摩の心情を察したのか、自分自身も身の置き所が無いのか、同じようにうつむいてモジモジしている。気まずい雰囲気を救ってくれたのは、ポリーナだった。

「ねえ、ワジム、あれを」

ポリーナに促されて、ワジムは切り出した。

「お二人に渡さなくてはならないものがあります。その前に、看護婦さんに挨拶して来ます。母が病室を移るので、私物を片づけなくてはなりませんから。先に病室に行っていて下さい」

病室の窓の外はもうすっかり暗くなっていた。窓際のベッドに目をやると、つい四時間ほ

ど前の別れ際、このベッドの上で、

「ぜひぜひ、必ずですよ」

と何度も念を押したガリーナ・エヴゲニエヴナのすがりつくような姿が目に浮かぶ。志摩たちが必ずここへ戻ってきて、彼女の話を聞いてくれるのを待ち望む、あのひたむきな面差しを思い出すと涙が溢れて来る。

まもなくポリーナとワジムがやって来た。ワジムはベッドの下からスーツケースを取り出し、ベッドの上に開いた形で置いた。サイド・テーブルの引き出しを開けて中のものを一つ一つ確認しながら、スーツケースに納めていった。次に引き出しの下の扉を開けて、同じことをした。そして濃紺の分厚いノートを取り出し、黄色い付箋の付いた頁を開いて目を走らせると声を上げた。

「あった、あった！　これだ！」

それから、向き直ると、志摩とカーチャの顔を真っ直ぐ見つめて口を開いた。

「集中治療室で意識が回復した母のところへ呼ばれて駆け寄った僕に、母が真っ先に言ったのは、このことだったんです。このノートを、あなた方二人に読ませるように、と」

ノートは、びっしり鉛筆書きの文字で埋まっていた。

「これは……？」

「母が『カザフスタンのアルジェリア』という手記を著したのは、ご存知ですよね。その下書きです。『カザフスタンのアルジェリア』は、大変好評でした。掲載されたのは、地味な地方誌だったのですが、中央の新聞や雑誌でも高く評価されましたし、『よくぞ書いてくれた』とソ連邦各地の実にさまざまな方々から礼賛の手紙、励ましのお便りをいただきました。とくに、遺族の方々からは、自分の肉親の最期に関する詳細を知ることが出来たと、それは感謝されたものです。

『よくも国の恥部を晒したな』というような気味の悪い脅迫文もずいぶん送りつけられましたが、それは覚悟の上のことでしたし、それだけ手記に力があったのだと母は前向きに受け止めていました。

それでも活字となった手記の内容に母は不満だったのです。というのも、『カザフスタンのアルジェリア』の雑誌掲載にこぎ着けたのは、一九八九年のことです。もうゴルバチョフのペレストロイカが始まってグラースノスチという名の情報公開政策がかなり社会の隅々に行き渡ってきた頃のことです。でもソ連邦もソ連共産党もＮＫＶＤの後継組織のＫＧＢもまだ健在でした。

だから、発行にこぎ着けるまでに陰に陽に様々な妨害にあい、やむを得ず削除しなくてはならなかった部分や、元ラーゲリの仲間や遺族に万が一でも迷惑がかかってはいけないと、活字にしなかった部分があります。その未発表の部分がこの下書き帳には記されているはずです。

ソ連邦が崩壊し、ＫＧＢも改組された今、母は手記を完全な形で発行したいと考えていたようです。今日の午前中、母がこの病室でわたしと相談していたのは、そのことだったんです。ラーゲリの生き残りが次々に世を去って行き、遺族も年老いてきている。自分だって、もう長くはないと、母はずいぶん焦っていました……」

「そんな貴重品を、お預かりしてもよろしいのですか？」

「母の意志ですから……。もちろん、なるべく早く返していただきたい」

「これを、コピーしてもよろしいですか？　あっ、あくまでもわたしたちが読むためと、原本をなるべく傷めないためです。絶対に他の目的には使いません」

「構いませんよ。でも、これを全部コピーできるような所があるんですか？」

ワジムの心配ももっともだった。コピー機はロシアではまだ貴重品で、コピー代もＡ４一枚日本円換算で五〇円ぐらい取られるが、平均的ロシア人にとっては目が飛び出るような値段だ。

「知り合いの日本商社の事務所で安くコピーしてもらえるんです。何だったらワジムさんのためにも何セットかコピーしておいてあげますよ」

「ほんとですか？　それは有り難い。これから何軒かの出版社に当たるにしても、原本は手元に置いておきたいですから」

「三セットほどでよろしいかしら？」

「十分過ぎるほどですよ」

「では、今日中に、コピー三セットと原本をお持ちします。どちらにお届けしましょうか？」

「今夜は集中治療室の前で徹夜するつもりです。この建物の三階です」

「分かりました。あっ、それから、この写真、あとでガリーナ・エヴゲニエヴナにお渡し下さい」

志摩は「ディアナと青いコウモリたち」のポスターの写真一式をワジムに手渡して、カーチャとともに病院をあとにした。

腕時計を見やると、七時。白タクを拾って川崎さんのオフィスに乗り付けようかなとチラッと思ったが、ホテルのビジネスセンターを利用することにした。ノートの書き込みがある頁数は、ざっと数えて約四〇〇、見開きでコピーするとして約二〇〇枚。自分とカーチャの分を含めると、五セット五万円の出費は痛かったが、時間と機会を逸することの方が惜しかった。

そして、それは正解だった。カーチャにコピーの件は任せてホテルの部屋に戻ると、しばらくして電話が入った。マリーナからだった。

「ママに連絡がついて、電話番号が分かりました」

マリーナは番号を読み上げ、志摩は書き取った。

「ありがとう！　今も間違いなく、ジナイーダ・マクシモヴナは、そこで教えてらっしゃるのね」

「ええ。だって、わたしの妹が教わっているのですから、間違いありません。午後二時から夜の八時まで、毎日やってます。土日はお休みだけど」

「ちょっと待って。もう八時過ぎてるじゃない。ごめんね、今すぐかけてみるから」

急いで電話を切り、マリーナから教わった番号にかけ直したものの、呼び出し音が虚しく鳴り続けるばかりである。部屋を飛び出してホテルの二階にあるビジネスセンターのカーチャのもとへ急いだ。

「あら、あと五分ほどかかりそうよ。面倒だからって文句言われて、結局セルフ・サービスさせられてんの。その代わり、三割引にしてもらったから。でもソーターっていうの便利ね。うちの図書館にも、こんなの欲しいわ」

「そんなことより、カーチャ、ジーナの教室の電話番号は分かったんだけど、もう営業時間が過ぎていて誰も電話口に出てくれないのよ」

「シーマチカ、こうなったら、明日トゥーラに乗り込むしかないね」

「カーチャもそう思う？　じゃあワジムにこれ届けた帰り、駅に立ち寄って列車の切符買おう」

「決定！　でも、切符はホテルのコンセルジュに頼んだ方が確実よ。あっ、もうすぐコピー完了するから、一冊ずつまとめて封筒に入れてちょうだい」

「ここに、B・Aと何度もイニシャルで出てくるのは、ボリス・アントノヴィッチ、ミハイロフスキーのことだね。E・Mは、エレオノーラ・ミハイロヴナのことだろうし」

「シーマチカ、今読み出したらダメよ。それは後で部屋に戻ってから、ゆっくり目を通すことにしよう。そのためにも、早く用事を済ませなくちゃ」

「了解、了解」

九時ちょっと過ぎには、第三三病院六号棟三階の廊下に陣取るワジムに、借りたノートとコピーを届けることが出来た。ワジムはあまりの迅速さに驚きあきれ、それからガリーナ・エヴゲニエヴナの容態が快方に向かっていると言った。明日にも、集中治療室を出られるかも知れないと。

「先ほど、三分だけ面会が許されて、お預かりした写真を渡してきましたよ。とても喜んでました」

「よかった。次にお母さまにお会いになったときは、明日、わたしたちが、その写真の女性の娘さんに会いにトゥーラまで行って来ると伝えて下さい。その結果についても必ずご報告しますと」

先ほど病院を後にしたときよりも、はるかに気持ちが軽やかになっている。待たせていた白タクに乗り込むと同時に、カーチャがつぶやいた。

「あーあ、緊張の糸が切れてどっと疲れちゃったね。それに、お腹空いたね」

「でもノートの解読を早くしたいし……だけど、またルームサービスのコールド・ディッシュとか下のバーのオープン・サンドなんていうのはウンザリだね」

意気投合して、ちゃんとした夕食を摂ることにしたのだが、この時間に予約無しでレストランに飛び込んでも断られるか待たされ過ぎるかに決まっているということになり、結局、ホテル一階のレストランに落ち着いた。オーダー・ストップの一〇時直前にすべり込んだ。

ところが、一通り、注文を済ませて食前酒をちびりちびりやりながら、ガリーナ・エヴゲニエヴナの下書き帳の解読に取りかかるや、料理などどうでもよくなってしまった。

手書きで、一度登場した人名や地名はイニシャルで記されていたし、単語も語尾を省略してあったが、文字はしっかりと綴られていて読みやすいものだった。それに、雑誌に掲載された手記の文章はまだ生々しく覚えていたので、カットされた部分は、すぐに分かった。そのうち、カットされた部分は、どれも太線で囲まれていることに気づいた。太線で囲まれた部分を拾い読みしていくと、ガリーナ・エヴゲニエヴナがすでに志摩たちに語ってくれたことも記してあった。そして、おそらく語ってくれる予定だったことも。

B・S（バルカニヤ・ソロモノヴナ）がO・M（オリガ・モリソヴナ）になりすましていることについて、知っているのはラーゲリ中でわたし一人だけだったのだが、E・M（エレオノーラ・ミハイロヴナ）がA（アルジェリア）にやって来てからは、二人になった。B・Sは、娑婆にいた頃にM・M・H（モスクワ・ミュージック・ホール）を訪れたE・Mに会うことがあったらしい。そのせいなのか、まるで実の妹であるかのように、E・Mのことを気遣って、何かと甲斐甲斐しく世話を焼いていた。医師として収容所当局からも一目置かれていたB・Sは、バラックもE・Mと同じになるようはからい、寝台も隣同士にしてもらった。白髪のせいで実年齢よりもはるかに老けて見えたE・Mは、そんなB・Sに幼女のようになって甘えていた。この心地よい被保護感覚は、E・Mの情緒を安定させていった。半年もすると、目に見えてE・Mの立ち居振る舞い、言動に改善が見られた。東洋系の顔立ちの人間を見ると、誰彼の別なく近付いていって行方不明の夫と娘について尋ねるということもしなくなった。

「もうすぐだ。あともう少しで、彼女は現実を真っ直ぐ見つめて受け容れるだけの力を持てるようになるはずだ。失われた記憶も戻ってくる」

そう言ったB・Sはとても自信ありげだった。

ところが、前の副所長が更迭されて、B・A（ボリス・アントノヴィッチ）が赴任して来るや、B・Sの努力はたちまち水泡に帰した。

B・Aは、背はさほど高くなかったが、まだ三〇代という若さのくせにかなり太っていた。ラーゲリの女たちは、皆やせ細っていたので、B・Aの肥満体は、とりわけ目立った。しかし、そんなことはどうでもいい。問題は、B・Aの異常な性癖であった。

意外に思われるかも知れないが、B・Aがやって来るまでのAでは、ラーゲリ・スタッフのほとんどが所長以下男性であり、その配下に置かれた収容者は全員が女性であったにもかかわらず、性的嫌がらせは皆無だった。それは、ラーゲリ職員の男性たちの克己心や倫理観が優れていたおかげというよりも、収容者が女性としての魅力をとうてい保てない劣悪な条件に置かれていたためだと思う。労働時間は長すぎていつもヨボヨボに疲れ果てていたし、飢え死にしそうなくらい四六時中腹を空かせていたし、風呂には週一度しか入れず蚤やシラミ、南京虫に絶えず悩まされていた。わたしもそうだが、ほとんどの女性の月経が止まっていた。そんなわたしたちに対して劣情を抱く男など、いない方が当然だった。

ところが、B・Aは違った。好みの女を見つけると、執拗に付け狙い、弱みにつけ込もうとした。まず、食い物で釣ろうとした。しかし、Aに収容された女たちは誇り高い。次々にB・Aの誘惑をはねつけていった。そこで、B・Aは、さらに卑劣な方法を考え出した。その最初の犠牲者となったのが、哀れなアリョーナだった。

「娘さんに会えるようにしてあげる」

と言ったのだ。アリョーナの娘は母親と引き裂かれてすぐに亡くなったことをラーゲリ中の女たちが知っていた。アリョーナだけが、その事実を知って以来、気がふれてしまって、未だに娘が生きていると思い込んでいる。誘われるたびにB・Aの言葉を無邪気に信じて、嬉しそうに付いていくアリョーナに、B・Aの言うことは嘘っぱちで、娘さんに会えるはずなんかないのだと言い聞かせるのもまた残酷すぎて、女たちは躊躇するのだった。

次に、B・Aの毒牙にかかったのは、E・Mだった。というよりも、E・Mは、自らその毒牙に飛び込んだようなものだった。翻訳班に見回りに来たB・Aの姿を見た途端に、E・Mは駆け寄っていって、尋ねたそうだ。

「ああ、あなたでしたね。ブティルカで、わたしから娘を取り上げたのは。どこへ連れていってしまわれたのですか、あの子を？　いったい、どこへ？」

「あとで、わたしの所へいらっしゃい。娘さんに会えるようはからってあげましょう」

それからは、頻繁にE・Mは、B・Aの執務室に通うようになった。ある日、B・Sは、たまりかねて、B・Aの執務室まで行き、B・Aを問いつめたそうだ。

「E・Mの娘の消息を、本当に知っているのか？　可哀想な母親を弄ぶのは、いい加減にして欲しい」

すると、B・Aは平然とうそぶいた。

「ああ、よく知っている。スパイの種は根絶やしにするというNKVDの方針に従って、あの女の胎児は強制流産させた。あいつの子宮を石鹸水の入った容器と管でつなげてね。容器を高ーく持ち上げてやった。こりゃあ、浣腸をするときと同じやり方だ。ハハハハ」

悦に入ったB・Aは、なおも続けた。

「クックックックッ、実に安上がりにして簡単な方法だった。これを考案したヤツは天才だよ。そうは思わんかね。たかが人民の敵の遺伝子撲滅にだねえ、人民の金と労力を浪費するわけにはいかんからね」

B・Sは怒りと悲しみに打ちのめされて立っているのがやっとだった。こんな男に抗議したり、悪罵を浴びせかけても徒労に終わるのは目に見えている。それよりもこの男と同じ空気を吸っているのが汚らわしくてたまらない。一刻も早くこの部屋を出ようと扉に向かったところで、息を呑んだ。扉の傍らにはE・Mが立っていた。

「やめろーっ」

B・Sは悲鳴をあげた。しかし、B・Aは、平然としゃべり続ける。

「それに、わがNKVDの首尾一貫性と透明な合理性には、惚れ惚れするね。この女の

（B・Aは顎先をしゃくってE・Mを指した）亭主の処刑日と、その遺伝子の撲滅日を同じ日に設定したんだからね。たしか、あれは一九三八年の二月一三日から一四日にかけての真夜中だった。クックックックッ、洒落ていると思わんかね」

B・Sは手元にあった椅子の背を両手でひっつかんで振り上げると、

「黙れ、黙れったら黙れーっ！」

声を張り上げながらB・Aめがけて投げつけた。B・Aが巨体をひょいとかわしたため、椅子は背後の本棚に当たってガシャリとガラスが割れた。すかさずB・Sが二つ目の椅子の背に手をかけたところで、

「ストップ」

B・Aがピストルを抜いて照準を定めてきた。

「医者にしちゃ、ずいぶん身のこなしがあか抜けてるねえ」

魚のような目で身体を睨《ね》めまわしてくる。悪寒が走った。

「筋肉がまるで踊り子みたいに鍛え抜かれているじゃないか」

自分の正体を見抜かれているのかと、B・Sはこの瞬間、観念したという。ブティルカで最後に会ったときの妹の顔が浮かんだ。身代わりになってくれた妹の死が無駄になってしまうのが申し訳なくてしかたなかった。

「クックックックッ、さぞかし、あそこの筋肉も引き締まっていい具合になっているんだろうよ。割れたガラスを弁償してもらわなきゃならんし。どれどれ、筋肉の鍛えられ加減を、

試させてもらおうかな」

いつのまにか背後から覆い被さってきて乳房を鷲摑みにしたB・Aを力任せに振り払うと、B・Aはドデーンと尻餅をついた。

「ふん、そのだぶついた脂肪は、勃《た》たないせいだろう。去勢豚のくせして虚勢を張るんじゃないよ。本物の男は、女の弱みにつけ込んだりしないもんだ。ああ、汚らわしい！　去勢豚に乗っかられるぐらいなら、銃殺された方がましだ」

「銃殺ねえ。クックックックックッ、ご希望なら、考えておこう。さしあたっては、懲罰房に一週間ほど入ってもらおうか」

起きあがりながらB・Aは言った。顔の表情にも言葉遣いにも全く変化が無いのが気味悪かったが、どうやら正体を見破られたと思ったのは、自分の取り越し苦労だったらしい、とB・Sは悟ってどっと身体中の力が抜けた。その時だった。

「ねえ、B・A、わたくしの娘の居所を、教えて下さるお約束でしたよね」

E・MがいそいそとB・Aに駆け寄って行く。B・Aがたった今、口にしたばかりの自分の身に及ぼした惨《むご》い仕打ちの一切を、E・Mは全く聞いていないかのようだった。心を崩壊から守るために、彼女の聴力は、その種の話を選択的に受け付けないフィルターに覆われている。それとも、聞き取りはしても意識の手前でフィルターにかけられてしまうのか。一時は、少しずつ剝がれかかってきたはずのフィルターが、さらに分厚く強固になってしまっていた。

「そのうち、直接逢えるようにはからってくださるって、おっしゃってましたでしょう」

B・Sは、愛らしく小首を傾げてB・Aに言い寄るE・Mが不憫《ふびん》で不憫で、思わず抱きしめて泣き出してしまった。

「ああ、これからその件について詳しく話し合うためにも、ドクターには撤退してもらわなくちゃならないね」

B・Aは、卓上のベルを押して、衛兵を呼びだし、B・Sを懲罰房へ収容するよう命じた。

懲罰房は一・五メートル立方の日干し煉瓦造りの独房で、まともに立つことも横たわることも出来ないようになっている。窓も明かりもない。便所もない。部屋の隅に用便桶が置かれる。食事は一切絶たれ、日に一度、水が与えられるだけである。三日間収容されただけで、筋力と視力を取り戻すのに数週間かかる。二度と反抗心を取り戻せなくなる者も多い。正気を失った者もいる。

B・S(というか、ラーゲリ当局も囚人仲間も、彼女のことを医師のO・Mと思い込んでいたのだが)が、B・Aの執務室で演じた大立ち廻りの一部始終についても、そのために懲罰房に閉じこめられたことも、なぜか、その日の内にラーゲリ中に知れ渡った。多くの女たちが、O・MことB・Sの世話になっており、彼女の身を案じて心が掻きむしられた。日を追う毎に不安は募った。

しかし一週間後に懲罰房から出てきたO・M(B・S)は、やや痩せ細ったように見えたが、むしろ以前にも増して溌剌としていて、収容所当局、とりわけB・Aをタジタジとさせた。その時のB・Aの間抜け面を思い出すと、今でも爽快な気分になる。O・M（B・S）は肌の色艶まで良くなったみたいだ。彼女の身を案じていた女たちの方が、はるかに面やつれして見えたぐらいだ。

このO・M（B・S）の武勇伝は、長くAの女たちの語りぐさになった。

わたしも、懲罰房から出てきたB・Sを初めて見たときは、嬉しさよりも奇跡か魔法を見たときのような驚きの方が大きかった。彼女は天女か魔法使いかと、一瞬だが思ったほどだ。もっとも、謎は、すぐにB・S自身の口から明かされた。

「昔、インド舞踊を習ったときに、ヨガの修行にのめり込んだことがあったんだ。それが、こんなところで役に立つとはね。暗闇の中は瞑想に最適だったし、狭い空間では久しぶりにヨガ体操で身体の隅々をほぐせた。健康と美容のために定期的に絶食をするトレーニングを積んでいたからね。身体に蓄積した老廃物を取り除くのに最良の方法なんだね。最大九日間絶食したことがあるんだ。だから、七日間なんて朝飯前」

わたしが今も毎日ヨガ体操を欠かさないのは、この時以来、Aの女たちのあいだでは、ヨガが大流行し、わずかな時間を見いだしては、B・Sに少しずつ教えてもらったからだ。それに、Aを出所後独習で身に付けたからだ。

しかし、「魔法使い」B・Sをもってしても、頑《かたく》ななフィルターに覆われてしまったE・Mの心はついに癒せなかった。少なくとも、わたしがAを出所するその日まで、E・Mは、しばしばB・Aのもとへ通っていた。そして、B・Sや他の心ある女たちは、それを何とかやめさせようと知恵を絞っていたが、あらゆる試みが失敗に終わっていた。

出所後、わたしは流刑先の町から、B・Sから教えられ必死で暗記した彼女の母親が住むモスクワのアパートの隣人たちに連絡を取ることを考えた。

B・Sは文通が許されるようになってから、と言っても年に二度だけという制限付きであったが、その貴重な制限枠の二度を使って、言うまでもなくO・Mの名で母親宛てに手紙を出していた。しかしいずれも転居先不明で戻ってきていた。かといって、B・Sは、自分自身の友人知人に問い合わせることは出来なかった。B・Sは処刑されているはずなのだから、生きていることを当局に嗅ぎ付けられる可能性は排除しなくてはならないからだ。妹のO・Mの友人知人の名前はわずかに知っていても、連絡先は知らない。だから、母親の転居先を調べる術《すべ》がなかった。隣人の中には、知っている人がいるかも知れない。

わたしは、その人たちに当たり、彼女の母親を捜し出して、処刑されているはずの長女が元気に生きていること、癌に冒されていた次女が身代わりになって処刑されたことを何としても知らせることを、B・Sに約束した。しかし、わたしには、流刑先の町を出ることが許されていなかったし、手紙はことごとく当局に読まれることを前提としなくてはならない。

自分の母に頼るしかないと思った。まもなく母が、職場の当局にさんざん頭を下げて五日間の休暇を捻出し、わたしの流刑先に訪ねて来てくれたので、その時に頼むことにした。

二年半ぶりに会う母は、わたしを見るなり抱きついてきてワーワー声を出して泣きじゃくった。すっかり老け込んで二まわりも縮んでしまっていた。

モスクワからこの町までの往復に二昼夜費やされてしまうので、わたしとともに過ごせるのは、二泊三日だけだった。

毎日の長時間労働で疲れ果てているはずの母は、寝る間を惜しんでわたしの身の回りの世話を焼き、話しかけ、そうでないときはただただわたしの一挙手一投足を全身目になって追い続けた。母が来てくれた翌朝、目を覚ますと、ジーッと母の視線が注がれている。

「寝ないと、身体を壊してしまうよ」

「帰りの列車の中で嫌というほど寝るから大丈夫だよ。それより、こうしてお前がちゃんと生きてることを確認している方が元気になれるんだ」

最初の日も、二日目も、何度も母に話そうとして、その度に思いとどまった。B・Sが生き延びていることが当局に知られたら即刻処刑されてしまう。しかも、そのことを知りながら当局に報告しなかったことが明らかになり、わたしだけでなく、この母までもがラーゲリ送りになってしまう。いや、死刑になるかも知れない。慎重の上にも慎重を期さなくてはならない。

二晩目の夜、ついに睡魔に襲われた母は机の上に突っ伏して寝息をたてはじめた。寝顔になっても消えない眉間の皺の深さに胸が締めつけられる。細く美しかった母の指先が太くゴツゴツしていることに気づいて思わず頰を寄せた。ザラザラしていた。名のある建築家の妻として、自身も有能な技師として周囲に敬意をもって遇せられて来た母の、わたしの不在時の苦労が偲《しの》ばれた。この母にこれ以上の辛苦を舐めさせるわけにはいかない。そのとき、そう決心したはずだった。

いつのまにか眠りに落ちて、目が覚めると、母が熱いタオルでせっせとわたしの身体を拭いてくれていた。

「ひどい寝汗だよ。ビッショリだったからね」

それから遠慮がちに尋ねた。

「誰のことだい、O・Mって？」

「ママ、何でその名前、知っているの？」

「だって、何度も何度もうわごとで叫んでたもの」

つい今し方見た夢でまざまざと追体験した、ブティルカに入れられた直後、扁桃腺炎を悪化させた顚末を母に話して聞かせた。わたしがO・Mのおかげで命拾いしたことも。それからO・Mが異父姉のB・Sの身代わりになって処刑された経緯も。

母は二人の母親のアパートを訪ねると約束してくれた。モスクワに帰って二月ほどして母から手紙が来た。自分のことはほとんど書かずに、クセーニャおばさん捜しの報告を綴っていた。O・MとB・Sの母親を「クセーニャおばさん」と記すことは、あらかじめ母と打ち合わせてあった。

「クセーニャおばさんのアパートを久しぶりに訪ねたら、すでに別な人が住んでいて、前の住人については知りませんでした。隣人たちから訊き出した話を総合すると、クセーニャおばさんは、一年半ほど前にアパートの階段を踏み外して転落し、意識を失って病院に運ばれたそうです。そこを退院した後に独居は無理ということで老人ホームに移されたらしいというところまで突き止めましたが、どこの老人ホームなのかは、誰も知りませんでした。入院していたという病院に足を運び、三度目にようやく担当していた看護婦さんに会うことが出来ました。その週の日曜日に看護婦さんから教わったモスクワ郊外の老人ホームを訪ねました。クセーニャおばさんは痴呆がかなり進んでいる様子で、あれほど可愛がっていた猫のことを訊ねても、もうよく覚えていない様子でした。どこまで通じるか分からなかったけれど、キスカが死んだ経緯とムシカは元気にしていることを話して聞かせると、涙を流していました」

O・Mを猫のキスカ、B・Sをムシカと記すことも、母と打ち合わせたことだった。

一月後に、また母から報告があった。

「このあいだの日曜日、またクセーニャおばさんのところを訪ねたら、亡くなっておられました。わたしが以前に立ち寄った一週間後のことだったそうです。朝ベッドの上で冷たくなっていたということです。愛猫たちのことを知らせてあげられて本当に良かったと思います」

B・SとE・Mのことは、その後も気にかけていたが、未だに二人の消息は分からない。

志摩とカーチャは約二〇〇枚のコピー全てに目を通したが、バルカニヤ・ソロモノヴナとエレオノーラ・ミハイロヴナに関する記述は、そこまでだった。手記は次のように締めくくられていた。

しばらくすると戦争が始まり、母がモスクワを引き払ってわたしの流刑先に疎開してきた。私は刑期が完了した後も、この町に残り、建設資材の工場で技師として働いた。そこで同僚となった男と恋に落ちた。男は気にしないでいてくれたが、ラーゲリ帰りの女と関わりを持つことを嫌がった親類縁者の猛反対にあって結婚に踏み切れないでいる内に男は徴兵され、帰らぬ人となった。その悲しみから立ち直ることが出来たのは、二人目の夫との出会いがあったからだ。結婚したのは、一九四九年のことである。その直後、夫の転勤にともない、母ともどもモスクワに戻った。実に一一年ぶりであった。一九五三年三月、息子に恵まれた。奇しくもスターリンが亡くなる前日のことだった。

「申し訳ありませんが、お引きとり願えませんか。もう閉店時間を三〇分も過ぎているんですよ」

レストランのマネージャーとボーイが揃って志摩とカーチャが座るテーブルの前へ来て頭を下げている。見回すと、客はもう誰もいない。テーブルの上の食べ物は、手を付けられないまま冷えていた。カーチャは、たちまち交渉を始めた。

「お願い！　このお皿、部屋に持って行っていいでしょう?」

「それは、困ります」

「明日の朝、お皿は必ずこちらに戻しますから」

「そう、言われましても」

「せっかくのご馳走が勿体ないじゃない、わたしたちは腹ぺこだというのに」

「………」

「あーあ、明日の朝、飢え死にしてるかも知れない」

「分かりました。お持ち下さい。あっ、ナイフとフォークもどうぞお持ち下さい。飲み物もお持ちになった方がよろしいでしょう。いや、危なっかしいなあ。せっかくですから、レンジで温め直して、お部屋までお運びしましょう」

カーチャの粘り勝ちだった。

意気揚々と部屋に引き上げてくると、カーチャはまたまたスーツケースの中をガサゴソまさぐり、本や書類を引っぱり出してきてベッドの上に置いた。しかし、志摩が手を延ばすと、その手を軽く叩いて言った。

「ちょっと待った。今、読み始めちゃうと、せっかく温め直してもらった夕食がまた冷えちゃうじゃないか。食べ終わってからにしよう」

ところがフルコースを平らげた頃には、ワインを一本開けたこともあり、瞼が重くてたまらなくなった。

志摩が目を覚ましたのは、電話の呼び出し音のせいだ。カーチャはまだ軽く鼾をかいている。受話器を耳に当てると、ナターシャの声だった。

「ごめん、起こしちゃったかな？　今、下に来てるの。部屋に行っていい？」

「いいけど、今、何時？」

「あと五分で九時よ。じゃあ、今からおじゃましまーす」

受話器を置くと同時にナイトテーブルに埋め込まれた時計が目に入ってきた。大変だ。昨晩購入したはずの切符はどこへ置いたっけ。ハンドバッグの中を見たが、無い。服のポケットも全部まさぐってみたが、無い。カーチャを揺さぶった。

「ねえ、トゥーラ行きの列車は何時出発だったっけ」

「一〇時過ぎだったと思うよ。でも一〇時何分だったかは、切符を見ないと分からないよー」

「その切符を、どこへやったか、見あたらないのよ」

寝ぼけ眼をこすっていたカーチャは飛び上がった。そして自分のハンドバッグと手提げ袋とポケットをまさぐった。無い。そこへ大きな紙ばさみを抱えたナターシャがやって来た。

「どうしたの、二人とも取り乱しちゃって」

事情を話している内に志摩の記憶も整理されてきた。

「そうだ。コンセルジュに頼んで、今朝、切符を受け取る手はずになっていたんだ。その時、出発時間は手帳に書き付けたんだった」

手帳を開くと、一〇時五八分と記してあった。

「シーマチカ、あと、二時間もあるじゃないの。ここから駅までは一五分もあれば十分だし。

シャワー浴びて着替えてコーヒー飲む時間もとれる。もちろん、ナターシャの話を聞く時間もとれるし」

「ああ、わたしは話じゃなくて、写真を持ってきたの。昨日、マリヤ・イワノヴナの号令で、劇場の専属カメラマンがポスターの写真を撮って現像までしてくれたんだ。照明係も動員されたから、かなりいい出来よ」

　ナターシャは新聞紙大の紙ばさみの中から同じサイズの写真を取り出して見せてくれた。色彩も記憶の中のポスターのものに近いし、何よりも「ディアナと青いコウモリたち」一人一人の顔が活き活きと鮮明に写っている。婉然と微笑むディアナの挑むような眼差しが眩しい。

「ほんとだ。わたしの撮ったのとは雲泥の差だ」

「この紙ばさみの中に一〇枚入っているわ。ただし、フィルムがあるから、必要なら、何枚でも焼き増し出来るんですって。いつでも言って下さいって、マリヤ・イワノヴナが言ってました。この紙ばさみは、よかったらそのまま使って下さい」

13

トゥーラ市は、モスクワのほぼ真南二〇〇キロほどのところに位置するというのに、モスクワよりかなり寒かった。昨晩から朝にかけてかなり吹雪《ふぶ》いたと、帰りのモスクワ行き最終便の切符を購入するときに、駅員が教えてくれた。鉄道駅舎を出て階段を降りたところで、志摩は尻餅をつきそうになった。すんでのところでカーチャが支えてくれた。

「さすが日本人。シーマチカは、凍った道を歩くのが下手だね。もっと、重心を下にして、しっかり大地を踏みしめないと」

そう言われて足を踏み出したとたんに、またすっ転びそうになった。

「あっ、ほらほら。もうしょうがないなあ。あたしにちゃんとつかまって歩きなさい」

「はい」

駅前正面は、大きな通りに面していて、その向こうに視界を遮るように背の高いビルがそびえている。壁面は雪に覆われ、見上げると、屋根のてっぺんに据えられたネオン・ランプの放電管も真っ白になっていた。それでも放電管が「モスクワ・ホテル」という綴りになっているのが判読できた。

左側がタクシー乗り場になっていたが、すごい行列なのに、肝心のタクシーが無い。その代わり、普通の乗用車が次々と止まって窓が開き、運転席から顔を出した人が行列に並ぶ人と値段交渉している。志摩とカーチャにも、すぐに声がかかった。

「どこまで？」

「トルストイ通り三二番地」

「乗りな」

眼鏡をかけた中年の運転手が要求した代金は、モスクワの相場の一〇分の一である。もちろん、ドルではなくてルーブルだて。

「この時間だと、モスクワからの列車だね。お客さんたち、観光？　トゥーラのクレムリンは見なくていいの？　ロシアでも最古の部類に入る砦なんだよ。あっそう。いいの……トルストイ通りの突き当たりには、有名な全聖者カテドラルがあるんだけどね。そこにも立ち寄らなくていいの……そうそう、トルストイ通り三二番地だったら、あの建物の一階は、ダンス教室になっているから覗いてみるといい」

「なぜですか？」

「今や、トゥーラの名物になってるからさ。トゥーラには、国立の舞踊学校も市立の舞踊学校もあるんだけれど、トルストイ通りの私営のダンス教室にかなわないんだ。地元のテレビ局が主催するコンクールではいつも優勝かっさらっちまうし。去年だけでも教え子の二人はボリショイ・バレエ学校に、三人はペテルブルグのワガノワ・バレエ学校に受かってるしね。まっ、そんなことより、あそこの発表会は、今やトゥーラ市民の楽しみなんだなあ」

「きっと教え方がとても巧いんですね」

「それは言える。ジナイーダ・マクシモヴナっていう名物先生がいてね。実は、うちの息子も、そこへ入れたんですよ。その授業料払うために、こうしてアルバイトしてるんです。なにしろ工場が生産規模縮小しちまったもんだから、出勤しても何もすることなくてね。賃金も遅配続きだし。副業おおいに奨励されとるんです」

「大変ですね。ところで、そのジナイーダ・マクシモヴナに、わたしたち会いに行くんですよ」

「それを早く言ってくれなくちゃ。ほら、着きましたよ。ここから先は、車が入れないから悪いけど歩いてもらわなくちゃならない。灰色の建物の次に六階建ての黄色っぽい建物があるだろう。入り口はあっち。入ってすぐ左手のドアだからね。あっ悪いなあ、こんなに」

「その代わりお願いがあるの。二〇時二〇分発のモスクワ行き列車に乗らなくてはならないから、一九時半には、ここに迎えに来てもらえませんか」

カーチャは相変わらず手抜かりが無い。

「お安い御用だ。じゃあ、約束の時間より一五分ぐらい前からこの場所で待ってるから」

「よろしくお願いしまーす。あっ」

車から出て二歩踏み出したところで志摩は足を滑らせて転んでしまった。

「いやだ、ドジねえ。あああーっ」

カーチャまでもが志摩を助け起こそうとして尻餅をついた。

「おい、大丈夫かい」

運転手さんがあわてて車の中から出てきた。志摩とカーチャのところへ駆け寄って手を差し伸べようとしたところで突然顔をあげてニッコリ微笑みながら挨拶した。

「ごきげんよう、ジナイーダ・マクシモヴナ！」

「ごきげんよう」

志摩とカーチャは一瞬、空耳かと思った。オリガ・モリソヴナの思いっきりしゃがれたガラガラ声ではないか。路上に転がったまま、運転手さんの視線の先、声がした方へ首を曲げて、同時に叫んだ。

「ジーナ！　ジーナ！　やっぱりジーナだった！」

声が裏返ってしまっている。起きあがろうとしても身体に力が入らない。

スラリとした黒ずくめのジーナは、ほとんど昔のままである。黒い毛皮の帽子にオーバー、黒いブーツ、黒い手袋。化粧っけの無い顔は、年相応に老けてはいたが、黒目がちな切れ長な瞳は三〇年前と同じように美しい。ジーナは、しばらくのあいだ怪訝な顔をして立ちつくしていた。志摩とカーチャの顔を交互に見つめていたが、パッと黒目を輝かせて駆け寄ってきた。

「シーマチカでしょう。プラハのソビエト学校にいた日本人のシーマチカ」

「わたしのこと、覚えてくれてたんだ」

志摩はそう言ったつもりが、鼻腔から喉にかけて何かが詰まったようになって口をパクパクさせただけになった。ジーナは心配そうに志摩の肩に手をかけ、顔をのぞき込んで来る。屈んで志摩の頬に自分の頬をすり寄せてきた。ジーナの頬は濡れていて、それに促されるように志摩も涙が溢れ出てきた。ジーナは志摩を助け起こしてくれながら、つぶやいた。

「シーマチカによく言い寄っていたでしょう、ママが」

「ママって?」

運転手さんに助け起こされていたカーチャが尋ねた。

「エレオノーラ・ミハイロヴナのこと」

「ジーナ、エレオノーラ・ミハイロヴナは? オリガ・モリソヴナは?」

「もちろん、とうの昔にあちらの住人だわよ」

ジーナは、右手の人差し指で天空を指した。その姿がバレエの舞台の一場面のように優雅で志摩とカーチャはつい見惚れてしまう。

「どうしたの、二人とも突っ立っちゃって? それより、こんなところで立ち話していては凍えてしまうわ。よろしかったら、わたしの教室に来て下さらない」

歩き出したジーナの後に続きながら、志摩もカーチャもオヤッと思った。ジーナは軽く左足を引きずっている。

「これで踊れなくなったの」

ジーナは振り返って微笑むと、まるで他人事を話すかのように乾いた口調で言った。

「だから調教師になったのよ。同情しないでちょうだい。最初は運命を呪ったわよ、もちろん。でも、今はこの仕事が天職だったような気がしているくらいなんですから」

ある事故で怪我をして左膝の靭帯を断裂したのだという。手術は普通の人であるなら大成功の部類に入るが、バレリーナとしての復活を可能にするものではなかった。ジーナは淡々と話しながら歩いていく。淡々と話さなくてはならないほど辛い悔しいことだったのが伝わってくる。

「こんにちは、ジナイーダ・マクシモヴナ！」
五、六人の女の子の集団が口々に挨拶をしながら志摩たちを追い越して黄色い建物の玄関口に吸い込まれていった。
教室は、ちょっと天井が低めだったが、明るく清潔で居心地良さそうだった。大きなレッスンルームが一つ。その半分ぐらいのサイズのレッスンルームが一つ。それに、小さなキッチンが付いた控え室と女子用男子用別々の更衣室とシャワールーム。すでに、学校の授業を終えた低学年の子供たちが二〇人近くも集まってきていてさんざめいている。

志摩とカーチャは控え室に通され、ソファーに腰掛けるよう促された。

「今、紅茶入れるから」

「構わないでよ。二時からレッスンなのでしょう？」

「それより、いつまで、トゥーラに滞在できるの？　今晩はこの町に泊まれるの？」

「ううん。シーマチカが明日東京行きの飛行機に乗らなくてはならないものだから、今晩二〇時二〇分の最終便でモスクワに戻る予定なんだ」

「そう。じゃあ、わたしの今日のレッスンは、アーシャに代講してもらう。あっ、こちらアーシャ」

そのアーシャがちょうど紅茶を運んできて、

「初めまして」

ニコッと人懐こく微笑みながら、テーブルの上に紅茶茶碗を並べてくれた。いかにも踊り子らしいスラリとした肢体にキビキビした動き。まだ二〇代半ばだろうか。

「とっても優秀なわたしの助手。アーシャ無しでは、ここは成り立たないの。わたしは足がこんな具合だから、模範演技は、全部彼女にやってもらっているのよ」

ジーナは立ち上がってアーシャと熱心に打ち合わせをしながら控え室を出ていった。まもなくレッスンルームの方から聞こえてきた子供たちのさんざめきがピタッと止んで、ピアノの音色が漏れて来る。ジーナは一人で戻って来て歓声をあげた。

「わーっ、どうしたの、これ！」

「お土産」

志摩は、マリヤ・イワノヴナ指揮のもと、エストラーダ劇場のカメラマンの手で撮影された「ディアナと青いコウモリたち」のポスターの写真をジーナに手渡しながら、ポスターに出会った経緯を話した。プラハのソビエト学校でオリガ・モリソヴナにこのポスターの元になったらしい写真を初めて見せてもらったときの鮮烈な記憶、オリガ・モリソヴナとエレオノーラ・ミハイロヴナと、それにジーナに対してあの頃に芽生えた謎、それを六日前にモスクワにやって来てから幸運にもカーチャと再会できて、カーチャとともに解き明かしていった経緯も掻い摘んで話した。

志摩が話し終えたところで、今度はカーチャが、ガリーナ・エヴゲニエヴナの雑誌に掲載された手記『カザフスタンのアルジェリア』のコピーを手渡そうとすると、ジーナはさかんに恐縮しながらいらないという仕草をした。

「この手記は、一九八九年に出た頃、評判を聞いて手に入れたの。何度も何度も読み返して、すぐにも著者に手紙を書こうと思ったけれど、迷惑がかかるといけないと思って我慢した。でも、去年の八月にKGBが解体された後、すぐにでも連絡を取るべきだったわ。ガリーナ・エヴゲニエヴナが、そんなにお悪いなんて」

それではと、カーチャは、『カザフスタンのアルジェリア』の下書き帳のコピーもジーナに進呈した。

「ありがとう、ありがとう」

ジーナは、ひどく喜んで、コピーを抱え込み、昨晩、志摩とカーチャが読んだ箇所に目を走らせた。そして、オリガ・モリソヴナことバルカニヤ・ソロモノヴナの大立ち廻りと見事に懲罰房を乗り切ったくだりでは、声をあげて笑った。

「ハハハハハ、ママらしい。でもこの武勇伝は、ママから聞かされなかったなあ」

「ジーナ、ジーナは本当にオリガ・モリソヴナのお嬢さんだったの？　それとも、エレオノーラ・ミハイロヴナがジーナのお母さんなの？」

「二人とも、わたしにとってはかけがえのない母親。血のつながりがあるのか、と問われれば、三世代前以降は全くないと断言できるけれど。それ以前は分からないわ」

「そりゃそうだ。ずーっと遡っていけば人間みんな親戚ということになるものね。でも血のつながりの無いジーナは、なぜオリガ・モリソヴナとエレオノーラ・ミハイロヴナの娘になったの？」

「長い話になるから、紅茶を温かいのに入れ直しましょう。そのクッキーはアーシャの手作り」

　ジーナに促されて志摩もカーチャも、話を聞き出すのにガツガツしすぎていたことに気づいてちょっと恥ずかしくなった。前屈みになっていた姿勢を正し、クッキーを口にした。美《お》味《い》しい。紅茶を口に含むと、ゆったりとした気分になった。それを見てとったように、ジーナが語り始めた。

　わたしは物心ついた頃はアルマ・アタ市郊外の孤児院にいて、親も兄弟も知らずに育ったの。ジナイーダ・ミローノワという名前で呼ばれてたけれど、これは当局がわたしの本名を消してしまったため、孤児院の責任者が付けた名前だった。それだって、大人になってから知ったことだけど。それも、ペレストロイカが始まってずいぶん経って、いろいろ調べることが出来るようになってから。入れられていた孤児院は、スパイ容疑や反逆罪で粛清された人たちの子供専用に設立されたものだったってことも、多分そうだろうとは思っていたけれど、実際に確認できたのは、最近。犯罪者である親の影響を完全に絶つという目的で、当局は、その子供たちの過去を消したの。だから、わたしだけでなく、周りの子供たちも物心つく前に親から引き離された子供たちは、未だに自分の父親や母親の名前も民族も分からない人が多い。わたしも自分の容貌からして、両親か片親に東洋人の血が混ざっていたことは確かだと思うのだけれど、それが中国人なのか、朝鮮人なのか、カザフ人なのか、ウズベク人なのかも分からないの。シーマチカ、あなたと同じ日本人かもしれないって夢想することもあるのよ。日本人の共産主義者も、ずいぶんたくさん殺されているから。孤児院では、わたしは一九四八年八月一七日生まれということになっていたけれど、それが本当の誕生日なのかさえ分からない。野良猫の誕生日が分からないのと同じ。

　でも、もともとそういう環境で育ったわたしは、運命をそういうものとして受け容れていた。周りの子がみんなほとんど同じ状況に置かれていたことも救いだった。孤児院の生活はとてもつましかったけれど、意外なことに、直接孤児の面倒を見る先生方は優しい人が多かった。

　だけど、五歳になる少し前頃から仲間の子供たちを親や親戚が捜し出して迎えに来るようになった。大きくなってから気づいたのだけど、一九五三年三月にスターリンが亡くなってしばらくしてからのことだった。ほら、レオニードって覚えているでしょう。プラハのソビエト学校に通っていたレオニード・コズイレフ。シーマチカやカーチャの一年上級の。彼も同じ孤児院にいたのが、父親が迎えに来てくれたの。誰もが羨ましがったのに、コースチャ(レオニードは、孤児院ではそう呼ばれてたの)は最初、絶対に父親になんか会いたくない、孤児院を出ないと言い張って大騒ぎになった。今でも目に浮かぶようだわ。レオニードがベッドの脚にしがみついているのを先生方が何とか引き離そうとしているところへ背の高いコズイレフさんが現れて、泣きながら跪いて懇願したの。

「レオニード、父さんを許してくれなくてもいい。でも、母さんが死にそうなんだ。お前の顔を一目でいいから見たいと言ってる」

それを聞くと、レオニードは今まで駄々をこねてたのが嘘みたいにすっくと立ち上がった。でも、孤児院を出ていく最後の瞬間までレオニードはコズイレフさんの顔を見ようとしなかったし、コズイレフさんに手を触れさせようとしなかった。汚らわしいものを避けるように、必ず三歩ほどの距離を保ち続けていた。

それでも、迎えに来てくれる父親や病床で彼に会いたがっている母親がいるレオニードが、わたしたちは羨ましくてしょうがなかった。恨むほどに濃密な父親との関係を持っていることも羨ましかったし、あんな風に父親に対して駄々をこねられるなんて、父親の自分に対する無条件の圧倒的絶対的な愛を確信しているからこそ出来ることなんだ、と思った。

自分の父親や母親ははたして生きているのだろうか。自分を捜してくれているのだろうか。誰も迎えに来てくれなかったら自分はどうなるのだろう。仲間の子供が迎えに来た肉親に引き取られて孤児院を去っていくたびに、残された子供たちは心細い切ない思いで胸がいっぱいになった。いつもひもじい思いをしているくせに、そういう日の夕食はなかなか喉を通らない。夜も寝付きが悪くて、同じ部屋の子供たちが何度も寝返りをうつ気配を感じた。

レオニードが孤児院を去ってから一年が経ち二年目が終わろうとしていた。わたしを迎えに来る者はいなかった。九月からは、孤児院を出て寄宿舎付きの普通学校に入れられることになっていた。

そのころ、孤児院には肉親だけでなく、里親希望者たちが訪ねてくるようになっていた。当然、年少の子供たちの方が人気があって、もうすぐ七歳になるわたしにお呼びがかかることは無かったし、期待もしていなかった。

だから、八月中旬の昼下がり、院の先生に面接室に呼ばれたときは、肉親がついにわたしを捜し出してくれたんだと思った。面接室に近付くほどに自分の身体が風船になって浮き上がっていく気がした。嬉しいのか恐いのか分からなくなって廊下の途中でうずくまってしまった。

「ジーナ、どうしたの？　お待ちかねよ」

わたしがいつまでたっても現れないのを心配して先生が迎えに来てくれた。顔を上げると、廊下の先の面接室のドアが開いていて、中から銀髪の女の人が出てきたのが見えた。その女の人は、わたしと目があったとたんに、

「娘だ！　シャオツィーと同じ目をしているから、娘に違いない！」

そう言いながら突進してきてわたしを抱きしめたまま離さなかったの。わたしには、母親の記憶も父親の記憶も無かったから、このおばさんが母親に違いないって思った。そのとたん、自然に身体が跳ね返るようになって、

「ママ、ママ！　やっと迎えに来てくれたのね」

って泣きながらしがみついていた。

「ママ、ママ」

止めどなく涙が溢れてきて、まもなく女の人の肩はわたしの涙でビッショリ濡れた。生まれてこの方こんなに涙が出たのは初めてだった。人にこんなに強くしがみつき、骨が砕けてしまいそうにしがみつかれるのも、初めてだった。ママは柔らかくて甘い香りがした。これが親子というものなのだ。喜びとともにまた涙がこみ上げてくる。

「ジーナ」

突然、ママは、わたしから身体を引き剝がすと、左右の掌でわたしの顔を包み込むようにして自分の顔に近づけた。

「ジーナチカ、ジナイーダという名前だったわね」

ママは両手で摑んだわたしの顔を揺すった。怖くなって身体が強《こわ》ばり、涙が一挙に退いた。

「ママ」の質問にうなずこうとするのだが、顔をしっかりとつかまれているので首を縦に振れない。どうもはじめから変だったのだ。七年近くも家族を知らなかった自分にこんな簡単に母親が見つかるはずがない。やはりこの女の人は母親なんかじゃなかったんだ。とうにそ

んなことは分かっていた気がした。

　ところが、「ママ」だと思っていた人の、つり上がった目は急に和らいだ。

「ジーナチカ、ジナイーダという名は、シャオツィーがつけてくれたの？」

「シャオツィーって？」

「パパよ、あなたのパパに決まってるじゃないの！」

「パパ!?　パパはどこにいるの？」

　やはり、女の人は自分のママのようだ。その上パパまでいるらしい。再び、今度は恐る恐る喜びがこみ上げてきた。ところが、わたしの両頬を抱えていた「ママ」の手の力が抜けた。

「ジーナチカ、ジーナチカもパパがどこにいるか知らなかったのね」

　ママはヘナヘナとその場にへたり込んでしまった。

「エレオノーラ、いい加減にしなさい。可哀想に、ビックリしてるじゃないの、ジーナチカが」

　ガラガラのしゃがれ声とともに強烈な香水の匂いがした方を見上げると、目も覚めるようなコバルトブルーのベレー帽の下から金髪の巻き毛がはみ出た、真っ赤な口紅をつけた女の人が立っていた。クリーム色とコバルトブルーの大胆なチェック模様のスーツ姿。ハイヒールもコバルトブルー。首には金色の鎖を何重にも巻き付けていて、それがまるで蛇みたいだった。

　二週間に一度、孤児院のあった居住区の集会所で映画が上映されていて、孤児院の子供たちも先生に引率されて見に行くのを楽しみにしていた。そこで上映される映画の中で西側の退廃的な女の役を演じる女優さんが着る服装と雰囲気は似ているなと思ったけど、そんな女の人、生《なま》で見るの、もちろん生まれて初めてだった。

そう、それがオリガ・モリソヴナだったの。

オリガ・モリソヴナは首に巻いたのとお揃いの金色の鎖を手首に巻いてジャラジャラ言わせながら、わたしの手を握りしめた。オリガ・モリソヴナの指先には、口紅と同じぐらい真っ赤なマニキュアが塗りつけてある。何だか自分まで映画の一シーンの登場人物のような気がしてくる。わたしの手を自分の頰にあて、それからわたしをしっかりと抱きしめた。スポンジみたいに柔らかい「ママ」と違って、オリガ・モリソヴナは筋肉質だった。香水の強烈な匂いに息が詰まりそうになる。そんなことお構いなしに、オリガ・モリソヴナは耳元にささやいた。

「ジーナチカ、シャオツィーはね、もうこの世にはいないんだ。死んでしまっているの。いるとしたら、天国か地獄」

「…………」

「でも、エレオノーラはそれを信じたくないんだね。全身全霊でそれを認めることを拒んでいる」

「いつ、いつ、わたしのパパは死んだのですか？」

オリガ・モリソヴナは鳶色の目を大きく見開いて、唾を呑み込んだ。それから、ゆっくり噛みしめるように言った。

「シャオツィーが亡くなったのは、一九三八年の二月一三日から一四日にかけての真夜中のこと」

「……。一九三八年って、三八年って」

「そう、今から一七年も昔のこと。シャオツィーがジーナチカの父親になるのには無理があるね」

オリガ・モリソヴナのコバルトブルーのベレー帽も真っ赤な口紅も金色の鎖も突然色を失って遠のいていく気がした。

「ジーナチカ！」

身体を思いっ切り揺さぶられた。

「ジーナチカ、お願いがあるんだ！」

はるか遠くの方から聞こえてくる声のようだった。

「エレオノーラとわたしの娘になっておくれ、お願いだ！」

「………」

現実感がなかった。それでも、あの銀髪の女の人が実は母親ではなかったという事実を再確認している自分がいた。悲しいというよりも、ただただひたすら虚しかった。身体中の力が抜けていく。

「ジーナチカ、わたしと一緒にパパを捜してくれるわね」

いつのまにか、ママだと思っていた女の人がわたしの肩に手をかけてきて頬ずりした。頭が混乱してくる。オリガ・モリソヴナはオリガ・モリソヴナでたたみかけてくる。

「ジーナチカ、せめて、ジーナチカの本物のご両親が現れるまででもいいから、わたしたちの娘になっておくれ」

失われていた色彩が少しずつ戻ってきた。

「娘になるのが、嫌だったら、ならなくてもいい。共同生活者になるってのはどうかな。一緒に人生を楽しく面白いものにしていこうじゃないの」

「…………」

「廊下ではなんですから、面接室の方でキチンと話しあってみたらいかがですか」

その時になって廊下の奥から、一部始終を見つめていたらしい孤児院院長のオクサーナ・マイエヴナが近付いてきて、おもむろに提案した。

「オリガ・モリソヴナ、エレオノーラ・ミハイロヴナ、その前に、ジーナと話をさせて下さい。すぐ終わりますから、面接室でお待ち下さい」

オクサーナ・マイエヴナは二人の老婦人にそう言うと、わたしに目配せして、あとについて院長室へくるよう促した。

院長室は、面接室の並びにある。部屋に入ると、オクサーナ・マイエヴナは、わたしをソファーに座らせた。それから、わたしの右隣に自分も腰をかけ、わたしの肩に手をかけ、もう一方の手でわたしの手を取り、わたしの目をのぞき込んだ。

「ジーナチカ、寄宿学校にあがることになっていたから、ここを出ていく前にぜひともあなたに話しておこうと思っていたのだけれど、こういう機会が訪れたので、今日、話すことにしましょう」

たっぷりとした身体つきのオクサーナ・マイエヴナは、夫も息子も先の戦争で失っている。でも、個人的な悲しみや不幸をひっそりと自分の胸にしまい込んで、職員や孤児たちに対してはいつも落ち着いて穏やかな人だった。わたしの育った孤児院が、食糧不足や燃料不足で絶えずひもじく寒い思いをしていたにも拘わらず、居心地が良かったのは、オクサーナ・マイエヴナの優しい思いやり溢れる人柄によるところが大きいと思う。

しかし、その時のオクサーナ・マイエヴナの眼差しは真剣そのものだった。

「あなたの本当のご両親のことなの」

ビクッと身体が反り返った。わたしの心の動揺を鎮めるように、オクサーナ・マイエヴナはさらに強くわたしの手を握りしめた。

「ここへあなたが預けられたのは、今から六年半前、一九四八年の一二月、一晩中吹雪いた翌朝、空が抜けるように晴れ渡った日のこと。それは可愛らしい女の子だった。あなたを連れてきた男の人は、アルマ・アタの駅頭であなたが捨てられていたので、このまま置き去りにしていては凍え死んでしまう。自分は、アルマ・アタの住民ではなくて、旅の途中で、たまたま乗り換え駅がアルマ・アタで、次の列車が到着するまで四時間も時間があったので、街を歩いてみようと駅舎を出たところで、あなたを見つけたというの。あなたの身に着けていた衣服には、ジナイーダ・ミローノワという名前が縫いつけてあった。でも、もちろん、その男の人は、あなたのご両親のことも生まれた場所も民族名も知らないと言ったの。そして、あなたをわたしたちに託すと、列車に乗り遅れるからと言い捨てて去っていった」

　そこまで言って、オクサーナ・マイエヴナは大きく息を吸い込んだ。

「ジーナチカ、これはあくまでもわたしの憶測に過ぎないの。だから、そのつもりで聞いてね……」

　また大きく息を吸い込んだ。

「アルマ・アタは、流刑者たちを乗せた列車が通過する駅でしょう。もしかして流刑先の厳しい環境に子供を連れていくのが忍びなかったあなたのお母様が心ある人に子供を託したのではないかしら」

　震《ふる》えが来た。震えが止まらなくなった。オクサーナ・マイエヴナが抱きしめてくれなかったら、ソファーからずり落ちてしまっただろう。

「ジーナチカ、絶対にそうだと決まったことじゃないのよ。でも、どうしても、あなたを手放さなくてはならなかった辛い理由がご両親にはあったのだと思うの。ジーナチカのご両親だって必死であなたのことを捜しているかもしれない……。でもね、ジーナチカ」

　オクサーナ・マイエヴナは、もう一度わたしの目の中をのぞき込んだ。それからはるか遠くを見据えた。

「辛いことだけど、亡くなってしまわれた可能性もあるのよ。それを調べようにも、調べようがないの。ご両親か、あるいはそのどちらかが、または親類の方があなたを捜し出してくれるまで待つしかないのよ。そして、待っているあいだも、あなたにはなるべく幸せでいてほしいの」

「分かりました。あの二人のおばさんの娘になります」

なぜかピタッと震えが止まっていた。わたしの豹変にオクサーナ・マイエヴナも面食らったようだ。

「どうしたの、ジーナチカ、嫌なら別にお断りしていいのよ」

「先生、嫌なんてことないです。わたしを娘と思い込んでいるおばさんは、わたしが自分の夫とソックリだと言っているでしょう。娘ではないかもしれないけれど、どこかで繋がっているのかも知れないでしょう」

「よく決心してくれましたね。必ず、必ず幸せになるんですよ」

オクサーナ・マイエヴナはまるで自分のことのように喜んでくれた。彼女のあとから面接室へ入っていくと、エレオノーラ・ミハイロヴナという名らしい先ほどの銀髪の女の人が立ち上がり、わたしに向かって突進してきて抱きついた。

「ああ良かった。突然姿を消してしまったものだから、心配しましたよ。あら、シャオツィーは一緒ではないの？」

「パパとは小さいときにはぐれてしまったのよ。これからは、ママと一緒に捜せるから、心強いことこの上ないわ」

自然と嘘が口をついて出た。でもわたしにとっては半分は真実だった。まだ見ぬ父や母を何としても捜し出したいと思っていたのは、まぎれもない事実だったのだから。

こうして、わたしはオリガ・モリソヴナとエレオノーラ・ミハイロヴナの娘になった。

オリガ・モリソヴナが里子引き取りの手続きをしているあいだに、わたしは自分のわずかな荷物をまとめてくることになったが、エレオノーラ・ミハイロヴナは、これ以上わたしを見失うのを恐れてピタッと寄り添ってついてきた。荷物をまとめるといっても、寝台の下に、新聞紙を四つ折りにしたくらいのサイズの箱があり、そこに持ち物の一切が収まっていたから簡単だった。

辛かったのは、孤児院の仲間との別れだった。最初、遠巻きにしていた子供たちは、わたしが寝台の下から箱を取り出し、抱えて出ていこうとしたところで、駆け寄ってきた。

「ジーナがいなくなっちゃったら寂しいよー」

三つ年下の甘えん坊で泣き虫のクセーニャがそういいながら、わたしの胸に飛び込んできた。すると、他の子供たちも一斉に声をあげて泣き出してしまった。わたしも皆と一緒に過ごした院での辛いこと、楽しいことが思い出されてきて切なくなった。すると、エレオノーラ・ミハイロヴナまでが、もらい泣きしている。

「ごめんなさい、ジーナを皆から奪ってしまってごめんなさい」

なんて可愛らしい人なんだろうと子供心に思った。この人を守ってあげなくては、と保護者になったような気分になった。

「たとえ今、出ていかなかったとしても、あと二週間もすれば、ジーナは寄宿学校へ行ってしまうことになっていたのですよ。これで金輪際逢えなくなるわけでも無し。気持ちよく送り出してあげましょう」

オクサーナ・マイエヴナが、そう呼びかけると、子供たちは涙を拭いながらも揃って孤児院の門のところまで送りに出てくれた。一人一人と抱き合ってお別れをした。最後に、オクサーナ・マイエヴナの番になった。

「ジーナチカ、もし、あなたを捜して肉親の方がここを訪ねてきたら、必ずあなたの連絡先が分かるようにしておかなくてはなりませんからね。転居したら、必ず新しい住所を知らせるのですよ」

オクサーナ・マイエヴナとはその後八年間ほど音信を断たねばならなくなったけれど、オリガ・モリソヴナの友人が定期的に孤児院に電話を入れて、わたしを捜し求めて来た者がいないかどうか確かめ続けてくれた。わたしがボリショイ・バレエ学校に入学したときに一番にお知らせしたの。とても喜んでくださって、もう年金暮らしに入っておられたけれど、わざわざモスクワまで訪ねてきて下さった。

そして、お亡くなりになる直前に、手紙をいただいたの。今日シーマチカやカーチャにお会いするとは思ってもみなかったから、家の方に置いてきてしまったけれど、何度も何度も読み返したから、その文面は諳《そら》んじているのよ。

「いとしい、ジーナチカ！

て下さい。

いつもお手紙ありがとう。あなたがしっかりと自分の人生の主人公として生きておられる様子は、年老いたわたしにとって、この上ない励みになっています。あなたのことを、どれほど誇りに思っていることか。迷惑でしょうけど、年寄りの生き甲斐なので大目に見てやって下さい。

ところで、わたしもすでに齢《よわい》八〇を超えました。このあいだも心臓発作を起こして、次に発作があったら覚悟しなくてはいけないと医者から注意されたばかりです。それで、ジーナチカに、どうしても謝っておかなくてはならないこと、伝えておかなくてはならないことを以下に記します。

あなたに知らせずに、あの世へ旅立ってしまうのは、許されないとわたしの良心がわたしを責めるのです。最近は毎晩のように責め立てられておちおち眠れません。虫のいい話ですが、わたしを不眠症から救ってくれるつもりで聞いて下さい。

一九四八年一二月のある晴れた朝、あなたはアルマ・アタ駅で捨てられていたのではないし、たまたま通りすがりの善意の男が孤児院に連れてきたのでもありません。

あなたを連れてきたのは、NKVDの職員で、あなたのご両親のことも、生まれた場所も、民族名も教えてくれなかった。しかも、あなたは名無しだったんです。あなたの名付け親はわたしです。当時夢中になって読んでいた小説の魅力的な女主人公の名前がジナイーダ・ミローノワだったんです。

もちろん、あなたを連れてきたNKVDの職員に確かめたけれど、彼が本当のことを言うはずないし、多分、本当の情報は知らないのかもしれない。ここには、何人もそういう子供が連れてこられましたからね。不憫で不憫で何とか本名を調べておけば、あとでその子が大きくなったときに肉親を捜し出す手がかりになるかもしれないと思って、いつも子供を預けにやってくるその職員に何度も何度も聞き出そうとしました。でも、彼は知らないの一点張りだった。規則のせいで言えないのではなくて、結局、彼は単なる使い走りで、ここアルマ・アタ市に連れてこられる前の段階で、子供たちに関する情報は消されてしまっていたのですね。

ただし、そのNKVDの職員の話では、名前を消されるほどの子供の親は、スパイ罪か国家反逆罪かを犯した人々だから、かなり高い確率で処刑されているはずだというのです。でも、絶対にそうだと決まったことではない、と思おうとしました。ほら、コースチャ・モチューヒンも、前の名前を完全に抹消されていたけれど、レオニード・コズイレフだったということが分かったでしょう。彼の場合は、母親が殺されずに収容所送りになっていて、父親は離婚していて逮捕されなかったケースだった。だから、ジーナチカのご両親だって必死であなたのことを探しているかもしれない……。でも、一方で、かなり高い確率でジーナチカのご両親が処刑されてしまっている可能性もあった。

それを調べようにも、調べようがなかった。当時は、そんなことをしたら、こちらもNKVDに付け狙われるのを覚悟しなくてはならなかったですからね。一九五四年には、本名を抹消された子供たちの本名回復と肉親への引き渡しに関する政令が発布されました。でも、あれは絵に描いた餅でした。だって本名抹消に関わったNKVDの組織の書類管理が杜撰《ずさん》だったり、関係者全員が粛清されている場合が多かったんですもの。だから、あなたにも本当のことを言いそびれてしまったの。ご両親か、あるいはそのどちらかが、または親類の方が、あなたを捜し出してくれるまで待つしかなかった。でも、それを待っているあいだも、あなたにはなるべく幸せでいてほしかった。

もちろん、わたしの出来る範囲で、調べもしました。しかし、あなたを孤児院に連れてきたNKVDの職員もその後粛清されてしまい、ご両親へ繋がる糸口さえ探り出せませんでした。

ジーナチカ、許して下さるとは期待してません。こんな大切なことをずっと黙っていて心から申し訳ないと思っています。でも、信じて下さい。あなたを危険な目にあわせたくなかった。あなたに幸せになってもらいたかった。わたしが黙っていた理由は、その一点に尽きるのです。

しかし、今になって考えると、なんて傲慢で独りよがりだったのでしょう。あなた自身の力でご両親を捜し出す有力な手だてを、わたしは奪ってしまっていたことになります。また、ご存命だったかもしれないご両親が、あなたに会えたかもしれないわずかな可能性をも取り上げてしまったことになります。

この独りよがりのおかげで、あなただけでなく多くの子供たちに、真実を知らせずにいました。

ああ、取り返しのつかないことをしてしまいました。今頃になってのたうち回っています。きっと、わたしは地獄に堕ちることでしょう。いいえ、すでに地獄の炎に焼かれる毎日です」

この手紙を読んで、わたしは、すぐにアルマ・アタのオクサーナ・マイエヴナのもとにすっ飛んで行った。でも間に合わなかった。身寄りのないオクサーナ・マイエヴナは老人ホームに入ってらしたのだけれど、わたしが駆けつけたときには、葬儀が済んだ直後だった。わたしと相前後して、何人もの孤児院の出身者たちが、その老人ホームを訪れたので、多くの懐かしい仲間と再会を果たすことが出来た。彼らはみな、わたしに届いたのと同じような文面の手紙をオクサーナ・マイエヴナから受け取っていた。誰一人としてオクサーナ・マイエヴナに感謝こそすれ、恨んではいなかった。ただ粛清の執行者たちではなく、彼女のような善意の人々が人生の最後の瞬間まで良心の呵責に苦しんでいたことがやりきれなくて悔しかった。

老人ホームのルームメイトたちによると、オクサーナ・マイエヴナは毎晩夜遅くまで手紙を書いていた。最後の手紙を書き終えて送付し終えた翌朝、冷たくなっていた。死に顔は安らかだったという言葉に、せめてもの救いを見いだした。

14

車は孤児院からアルマ・アタの中央駅に直行した。駅は人と荷物でごった返していた。でも、オリガ・モリソヴナの強烈な香水の匂いに鼻を衝かれて振り向いた人々は、その派手な装いに驚き呆れて思わず後ずさるものだから、自然と道が開ける。エジプトを脱出したイスラエルの民を率いるモーゼの前で大海原の海水が真っ二つに割れて左右に開いたという物語を思い出してしまった。

オリガ・モリソヴナは、そんなことなど意にも介さない様子でずんずん突き進んでいく。わたしは、エレオノーラ・ミハイロヴナにしっかり手を握られて、その後に続いた。だからアッという間に目的の列車までたどり着いてしまった。車体に「モスクワ行き」とあった。列車に乗り込むところで、オリガ・モリソヴナは車掌に三枚の切符を手渡した。わたしの分を前もって買ってくれていたなんて驚きだった。それが顔に出たのだろう。オリガ・モリソヴナは、コンパートメントに落ち着いて列車が走り出してから、エレオノーラ・ミハイロヴナが席を外したおりにそっと明かしてくれた。

「ジーナチカがだめでも、必ず誰か東洋系の顔をした孤児の女の子を引き取るつもりだったのよ。引き取ってあたしとエレオノーラの娘として育てる予定だった」

「………」

「そんなにガッカリしないで！　ジーナチカに逢ったとたんに、ジーナチカ以外の選択肢は考えられなくなったのだから。違うと分かっていても、シャオツィーとエレオノーラの、生まれてくる前に殺された娘ではないかという気がしてくる。本当よ。東洋には輪廻転生という考え方があるらしいけれど、ジーナチカを見ていると、それを信じてしまいそう」

オリガ・モリソヴナが力説すればするほどたまらなく寂しくなった。自分は所詮エレオノーラ・ミハイロヴナの殺された娘の代用品に過ぎない。自分が他人の娘になってしまったら、実の両親は悲しむのではないだろうか。

「わたしの本当のパパやママはどうなるの？」

この一言で、オリガ・モリソヴナは絶句した。それからわたしの手をとって自分の頰にあてると、何度も謝った。

「ごめんね、ジーナチカ、あたしとしたことが、何て無神経だったんだろう。ジーナチカの心を傷つけてからそれに気づくようじゃ、メス豚に跨ってから考え出す去勢豚と同じだね。エレオノーラは、あなたを実の娘と思い込んで可愛がるだろうが、堪えてね。あたしはジーナチカをジーナチカとして愛していくからね。行方不明のご両親も一緒に探していこうね」

それからオリガ・モリソヴナは、自分とエレオノーラ・ミハイロヴナの来し方を話して聞かせてくれた。監獄とラーゲリを生き抜いた話をしながら、スカートの裾をめくって肌色の紙に包まれた針のようなカミソリを見せてくれた。

「これは、魂の自由の象徴なんだよ」

と自慢げに言った。

「逮捕されて刑が確定するまでの二カ月間、ルビャンカでも、ブティルカでも、入れられたのは独房だった。身に覚えのない荒唐無稽な罪状を押しつけられて、来る日も来る日も深夜、尋問室に呼び出されては、それを認めろと明け方まで痛めつけられた。最初の一カ月間、あたしは絶望のあまり死ぬことばかり考えていた。

ところが、逮捕された直後にまず奪われたのは、刃物と刃物になりうるもの全てだった。ナイフやはさみはおろか、髪留めのピンも裁縫用の針も全て取り上げられていた。それから、首を絞めることが出来るものすべて。靴ひももベルトも靴下止めのゴムも紐も縄も取り上げられていた。そして獄房内は常に煌々と電灯が点《とも》されていた。あれだけ人を殺しまくっていた当局は、それを囚人が自力ですることを極端に嫌がった。生死さえも自分たちの支配下に置こうとしたんだ。

そうなると、意地でも自殺を遂げてみせようと、刃物を手に入れるべく必死になった。皮肉なことだが、それが生き甲斐になったのさ。それで、ある日、発見したんだ。靴紐は取り上げられていたけれど、靴ひもを引っ掛けるための掛け金が靴に残っていたのを。その掛け金を外して、曲がっているのを真っ直ぐ伸ばして、毎日床石に当てて少しずつ研いでいった。

こうして自分で刃物を手にした瞬間、途轍もない解放感を味わったんだ。自由を獲得したと思った。あたしの生死はあたし自身で決めるって。

もうそのときは、自殺する気なんて完全に雲散霧消していた。絶対に自殺するものか、生き抜いてやる、と心に固く決めていた。そういう勇気と力をこの手製のカミソリは与えてくれた」

それから、刑事犯の女たちから、大きなことを学んだって何度も強調していた。護送列車でラーゲリまで一カ月以上かかって運ばれるときに、医者ということで、ペトロパヴロフスクの中継地までは、政治囚の女たちと同じ車両だったのが、中継地からラーゲリまでは、刑事犯の女たちと同じ車両に乗せられた。最初は、嫌で嫌で仕方なかった。粗野で野卑で下劣な彼等と同じ空気を吸うのは苦痛だと思っていたのが、たちまち魅了されたって。

「彼女たちは、あたしたち上品な政治犯みたいに群れの羊よろしく看守の言うがままに振舞ったりしない。いちいち看守や衛兵の言動に文句を言い、自分たちの権利をとことん主張する。必要ならば団結するし、仲間のために身体も張る。衛兵を召使いのようにこき使ってたのが、痛快だった。列車が止まるたびに、新鮮な水を何度でも運んで来させたし、近隣の農家からパンや野菜や卵などを買ってこさせていた」

それですっかり意気投合して、彼女たちから罵倒言葉をどっさり教えてもらったそうよ。

「罵倒言葉と一緒に権力や権威にひれ伏さない生き方もね」

って言っていたのが印象的だった。

一九四五年の暮れに八年の刑期が終了してアルジェリアを出所してから、二人はさらに八年間ほど、西シベリアのオムスク市内に居住区域を限定された。書類の上でも年金受給年齢に達していたオリガ・モリソヴナだったが、戦争直後の人手不足に悩む市の要請に応じて彼女は医師として、エレオノーラ・ミハイロヴナはフランス語教師として就労し生計を立てた。エレオノーラ・ミハイロヴナは、何度もフランスの実家に、そしてシャオツィーの実家に手紙を出したが、ことごとく宛名人に該当者無しというスタンプを押されて戻ってきた。

一九五三年の秋になってようやくモスクワ市内に戻ることも、また、国内を移動することも許された。ふつうのソ連市民として扱われるようになったのだ。ユダヤ系だったオリガ・モリソヴナの係累は、両親、身代わりとなって銃殺された妹と、それより前に銃殺されていた妹の夫を含めて尽《ことごと》く絶えていた。エレオノーラ・ミハイロヴナは、ただちにフランスへの帰国許可を願い出たが却下された。その昔、所持していた、フランス政府発行のパスポートは一九三二年のソ連入国時に当局に取り上げられたまま返却されずにいた。フランス大使館経由で、パリの実家と連絡をとり、国籍を証明してもらおうとしたが、すでに両親は死亡、莫大な財産は跡形もなく消え失せていた。シャオツィーの実家の財閥も、革命政府によって解体され、一族の消息をモスクワで把握するのは不可能だった。

天涯孤独となった二人は、エレオノーラ・ミハイロヴナの「娘」探しに乗り出した。いくつもの孤児院を回った。そして、カザフスタンの首都アルマ・アタなら、東洋系の顔立ちの子供にたくさん出会えるだろうという目論見でわたしのいた孤児院にたどり着いたと言う。

「モスクワに住むのですか？」

わたしがたずねると、オリガ・モリソヴナは首を横に振った。

「途中下車するのですか？」

オリガ・モリソヴナはまた首を横に振る。それから、片目をつぶって言い添えた。

「モスクワに着いたら分かる」

さらに顔を近づけてきて、聞こえるか聞こえないかというぐらいの小声で囁いた。

「いいかい。約束しておくれ。これからは、あたしがいいと言うまでは、絶対に絶対に質問しないこと。いいね。これは命に関わるほど大切なことだから、この約束は守ってくれないと、困るよ。黙ってわたしの言うとおりにすること」

オリガ・モリソヴナの目は怖いほど真剣で、わたしは懸命になって首を縦に振り続けた。

モスクワでは、旧市街にあった二人のアパートに落ち着いた。灰色の壁をした二階建ての建物の二階。わずか一部屋に小さな台所とバスルームのアパート。六三年に再びモスクワの地を踏んだとき、あの建物はすでに取り壊されていた。

モスクワのような大都会は生まれて初めてのわたしは、何もかもが珍しくて街へ出てみたくて仕方なかったが、一人歩きは厳重に禁止された。オリガ・モリソヴナには仕立屋に連れて行かれて採寸されたり、写真屋に連れて行かれて顔写真を撮影されたり、わけの分からない書類にサインさせられたりした。なぜそんなことをするのか質問はできない約束だったし、話しかけるのさえ躊躇《ためら》われるような厳しい表情をしていた。でもエレオノーラ・ミハイロヴナがいつも優しい眼差しを注いでくれていたので、不安になることはなかった。

四日目の晩、今まで着たことはおろか、見たこともないような上等なワンピースを着せられ高価そうなソックスとエナメル靴を履かされた。そこへ紳士が訪ねて来て、部屋に入るなりかなり訛りのあるロシア語で言った。

「全ての書類が整った。二二時発の列車で出発だ。すぐ出よう」

紳士の上品な顔もまるで石像のように固く張りつめていて、わたしはエレオノーラ・ミハイロヴナとともにただただ黙ってついて行くしかなかった。

建物を出たところには大きな黒塗りの車が止めてあり、わたしたちはそそくさと乗り込んだ。車の中で、オリガ・モリソヴナからパスポートを手渡された。その表紙を見て息を呑んだ。ＣＣＣＰ（ソビエト社会主義共和国連邦のロシア語のイニシャル）の文字も、鎚と鎌を一五の加盟共和国旗が取り囲むソ連邦の紋章もなく、冠をかぶったライオンのマークが目に飛び込んできた。開くと、わたしの写真が貼ってあり、その下に記してあるわたしの名前もロシア文字ではない。就学前だったわたしはロシア文字は読めたが、まだラテン文字は読めなかった。オリガ・モリソヴナは、パスポートを取り上げると、黙ったまま紙切れをわたしの目の前に差し出す。車はちょうど大通りから細い道に入ったため暗くなって読めない。オリガ・モリソヴナが煙草を取り出してライターをつけた。その明かりで読みとれた。

「今日から、わたしたちはチェコスロバキア市民。あなたの名前はジナイーダ・マルティネク。ロシア語は下手」

わたしが読み切ったと見てとると、間髪を容れずその紙切れをオリガ・モリソヴナは呑み込んでしまった。

車はベラルーシ駅の、今思えば、VIP用出入り口に横付けされた。いかにも貴賓室らしい仰々しい家具が置かれた部屋を素通りして列車に乗り込み、その瞬間を待っていたかのように列車は動き出した。大人たちの表情が一斉に和らいだ。でも、しばらくすると、コンパートメントの扉がドンドンと叩かれて、再び緊張が走った。紳士が扉を開けると、車掌だった。

「ベッドメイキングしましょうか。お子さんが上段に寝るのなら、落ちないようにベルトを付けた方がいいですね」

というようなことを言ったらしい。ロシア語ではないが、意味は何となくつかめる。これはソ連国籍の列車ではなくチェコスロバキア国籍の列車で、車掌もチェコ人のようだ。

「ああ、そうしてくれ」

紳士はそれらしいことを言いながら小銭を車掌のポケットにねじ込む。オリガ・モリソヴナもエレオノーラ・ミハイロヴナも黙って微笑んでいるだけだ。わたしも真似して黙って微笑んでいた。コンパートメントは四人用で、わたしとエレオノーラ・ミハイロヴナは上段の寝台に寝かされ、オリガ・モリソヴナと紳士は下段の寝台に横たわった。照明が消されたが、わたしはなかなか寝付けなかった。三人はいつまでもわたしの分からない言葉で話し続ける。あれは、おそらくフランス語だったのだと思う。そのうち列車の揺れが心地よくなってきてわたしは眠りについた。

翌朝、列車はミンスク市に停車した。ホームでは、西瓜やトマトやゆでたてのトウモロコシを売っている。ピロシキやアイスクリームの売店も見える。すごく美味しそうだ。他の乗客たちは、歓声を上げながらホームへ降りていって買い込んでいる。なのに、オリガ・モリソヴナもエレオノーラ・ミハイロヴナもコンパートメントを出ようとしない。車窓からホームを眺めるわたしがよほど物欲しげに見えたのだろう。紳士は、わたしの肩に手をかけてかがみ込むと、

「待っておいで」

というようなことをおそらくチェコ語で言って、ホームに駆け下りていった。ほどなく、フルーツやピロシキを山ほどかかえて戻ってきた。それが朝食になった。美味しくて嬉しくて夢中になって食べた。気がつくと、紳士がわたしの方を見て微笑んでいる。

「ラホドニー?」

おそらく「美味しいか」と尋ねていると思ったので、同じ言葉を語尾を下げて繰り返しながら肯《うなず》いた。

「ラホドニー」

これが、わたしが覚えた最初のチェコ語になった。紳士は嬉しそうに微笑み、オリガ・モリソヴナもエレオノーラ・ミハイロヴナもくつろいだ柔らかな表情をしていた。わたしはとても幸せだった。

でも、しばらくすると、大人たちの顔は再び険しくなっていった。オリガ・モリソヴナはハンドバッグの中からわたしのパスポートを取り出して写真の貼ってある頁を開いて見せて言った。

「あなたの名前はジナイーダ・マルティネク」

それから声を出さずに、口だけ動かして言い続けた。

「ジナイーダ・マルティネク、ジナイーダ・マルティネク、ジナイーダ・マルティネク……」

わたしも声には出さずに繰り返した。

「ジナイーダ・マルティネク、ジナイーダ・マルティネク、ジナイーダ・マルティネク……」

ミンスクはベラルーシ共和国の首都であり、列車が西に向かって進んでいる以上、まもなくソ連邦とポーランドの国境にさしかかるということは、まだ就学前だったわたしにも分かった。正午ちょっと過ぎにブレスト駅に到着すると、コンパートメントの外の廊下がやたら騒がしくなった。

ほどなく扉が叩かれて、灰色の制服を着た男たちが二人、コンパートメントの中に入ってきた。エレオノーラ・ミハイロヴナは咄嗟にわたしを抱きしめた。彼女は震えていて、その震えがわたしに伝わってきた。顎がガクガクしてきた。

「恐れ入りますが、パスポートを見せて下さい」

拍子抜けするほど男たちは丁重だった。紳士がパスポートを手渡すと男たちはさらに丁重になった。

「ほう、外交官の方ですね。そして、こちらはご家族？　そうですか。そうなりますと、税関検査は省略させていただきます。一応、申告書だけ提出していただけますか」

紳士が紙切れを差し出すと、男たちは出ていった。次に現れたのは、カーキ色の制服を着用した男だった。彼もとても礼儀正しく、わたしたち一人一人のパスポートの写真と実物とを見比べただけだった。

それでもカーキ色の男がコンパートメントから姿を消して列車がブレスト駅を出発するまでは、恐ろしく長かった。実際には五分か一〇分ほどだったのかもしれないのに。

国境を越えてからはポーランドの係官たちによる税関審査とパスポート審査があったが、それも形ばかりのものだった。

夕方の六時頃には列車はワルシャワに到着し、二時間も停車するというので、車掌に頼んでコンパートメントに鍵をかけてもらい、駅構内のレストランで食事をすることにした。

「ここだわ、ここ、ここ」

レストランの座席に腰掛けたところで、エレオノーラ・ミハイロヴナが興奮してきた。

「シャオツィーとここで食事をしたことがある。パリからワルシャワ経由でソビエト連邦入りしたのだったわ。シャオツィーはどこ!?　ねえ、シャオツィーはどこ!?」

エレオノーラ・ミハイロヴナの声はだんだん大きくなっていく。レストランの従業員だけでなく、客たちもこちらのテーブルに注目しているのが分かる。オリガ・モリソヴナはエレオノーラ・ミハイロヴナの耳元に何か囁いた。すると、エレオノーラ・ミハイロヴナは嘘みたいに静かになった。

「あのとき、何て囁いたの」

ずっと後になってからオリガ・モリソヴナに尋ねたことがある。

「ワルシャワ駅の構内にKGBの目が光っていないとは限らないから、あのときは何としても黙らせなくてはならなかった。だから、エレオノーラに言ってやった。シャオツィーは今密命を帯びて構内に潜伏中だよ、ここで大騒ぎしたら、シャオツィーが危険な目に遭うじゃないかってね」

その日の真夜中、ポーランドとチェコスロバキアの国境を越えたが、どちら側もほとんどフリー・パスという感じだった。翌朝には、わたしたちはチェコスロバキアの首都プラハの土地を踏み、紳士が手配してくれたマンションに落ち着いた。マルティネクというわたしの新しい苗字は、紳士の苗字で、わたしは彼の養女となったことを知った。

そして、その時になって初めて、オリガ・モリソヴナは、自分の本来の名前はバルカニヤ・ソロモノヴナ・グットマンで本業は医師ではないことを打ち明けてくれた。一九三〇年代にモスクワ・ミュージック・ホールの人気ダンサーだったことも、チェコスロバキアの外交官だったマルティネクと恋に落ちて結婚の約束をしながら、一九三七年の一一月にスパイ容疑で逮捕され、「文通権を剝奪された禁固一〇年の刑」を言い渡されたことも。三七〜三八年当時、当局が事前に死刑を言い渡すことは、希《まれ》だった。しかし、外部との書簡のやり取りを一切禁ずる一〇年刑を宣告されたものが、その後揃いも揃って姿を消したので、それがすなわち死刑を意味することは、囚人たちの常識となりつつあった。

バルカニヤ・ソロモノヴナは、ブティルカ監獄の既決囚たちが刑の執行まで待機させられる獄房で、父親違いの妹のオリガ・モリソヴナ・フェートと邂逅した。

八年のラーゲリにおける強制労働刑を言い渡されていた妹は、死刑を覚悟していた姉に、癌であと一年ともたない身体であるからすり替わろうと提案してきた。

姉は即座に断った。嫌だ。絶対にそんなことは出来ない。時間の長短は主観的なものだ。一年しかない命は、余計に貴重ではないか。それを大切に生きよ。妹は食い下がった。もう痛みが始まっている。時が進むほどにさらに耐えがたいものになるだろう。この先ラーゲリでまともな鎮痛剤もモルヒネも入手出来ないだろう。この地獄の痛みに耐える力は自分にはない。命が長らえるほどに苦痛は増していく。死んだ方がましだ。だから、お願いだ、死なせてくれ。姉は何度も断った。嫌だ。妹は何度も懇願した。涙ながらに訴えた。ついに姉は折れた。

二人が同じ獄房で過ごしたのは、たったの二泊三日である。既決囚用の獄房はその時、すし詰め状態で、しかも絶えず人の出入りがあったおかげで、姿形がよく似た二人が注目されることはなかった。それでも、他人には決して聞かれてならない対話を、二人はお互いの掌に指先で文字をなぞって交わした。昼夜照明が煌々と輝いていたが、着衣は夜、周囲の囚人が寝入った頃を見計らって交換した。バルカニヤ・ソロモノヴナが青いコウモリたちとアンサンブルを組んでいた頃ブロンドに染めていた髪も、その頃は地色に戻っていたので、書類に記された身体上の特徴、背の高さ、体重、瞳の色、髪の毛の色、すべてのデータにおいて妹と一致していた。そばで見れば明らかに別人だったが、写真では区別がつかない。特に疑われない限り、指紋は照合されない。

先に呼び出しを受けたのは、姉の方だった。

「バルカニヤ・グットマン」

反射的に立ち上がろうとする姉を押さえて、妹が声を張り上げた。

「はい」

しがみつく姉を振りきって、妹は前に飛び出して行った。姉は追いすがって妹に抱きついた。

「行かないで。最後まで生きて」

妹は、力一杯姉を抱きしめて言った。

「わたしの分も生きて、オリガ」

妹の名前で呼びかけられて姉が虚を突かれたところで、妹は前の方に駆けていって、次々と名前を呼ばれる人たちとともに隊列に並ばされた。獄房からの出口のところで、妹はクルリと姉の方に顔を向けてニコッと微笑んだ。オリガ・モリソヴナことバルカニヤ・ソロモノヴナは、以後一日に何度もこのときの妹の笑顔が浮かんでくると言っていた。あのとき以来名前だけでなく、妹は自分の一部になったと。思えば、徒刑地アルジェリアと流刑先のオムスク市では、完全に妹になり切っていたのだ。自身の生命がかかっていたということもあったけれど、ほんとうに妹が乗り移ったのかもしれないと、よく言っていた。

流刑を終えてオムスクからモスクワに移り住んだのを機に、オリガ・モリソヴナは医師としての現場を完全に退いた。暇な時間をタップリ授かった彼女は、かつてモスクワ・ミュージック・ホールがあった、今は自殺した詩人マヤコフスキイの名で呼ばれるかつての凱旋広場をしばしば訪れるようになった。そこで、彼女は、マルティネクとの再会を果たした。

彼は、一九三七年の一一月二二日に帰国したが、一月後にモスクワからやって来るはずの花嫁は来なかった。音沙汰も無かった。そのうちに、許嫁《いいなずけ》のバラが自分を見送った直後にスパイ罪で逮捕され、さらには処刑されたらしいことを知る。嘘かもしれない。嘘であって欲しい。すぐにもモスクワへ戻りたい旨、外務省に願い出ると、お前自身にNKVDからスパイ容疑がかかっているようだから絶対にまかりならぬと言い渡された。自分の軽率と思慮不足が腹立たしかった。強引にソビエトから連れて帰らなかったことが悔やまれてならなかった。それでも、バラが殺されたことをどうしても信じられなかった。

そのうち、それどころではなくなった。一九三八年の三月にはオーストリアがドイツに併合され、日々ドイツの脅威が強まっていった。ドイツのズデーテン地方に対する領土要求は日増しに激しくなっていった。頼みの綱はイギリスやフランスだった。しかし、九月のミュンヘン会談で、イギリスのチェンバレン首相もフランスのダラディエ首相もドイツのヒットラーとイタリアのムッソリーニに届して、ズデーテン地方のドイツへの割譲を認める協定に調印してしまった。こうなると、祖国がドイツに併合されるのは時間の問題になった。ドイツ国内でユダヤ人に対する凄惨な迫害が進行していることは漏れ伝わってきていた。まもなくドイツに呑み込まれるだろう国にユダヤ人の血が流れるバラを連れてこなかったことを、今度は逆に良かったと思うマルティネクだった。

ドイツ占領下のチェコスロバキアで失職したマルティネクは、ひっそりと息を潜めて生き延びた。地方で農家を営む叔父の元に転がり込んだのだ。そこで知り合った女と結婚もし息子を二人もうけた。

一九四五年五月に、ソ連軍によってドイツ軍が駆逐され新しい国造りが始まると、能吏だったマルティネクは外務省に呼び戻された。彼は、共産党員ではなかったから、以前と違って出世は望めなかったし、望みもしなかったが、外交官としての経験と能力は重宝された。そして、一九五四年の夏、再びソ連邦モスクワに赴任することになった。今度は領事部の責任者としてだった。妻や息子たちも一緒だった。

仕事の合間を縫って調べる限り、バラの消息は絶望的だった。それでも、一七年ぶりのモスクワの街は、バラと出会った頃を思い起こさせた。散歩をしていると、ミュージック・ホールのあった辺りにひとりでに足が向かっていく。気がつくと、マヤコフスキイの銅像が建つ広場に来ていて、ミュージック・ホール跡地を眺めていることが多くなった。そして、ある時、ベンチに座る老婦人にバラの面影を認めて近付いていった。顔をのぞき込んだ。目があった瞬間、老婦人は、信じられないという表情で大きく目を見開いて立ち上がった。間違いない。バラだった。お互い立ったまま見つめ合った。想像の上では何度も抱き合いながら、ただただ見つめ合うだけだった。すでに妻子ある身のマルティネクの躊躇いもあったが、それを上回るバラの拒絶があった。

「あなたは男盛りだというのに、あたしはすっかり老いさらばえてしまった。恥をかかせないでちょうだい」

バラの身体全体が必死でそう訴えていた。

マルティネクは、バラの手の甲に口付けをしてから隣に座らせて欲しいと願い出て許可を得た。ベンチに肩を並べて座り、二人はそれぞれ別れてからの経緯を報告しあった。淡々と話していたバラの声が一度だけ震えた。

「踊りたい。昔みたいに思い切り踊りたい。一七年間もこの気持ちを抑えつけてきたけれど、これ以上堪えられない」

「唯我独尊の君らしくないねえ。踊ればいいじゃないか」

「それが出来ないから、苦しんでいるんじゃないか。この国にいる限り、あたしは妹を演じ続けなくてはならないんだ。あたしが捕まって、宣告された刑を執行されて銃殺されてしまったら、身代わりになってくれた妹に申し訳が立たないんだ。それに、エレオノーラの面倒は誰が見るの!?　エレオノーラには、この地上に、もう誰も身寄りがないのよ。ああ、それは、あたしも同じだった。こうなったら、銃殺されてもいいから、踊ってしまおうかなあ」

オリガ・モリソヴナことバルカニヤ・ソロモノヴナとエレオノーラ・ミハイロヴナをこの国から脱出させるシナリオがマルティネクの脳裏に浮かんだのは、この時だった。昔の恋人に対する単なる同情心や義務感からだけで発したものでは決してない。マルティネクにとって、これは、呪われた一九三七年へのリベンジでもあった。二度と戻ってこない青春、自分たちの運命を無惨に狂わせたソ連当局の鼻を明かしてやる。これほど痛快なことは、ないじゃないか。一方的な犠牲者、被害者であり続けるだけで自分の人生を終わらせるなんてまっぴらだ。

スターリンもベリヤも死に、NKVDも無くなったが、その組織はほぼそっくりKGBに継承されている。粛清の犠牲者たちの名誉回復はまだ始まっていなかったが、近々開始されるという情報はすでにつかんでいた。ラーゲリから帰ってきた人々が、かつての地位回復を求めて、ルビャンカの建物の前に長蛇の列を成していた。オリガ・モリソヴナとしての名誉回復は前途遼遠だが、いつか可能かも知れない。しかし、バラとしての名誉回復と地位保全を求めるのは、危険すぎた。ほぼ絶望的であった。しかし、治安機関が改組に伴って混乱していることだけは確かだ。この好機を逃してはなるまい。

以後二人はしばしば同じベンチで逢うようになり、逢うたびに計画は練り上げられていった。粛清された経歴の人間をこの国が簡単に出国させるはずがないことは、ハッキリしていた。二人の身分証明書にはしっかりと前科が書き込まれてあって、これを提示してソ連外務省が外国旅行用の旅券を発行してくれる可能性はゼロである。現にエレオノーラ・ミハイロヴナは、すでに出国申請を断られているのだ。だから、国籍を変えてしまうという手はすぐに浮かんだ。領事部を統括していたので、二人のパスポートを作成するのはさほどむずかしくない。ただし、ソビエトへ入国した際に押されているべきパスポートへの判も偽造しなくてはならなかった。偽造そのものは精巧この上なかったが、このようなパスポートを携行してソ連を出国するのは、やはり危険すぎた。外交特権を有する自分が同行するしかないとマルティネクは考えた。

15

プラハに到着して、オリガ・モリソヴナが最初にした買い物は何だと思う？　鏡よ、鏡。大きな鏡を十何枚も買ったの。それが一週間後に届いて、届けてくれた職人がマンションの一番大きな部屋の壁面に一枚一枚張りめぐらしてくれた。仕事を終えた時はもうかなり暗くなっていた。

オリガ・モリソヴナは職人を送り出した玄関口から総鏡張りの部屋に向かった。とても緊張した面もちで、気軽にあとから付いていける雰囲気ではなかった。スイッチを捻る音が聞こえると同時に、パッと部屋が明るくなったのが見えた。何しろ十何枚もの鏡に一斉に明かりが映ったものだから、いきなりものすごく明るくなったのが廊下からでも分かった。何だかとても嬉しくなって部屋に飛び込んでいこうとしたわたしは、すんでの所で立ち止まった。すすり泣きが聞こえたの。あのオリガ・モリソヴナが涙を流すなんて考えられなかった。泣いているオリガ・モリソヴナと面と向かってはいけないような気がした。背後から両肩に手がかかり、そのままわたしを抱きすくめた。

「ジーナチカ」

エレオノーラ・ミハイロヴナだった。頰を寄せてきて囁いた。

「そっとしておいてあげようね」

その晩はエレオノーラ・ミハイロヴナもわたしも鏡の部屋には入らなかった。オリガ・モリソヴナは、一晩中その部屋で泣き明かしたのだと思う。

翌日は九月一日で、わたしはマンション近くにあった小学校に入学させられることになっていた。でも、マルティネクとともに付き添ってくれるはずだったオリガ・モリソヴナは、具合が悪いといって寝室から出てこなかった。おそらく顔が腫れ上がっていたのだと思う。代わりに、エレオノーラ・ミハイロヴナが付き添ってくれた。

学校から帰宅すると、あの鏡の部屋からメロディーが聞こえてきた。ジプシー・ダンスのメロディーで時折陽気な濁声《だみごえ》で「ホップ、ホップ」って調子を取っている。思わず駆け寄って扉を開いた。

「ああ」

息を吸い込み吐き出すのを忘れて見入ってしまった。オリガ・モリソヴナは一心不乱に踊っていた。身体全体に踊る喜びが漲っている。白い練習着と肌色のタイツ姿のはずなのだが、派手な極彩色のドレスを身にまとっているように見えてくる。目の前に信じられないくらい魅力的な男がいるような気がしてくる。オリガ・モリソヴナはジプシー女になりきっていて、その男を誘惑しようとあらん限りの官能をほとばしらせていた。ドギマギした。

突然、オリガ・モリソヴナは踊るのをやめて、小走りに蓄音機に駆け寄り、音楽を止めた。オリガ・モリソヴナはとても怖い顔をしてわたしを睨み付けた。

わたしは初めてわれに返って、同時にあまりにも長く息を止めていたものだから、息を吐き出そうとして激しく咳き込んでしまった。オリガ・モリソヴナは険しい表情をたちまち和らげて心配そうに駆け寄ってきた。

「ジーナチカ、大丈夫？」

咳は止まったが、興奮していたらしいわたしはしばらく声が出ず、引きつけを起こしたみたいになった。そしたら、オリガ・モリソヴナは今にも泣き出しそうな顔になってわたしを抱きしめ、一語一語噛みしめるように言った。喉が詰まったような変な声だった。

「ごめんね、ジーナチカ、こんな醜いもの見せてしまって。つい昔の夢を追ってしまった自分が馬鹿だった」

それからすっくと立ち上がると、傍らにあった椅子を両手でひっつかんだ。鏡めがけて投げつけようとしているなと、わたしは頭よりも身体で反応して、その椅子に飛び乗ってしがみついた。

「ママ、こんなにすごい踊り見たの、生まれて初めてだよ」

ママという言葉が自然に出た。

「一人前に見え透いたお世辞など抜かすもんじゃないよ、ど田舎の孤児院育ちのくせして」

オリガ・モリソヴナはしがみつくわたしを振り払おうとして椅子を揺すった。わたしは懸命に椅子にしがみつき続けながら、声を張り上げた。

「孤児院にいたって、地元の舞踊団の踊りを生で見たことがあるよ。でも、ママの踊りを見たら、あんなの踊りじゃないって分かったよ」

オリガ・モリソヴナがビクッとしたのが椅子を通して伝わってきた。もう一押しだ。

「生では見てないけれど、モスクワやレニングラードの舞踊団の公演も映画で何本も見てるよ。でも、ママみたいのは初めてだよ。魂が吸い取られるのが怖くて、息が吐き出せなくなったぐらいなんだ。だから、ママがいきなり踊るの止めたのにビックリして咳き込んじゃったんだ」

オリガ・モリソヴナは振り上げていた椅子を床に置いた。

「ママの踊りがもっと見たいよ。もっと、もっと見たい。ほんとうだよ。なんで、踊るの途中で止めたの!? 最後まで見たいよ」

オリガ・モリソヴナは叫び続けるわたしを固く抱きしめて声をあげて泣き出してしまった。

「ありがとう、ジーナチカ。ありがとう。もう、鏡は割らないから安心して。ジーナチカは褒めてくれたけど、あたしはプロだったから分かるんだ。もう、客に見せて金を取る踊りは踊れないって。一八年間も舞台を踏んでいないんだ。老醜も隠しきれないしね。ぐるりと鏡に囲まれてみなくちゃ、そのことに気づかないなんて、あたしも老いぼれたもんだ」

「でも、今の踊り、ほんとに最初から最後まで見たいよ」

「そう？」

「最初から最後まで見ないと、今晩は眠れないよ」

「分かった。じゃあ特別サービスだ。レコードに針を載せてきてちょうだい」

わたしは、蓄音機のところまで飛んでいって言われるようにした。

ゆっくりしたリズムで音楽は始まった。オリガ・モリソヴナは部屋の隅に俯いてたたずみ、リズムに合わせて身体を動かしはじめた。つい今し方の愁嘆場が嘘のように、恋に落ちたジプシー女に成りきっていた。その動きに誘われて、いつのまにかわたしもオリガ・モリソヴナの動きをなぞっていた。リズムが次第に激しく狂おしくなっていき、クライマックスに達したところで音楽は終わった。

「ジーナチカ!!」

オリガ・モリソヴナが先ほどとは打って変わった陽気な活き活きした声を発した。

「ジーナチカには、才能がある！　リズム感もいいし、身体も柔らかい上にバネがある。これで舞踊家にならないのは、神様に対して失礼だよ。罪だよ。よーし、あたしが専属調教師になってあげよう。基本中の基本は、あたしが叩き込んだげる」

オリガ・モリソヴナは、その場でわたしの舞踊家修業のためのカリキュラムを作成した。本当にわたしに才能があったかなんて分からないし、今、子供たちに踊りを教える立場になってみると、それをあのわずかな時間に見抜いたとは信じがたいのよね。きっと、再び舞台に立って踊りたいと思い続けてきたオリガ・モリソヴナが、その夢を諦めざるを得なくなって何とか自分自身を納得させるために、わたしを舞踊家に育てていくという新たな夢に飛びついたんだと思う。

わたしはチェコスロバキアには珍しい東洋人の顔をしていたものだから、学校では最初、他の子供たちに遠巻きにされて動物園の珍獣になったような気分だった。アルマ・アタの孤児院が懐かしくて寂しくて仕方なかった。でも、毎日、学校へ行く前の三〇分間と、帰宅後の一時間、オリガ・モリソヴナの踊りのレッスンがあったので、泣いている暇はなかった。レッスンは厳しく、でもとても面白いものだった。オリガ・モリソヴナは教えるのは初めてだったのに、実は非常に優れた教師の天分があったことを、本人も発見したようだった。

マルティネクは、わたしたちをプラハに送り届けて一〇日間ほどあれこれ面倒をみると、赴任先のモスクワへ戻って行った。別れ際、わたしを抱き上げて、

「ジーナ、君のいた孤児院には必ず一月に一度は電話を入れて、君を捜しに来た者がいないか確かめるからね」

と約束してくれた。マルティネクは本当に誠実に約束を果たしてくれた。結局、朗報は届かなかったけれど。

モスクワに戻る前に、マルティネクは戦前からチェコスロバキアに住んでいた信頼のおけるロシア人を何人か紹介してくれた。その人たちは、チェコ語の家庭教師役も引き受けてくれたし、わたしたちがプラハの生活になじむまでずいぶん支えてくれた。実は、チェコスロバキアには、ソ連邦に「解放」される一九四五年以前からかなり多くのロシア人が居住し、大コロニーを形成していたのね。もちろん、革命を逃れてきたロシア人ばかりでなく、革命

以前から、あるいは一九世紀からチェコスロバキアに代々住んでいるロシア人もいた。

ほら、わたしたちが通っていた、ソビエト学校の建物があるでしょう。あれは、『ナチスの占領から解放してくれたソ連国民に対する感謝のしるしにチェコスロバキア国民からのプレゼントである』って、事ある毎に教えられていたの覚えてるでしょう。五月九日の解放記念日の式典には、チェコ政府の代表者が来賓として出席していてスピーチをしたけれど、必ずそういう一文が入っていた。でもね、本当は、あの建物は、もともと在チェコスロバキア・ロシア人たちがお金を出し合って、自分たちの子弟のためのロシア語学校として、一九三〇年代に建てたものだったのよ。ナチス・ドイツの占領中、ソ連のスパイが紛れ込んでいるという疑いをかけられて多くのロシア人が迫害された。ソ連軍侵攻後は、反ソ分子の巣窟としてコロニーには何度も手入れがあった。こうしてロシア人コロニーが壊滅的打撃をうけて混乱しているどさくさまぎれに、チェコスロバキア政府がロシア人学校の建物を没収して、ソビエト側に献上したってわけ。

わたしたちのパスポートを偽造する際に、マルティネクは、わたしを自分の養女にしてくれたけれど、ママたちについては、古くからチェコに在住するロシア人という形にしたの。

なぜかっていうと、プラハは空爆は受けなかったけれど、ナチスが撤退する直前になって市街戦があった。そのとき、ロシア人が多数住んでいたN行政地区の庁舎が焼けて住民台帳が焼失していることに目を付けたのね。市街戦の混乱に乗じて、ソ連からかつて亡命した住民が、ソ連軍が入って来た時に粛清されるのを恐れて、過去の証拠を隠滅するために放火したという説もあるのだけれど、とにかく、台帳が無いものだから、パスポート（日本のように外国へ渡航する際だけでなく常時身分証明書として携帯している）を持って行きさえすれば、台帳を新たに作ってもらえた。終戦からすでに九年経っていたけれど、オリガ・モリソヴナとエレオノーラ・ミハイロヴナはその間、国外に滞在していたということにして、すんなり台帳を作ってもらえたの。ナチスの強制収容所から帰って来る人たちもいたから、そういうことは珍しくはなかったのよ。

それに、ロシア人コロニーの海の中に紛れ込んでしまえば、チェコ語があまり出来なくても怪しまれなかったし、日常生活に不自由しなかった。代々プラハに住みながら、未だにロシア語訛りのチェコ語をしゃべるロシア人はいっぱいいたから。

オリガ・モリソヴナとエレオノーラ・ミハイロヴナは、プラハに到着したその日から、家庭教師のもとで必死にチェコ語の習得に励んでいた。わたしも最初はママたちと一緒にレッスンに参加していたのだけど、いつのまにかママたちのずっと先に行ってしまって、レッスンは出なくていいことになった。二カ月もしない内にすっかり同級生やチェコ語にも慣れて、毎日学校へ通うのが楽しくなっていった。でも、ママたちは、あの年齢になってから新しい外国語を身に付けるのは大変で、二人ともかなり苦労していた。チェコ語習得と並行して、ママたちは就職先探しに取りかかった。ソ連出国直前には、モスクワ市の技術学校でフランス語講師をしていたエレオノーラ・ミハイロヴナにも、既に年金受給者になっていたオリガ・モリソヴナにも少ないながら定収入があった。でも、ここでは、いつまでもマルティネクに頼っているわけにはいかなかった……。


「ジーナ、ちょっと待って」

　カーチャがジーナを遮った。

「突然、姿を消した二人のことを、ソ連当局は怪しまなかったの？　隣近所の人やエレオノーラ・ミハイロヴナの職場の人たちだって心配して捜索願いを出すでしょうし」

「二人が姿を消したのは、夏のバカンス・シーズンの真っ最中だったから、おそらく、失踪に気づくのは、九月も半ばを過ぎてからでしょう。二人はアパートにカザフスタンの砂漠で命を絶つことをほのめかす遺書を置いて出たと言っていた。ラーゲリ帰りの自殺は掃いて捨てるほどあったし、ラーゲリ帰りの二人の老婆が自殺したからといって、砂漠に捜索隊を派遣するはずはないと睨んだのね。それに、流刑先では、警察の監視下に置かれていたけれど、モスクワのような大都会には、ラーゲリ帰りだって星の数ほどいて、まったく注目されなかったらしいわよ」

「そこまでしておきながら、なぜ、チェコスロバキア国籍のパスポートを作る際に、二人とも名前を変えなかったの？」

　と、今度は志摩が割り込んだ。

「それは、極端に中央集権的なソ連型組織が横の連絡回路を全く持たない組織であることを、嫌というほど知らされていたからだって、ずっと後になって尋ねたときにマルティネクが言っていた。モスクワの某地区で失踪した二人の老婆について、中央の機関が関心を持たない限り、チェコスロバキアに駐在するソ連の機関員が関心を持つはずがないと。むしろ、エレオノーラ・ミハイロヴナの精神状態を考えると、名前を変えることによる混乱がいたずらに周囲の疑惑を招きかねないと」

「でも、よりによってソビエト学校に就職するなんて危険すぎるんじゃない？」

ジーナは悪戯《いたずら》っぽく笑ってすぐには答えず、紅茶で喉を潤してから話し始めた。

「いいえ、逆に、それが一番安全だったのよ。ひとつには、二人ともチェコ語がまともに出来ないようでは、チェコの会社や学校への就職は難しかった。それに、チェコやプラハに関する知識もままならなかったから、古くからチェコに居るという履歴の嘘がたちまちばれて怪しまれる危険があった。ところが、ソビエト学校の教職員は短期間しかチェコスロバキアに滞在しないから、二人のチェコスロバキアに関する無知はばれないで済むでしょう。それに、まさか、ソ連からの非合法出国者があえてソビエト学校に就職するなんて、誰も考えないでしょう。盲点だったのよ。チェコはソビエトの属領みたいなものだったから、チェコ当局だって、ソビエト学校の職員という身分には敬意を払わざるを得なかったし。その意味でも、安全だったのよ。

プラハにやって来て二カ月ほど経った頃、あれは一九五五年の一一月初めだったかな、ソビエト学校が一一月後半から始まる二学期に向けて舞踊教師とフランス語教師の募集を行ったの。ロシア人コロニーにその募集要項が回覧されてきた。コロニーからはコックや清掃員として採用されている人や、以前に採用経験のある人が何人かいて、その人たちから仕入れた情報によると、本国採用組については、本国の外務省やKGBや党組織が何重にも審査していたけれど、現地採用組については、現地のソビエト学校に任されていて、学校当局はといえば、詳細に調べる手段を持たなかった。一応、衛星国とはいえ、他国の主権国家の市民ということになるものね。それに、学校当局としてもそもそもそんな面倒なことする気はなかったみたい。簡単な履歴書と校長との面接で採用は決まり、校長は本国に採用者の氏名と国籍と職務を届け出て事後承諾を得るだけで良かった。

それで、オリガ・モリソヴナは決断したの。お給料の条件が信じられないくらいに良かったのよ。それに、教えることの面白さに目覚めたところだったから。

嘘みたいにすんなり二人の就職は決まった。そして、たちまち学校でもっとも人気のある教師になった。あの学校は、本国から派遣された教師は校長も含め三年のローテーションで替わっていったから、いつのまにか、あの学校の主みたいな存在になってしまった。

もちろん、わたしはチェコの学校に通い続け、九歳になったとき、国立バレエ学校に受かり、並行してそこへも通うようになった。オリガ・モリソヴナによる「調教」の甲斐あって、すぐに成績はトップになった。バレエ学校には、最優秀の生徒たちのためにモスクワのボリショイ劇場付属バレエ学校への推薦枠があって、教師たちもぜひ行くべきだと言ってくれる。わたしにも、だんだん欲が出てきた。モスクワのボリショイ・バレエ学校へ行きたい。どうしても行きたい。その気持ちはオリガ・モリソヴナが一番理解してくれていた。でも、一方で拭いがたい恐怖があったし、現実的に、わたしたちの立場を考えると危険すぎた。それで、毎年、毎年、国立バレエ学校の先生方はわたしのために推薦枠を使おうと決定してくれるのだけど、いろいろ理由を捻出して断っていた。気持ちの方は行きたくて行きたくて仕方ないのに。もちろん、オリガ・モリソヴナは、何とかできないものかと機会をうかがっていた。

一九六〇年に入ると、世の中が目に見えて変わってきたでしょう。実際に第二次スターリン批判が始まるのは、翌一九六一年一〇月の第二二回党大会だけれど、その雰囲気はすでにそこかしこに漂っていた。次々にスターリンの権力犯罪が暴かれて、スターリンに粛清された人たちの名誉回復が発表されていった。オリガ・モリソヴナも日を追う毎に大胆になっていった。

わたしもすでに一二歳になっていたということもあって、ボリショイ・バレエ学校への推薦を受けることにしたの。モスクワへ行く前の一年間ほど、遠ざかっていたロシア語に馴染んでおくために、ソビエト学校に編入する手続きも進めていた。年が明けた一九六一年からは、そうする予定になっていた。

それが、突然、ダメになったの。ある日、帰宅したら、玄関のドアは開いているのに、フラットの中は真っ暗だった。わたしはフラットを突き進みながら、片っ端から電気を点けていったの。どの部屋も、まるで空き巣に入られた後みたいだった。タンスの扉や引き出しは開けっ放しで、中のものがはみ出したり、床の上に散らばったりしていた。

寝室のベッドの縁にオリガ・モリソヴナがエレオノーラ・ミハイロヴナの肩を抱きかかえて座っていた。二人とも顔に血の気がなかった。わたしに気づくと、オリガ・モリソヴナは抑揚のない声で言った。

「ジーナチカ、ボリショイ・バレエ学校行きは、当分見合わせなくてはならなくなった」

それから付け加えた。

「でも、気落ちしないこと。必ず何とかするから」

それ以上は、何も教えてはくれなかった。

しかも一九六一年一月一〇日、新学期が始まっているはずなのに、二人とも学校に出かける気配はなかった。

志摩は思わず叫んだ。

「それは、一九六〇年一一月四日にソビエト学校でミハイロフスキー大佐がオリガ・モリソヴナに出くわして転倒した事件以降の時期と一致する！」

「やはり、ミハイロフスキーは、あのボリス・アントノヴィッチだったの？　ブティルカ監獄でエレオノーラ・ミハイロヴナに強制流産させ、それから、アルジェリアでは副所長をつとめ、その後ベリヤの使い走りをやって、おこぼれにありついていた色魔のボリス・アントノヴィッチだったの？　なんで、あの男はベリヤの一味として処刑されなかったの？　ミハイロフスキーは本当に単なる心臓発作で亡くなったの？……あっ、ごめんなさい、興奮しちゃって」

ジーナは微笑みながら立ち上がった。

「順序立てて話すから、もう少し辛抱してね。それより、こんなに話したの久しぶりだから喉がカラカラになっちゃった。紅茶を入れ直しましょう」

「あっ、手伝うわ」

志摩もカーチャも立ち上がって、冷え切った紅茶茶碗とポットをかかえてキッチンセットの置いてあるコーナーの方へ向かった。ジーナはやかんに水を入れてレンジにかけ、濡れ布巾をもって先ほど三人が囲んでいたテーブルを拭きに行った。紅茶茶碗とポットを志摩が洗い、それをカーチャが乾いた布巾で拭く。

「何だか、恥ずかしくなっちゃった」

志摩がポツリと言った。

「あたしが踊りを捨てたのはね、日本ではダンサーの社会的地位も収入も低くて苦しかったこともある。舞台舞踊に対する需要が極端に限られているのだから、そんなことはもともと覚悟の上だったけれど、実際に飛び込んでみると、本当に苦しかった。だって、舞踊団に寄付した額と、公演のときにもらえる役の重要度が比例しているんだよ。それでも実力を認めさせてやるって歯を食いしばって頑張って、初めて主役を射止めたことがあるんだ。でもね、わたしのいた舞踊団では、主役を踊るダンサーが、他の全てのダンサーとスタッフのお弁当を、公演期間中を通して面倒見なくてはいけないことになっているの。スタッフというのは、照明から衣裳からタイムキーパーまで含めた全員なのよ。公演期間中というのは、リハーサル期間も含めてのことなのよ。異常だと思うでしょう。でも、バレエ団などでは、もっと大変みたいなのよ。プリマに指名されたバレリーナは、お弁当だけでなく、客寄せ用に外国から招待する男性スターダンサーの、往復旅費、滞在費からギャラまで負担しなくてはならないのだから。亜紀バレエ団なんか、一度、宮様の姫君が「くるみ割り人形」の主役マーシャの役を踊ることに決まった時は大変だったんだから。宮様にお弁当代を出させるわけにはいかないということで、準主役の子供たちの親が泣く泣く分担させられたらしいの。

で、約二週間一〇〇名ほどのお弁当を提供するということは、日本の平均的サラリーマンの年収分に相当する出費を意味したの。亡くなった父の遺してくれたわずかな遺産をそれにあてがった。お金の問題だけじゃないの。毎日のお弁当に変化をつけるよう繊細に配慮しなくてはならないの。お弁当がまずかったり、ケチ臭かったりすると、他のダンサーやスタッフにあからさまに嫌な顔されて協力してもらえなくなるのよ。踊りそのものではなくて、そういう矮小なことに神経すり減らす毎日だった。その公演も終わりに近づいたある日、楽屋の化粧室で、突然何もかも嫌になったの。それはね、ダンサー仲間たちの楽屋での会話。今まで聞き流してたのが、お弁当の評判が気になって、気になって、毎日毎日、盗み聞きしていたの。そして、その内容のあまりにも愚劣なのにハッとしたの。芸能人やお互いのゴシップばっかり。あとはファッションと飲み食いとセックスの話。ゴシップがダメっていうのじゃないの。あたしだって、ゴシップは嫌いじゃない。憂さ晴らしにはもってこい。でも、二週間、ずっとずっとそればかりなの。彼らは高校を卒業以来、本を一冊も読んでないの。それでも平気なの。これからずーっと自分の人生の圧倒的多数の時間を彼らと共に過ごしていくのは耐えられない。そのうち自分も彼らみたいになってしまうって、いきなり思えてきたの。自分が今まで耐えてきたのが不思議だって……それで逃げ出すようにやめてしまった。その上、駄目押しがあったんだ。あたしが主役を射止めたのは、実力のせいなんかじゃなくて、別れた夫が舞踊団に寄付していたおかげだということが漏れ伝わってきた。本人は慰謝料のつもりだったんだろうけれど、あたしは立ち直れなくなっちゃった」

話しているうちに悔しくて情けなくて涙が溢れてくる。

「くだらないでしょ。オリガ・モリソヴナの苦労に較べたら恥ずかしくなるよ」

カーチャは志摩の顔を見ずにつぶやいた。

「シーマチカ、そんなことないよ。巨大な悪や力に翻弄されるのもしんどいけれど、そういう矮小な理不尽に立ち向かったり耐えたりしていくことも、それに劣らず大変なのかも知れないよ。いや、きっとそうだよ。引くか、踏み止まるか、選択肢が残されているってことは、常に自分自身の意志と責任で決めて行かなくてはならないんだもの……そういうあたしも、偉そうなことは言えないんだけどさ」

「ううん。この一週間モスクワでオリガ・モリソヴナの足跡を追う内にわかってきたんだ。日本にとってのバレエ自体がそうなのだけれど、わたしが踊ろうとしていたキャラクター・ダンスだって、日本人の生活や風習の中から紡ぎ出されて代々受け継がれてきた踊りじゃないのよ。あくまでも借り物で、真似事。圧倒的多数の人たちにとって、心の糧じゃないのよ。日本のバレエ界の惨状だって、根っこのところにはそれがある。わたしの報われなかった踊り子生活二〇年も、もとはと言えば……」

「シーマチカは、昔からそうだけど、考え過ぎなんだよね。スープの出汁《だし》になっちゃうよ」

志摩が苦笑いしながら肯いたところで、ジーナの声が聞こえた。

「流しの真上の戸棚に紅茶の缶があるはずだから」

志摩は自分の目の前にある扉を開けた。

「あっ……」

頬を接するように懐かしい顔があった。美しい緑色の目。心臓がドキドキした。志摩の異変を察してカーチャが扉の内側をのぞき込んだ。

「レオニードだ！　ねっ、これレオニードだよね。ちっともレオニードらしくないけれど」

扉の内側にレオニードの大きな写真が貼ってあった。

「いい顔してるでしょう」

ジーナがいうように、レオニードの瞳に漂っていた、あの人を寄せ付けない冷ややかな敵意と絶望の色は消えていた。穏やかな優しい眼差しになっている。

「レオニードはどうしているの？　ジーナがロシアに帰化したのは結婚のためと聞いたけど、相手はレオニードだったの？」

志摩が聞きたいのに言い出せないことをカーチャが口にしてくれた。

「そうでもあるし、そうでもない」

そう言って、ジーナは口をつぐんだ。

「エッ、どういうこと？」

「ごめんね、思わせぶりな言い方して。たしかに、彼と結婚するために、ロシアに渡ったのだけど、わたしたちは、夫婦にはならなかった……ああ、お湯が沸騰している」

やかんからお湯が噴きこぼれていた。志摩は急いでガス栓を捻って火を止め、やかんからポットにお湯を注ぎ入れ、残りを魔法瓶に注いだ。カーチャは、ポットと紅茶茶碗をトレーに載せてテーブルに運び、茶碗を並べてポットから紅茶を注いだ。その一連の動きが恐ろしく長く感じられた。ようやく、熱い紅茶を口に含むと、ジーナは話し始めた。

年齢はレオニードの方が上だったかもしれないけれど、わたしは彼にとって姉のような存在だった。あの性格だから、他に誰も心の内を開いて見せる相手がいなかったでしょう。彼には、わたしがソビエト学校に転校する前に再会していたの。それは、ミハイロフスキーのおかげかもしれないわね。

ミハイロフスキー・ボリス・アントノヴィッチ。彼は、ママたちのことを知るや、すぐにモスクワのKGB本部に届け出た。モスクワの外務省経由で、ママたちを解雇するようソビエト学校に通達が来た。ところが、ミハイロフスキーにとって誤算だったのは、学校の校長はじめ先生方が、素直に従わなかったこと。それから、第二次スターリン批判が展開されようとする矢先で、ＫＧＢ内部も混乱していて、ミハイロフスキーの報告先の上司自身が更迭寸前だったこと。

以上のようなことを知ったのは、ミハイロフスキーが一向に進まない事態にイライラして、年が明けると、三日に一度はフラットにやって来て、家の中をわが物顔でうろつき回り、嫌がらせをするようになったからなの。彼は内務機関で働く内に完全に人格を破綻させてしまったのか、もともと人格異常者だったのか、自分の過去の悪事に陶酔する癖があった。ブティルカ監獄でエレオノーラ・ミハイロヴナに強制流産させた顚末も、アルジェリアでの副所長時代の仕打ちも、しつこいほど何度も聞かされた。その後ベリヤの部下を務めながら、実はベリヤ打倒派と通じていて、ベリヤ逮捕に一役かった一部始終も自慢していた。ママたちは怯えきっていて、彼がいるあいだ家は地獄だった。これがいつまでも続いたら、発狂しそうだった。

ところが、あるとき、ミハイロフスキーがやって来たすぐ後に玄関のベルが鳴って、わたしが彼に命じられてドアを開けると、背の高いおじさんが立っていた。どこかで見たような気がした。おじさんの背後には、二人の屈強な男が控えていた。

「やあ、コズイレフ博士、どんなご用件で？」

そう言うミハイロフスキーは明らかに狼狽していた。その瞬間、わたしは思い出した。

「コースチャじゃなかったレオニードを迎えに来たパパだ。レオニードは元気？」

おじさんは、オヤッという顔をした。それから、かがみ込んでわたしの顔を見つめると、

「ああ、元気だよ」

と言った。口元は微笑んでいたけれど、とても悲しそうな目をしていた。

「彼には友だちが出来なくてね。お嬢さんが友だちになってくれたら、どれだけいいことか」

その間にも、二人の屈強な男は、ミハイロフスキーを両側から挟み込むようにして上着とズボンのポケットをまさぐり、取り出したものを次々に机の上に並べていった。ピストルや弾丸もあった。ミハイロフスキーは、一言も発せずにただただ肥満体を醜く震わせていた。武装解除を終えると、二人の男はミハイロフスキーの身分証明書を読み上げ、各項目について間違いないか、確認していった。ミハイロフスキーは卑屈に微笑みながら蚊の鳴くような声で答えていた。本人であることを確認し終えると、二人の男はようやく身分を明かした。

「われわれは、スターリン時代の権力犯罪に関する中央委員会直属の調査委員会から派遣されて来た者です。ベラ・コロコロワに対する不当な逮捕と投獄に関して、ミハイロフスキー同志に対する訴えが寄せられておりますので、これから査問に応じていただかなくてはなりません。車を用意してありますので、そちらに移動していただきます。よろしいですね」

そう言われるや、ミハイロフスキーの顔からスーッと卑屈な表情が消えた。覚悟を決めたのだろう。

「訴えは、博士からなんでしょう。さすが、フルシチョフのおぼえめでたいだけのことはある。博士にここプラハでお会いしたのは、ほんの二週間ほど前だというのに、この素早い対応は、鶴の一声があったからとしか考えられませんな」

「わたしというよりは、息子が母親にしつこく言い寄っていたあんたの顔を覚えていたんだよ。大使館のパーティーから帰るや、普段は口も利いてくれないわたしに訴えたんだ。『あのデブだ。あのデブが母さんを破滅させたんだ』って」

「息子さんは当時二歳か三歳でしょう。男女のことなど分かるはずないでしょうに。そんないい加減な訴えを中央委員会ともあろうものが取り上げるなんて。わたしはベリヤの命令に従っていたまでです。あの時代にベリヤに逆らうことは死を意味したことぐらいご存知でしょう……」

「それは、ゆっくり別な場所で伺うことにしよう」

ミハイロフスキーは二人の男に左右の腕をつかまれ抱きかかえられるようにして玄関の方へ引っ張って行かれそうになった。彼はいきなり暴れ出した。

「おれは現政権中枢の意向に沿って動いていたんだ。社会主義体制を守るために貢献したんだ！」

「シャオツィーとわたしの子供は、どこへやったの」

突然、エレオノーラ・ミハイロヴナの叫び声が響き渡った。男たちは立ち止まり、ミハイロフスキーが振り返った。

「何度言ったら分かるんだ!?　お前の夫が銃殺されたその日に、お前の子供は、おれがこの手で流産させてやった。これは、神聖なる党の命令でやったことだ。スパイの種を根絶やしにするってのは、表向きの理由だ。あれは、お前の親父がロシアの民から収奪した莫大な富を正当なる持ち主に返すための手続きだったんだ。お前の親父はお前が妊娠したと知るや、周囲の人々に全財産をお前の産む子供に譲ると公言し始めた。遺言を託されたのは、信頼する弁護士だったのだが、これは忠実なるＮＫＶＤのエージェントだった。彼は遺言を書き換えなくてはならなかったが、あれだけお前の親父が孫に譲ると公言している以上、その文言は変えられなかった。しかし、『万が一、孫が亡くなった場合には、今はソビエト・ロシアとなった祖国に捧げる』という文言を偽造するのは、さほど不自然ではないからねえ。分かったか、お前の子が死んだのは、お前の親父のとんだ思いつきのせいだ。孫は生きているものと信じて、孫の生まれ損なった一年後に亡くなったそうだがね。おれは、ソビエト財政に多大な貢献をした功労者なんだ……」

ミハイロフスキーはそう言いながら二人の男に連れ去られて行く。その後ろ姿に向かって、エレオノーラ・ミハイロヴナは奇妙なことを口走ったの。

「ボリス・アントノヴィッチ、ありがとう」

ミハイロフスキーが振り返った。その顔は今にも泣き出しそうだった。彼の陰気な強《こわ》ばった表情を見慣れていたわたしには信じられなかった。

エレオノーラ・ミハイロヴナは気を失って倒れていた。一時間もしないうちに目が覚めたが、先ほど耳にしたことは、一切聞こえていなかったかのようだった。それよりも、オリガ・モリソヴナは重大なことに気づいて動転した。ラーゲリ帰りの非合法越境者であることが、査問官たちに知られた以上、無事ではすまないのではないか。それから数カ月間は、生きた心地がしなかった。

しかし、その後なにも起こらなかったことを考えると、ソ連的縦型組織のおかげもあるし、スターリン批判が強まってきていた時代背景もわれわれに味方したのだと思う。

翌日、わたしはレオニードとの再会を果たした。彼は、いまだに父親を許せずにいた。ミハイロフスキーに対する査問は三カ月近く続いたということを知ったのも彼からだ。査問は極秘裏に進められたので表向きはミハイロフスキーは日常の業務に就き毎日自宅へ帰ってもいた。妻も査問については気づかなかったのではと思われる。ある夜、睡眠中に彼が心筋梗塞の発作を起こして亡くなったのは、あの異常な肥満体に過度のストレスがかかったせいかもしれないし、あるいは、そのように演出された処刑かもしれない。彼はベリヤ失墜に絡んで、あまりにも現政権中枢部の弱みに通じていただろうから。そう、ミハイロフスキーの最後の叫びには真実のかけらがあったのよ。これはレオニードから聞かされたことなのだけど、スターリン的強権的方法からは転換を図りながら、フルシチョフ政権は社会主義体制の名誉だけは何としても守らなくてはならなかった。いや、それよりも何よりも、フルシチョフ自身をはじめとして、フルシチョフ政権のほぼ全員がもとはといえばスターリンの取り巻きだったのだから、スターリンの粛清にもその他の権力濫用《らんよう》にも否応なく関与していた。それを何としても隠蔽しなくてはならなかった。ベリヤ一人の仕業にしてしまう、というシナリオだったのではないか、というの。だから、ベリヤを異常人格者にでっち上げる必要がどうしてもあったらしい。もともと気弱な出世主義者であったベリヤには、少女趣味の傾向はあったけれども、実際の事例はごくわずかだった。そういう噂を最大限に吹聴する役目をミハイロフスキーは負っていたらしいの。ミハイロフスキーだけでなく、伝説的な女性調達係のサルキソフ大佐もナダリヤも同じ役目を担っていたのではないか。ソ連邦検事総長ルデンコによる尋問調書では、ベリヤ自身が女漁りを自白しているけれど、ベリヤは自宅で逮捕された時点で銃殺されているらしいのよ。だから、尋問は架空のものだったのではないか、というのね。どこまで本当なのか自信ないのだけれど。

ミハイロフスキーが亡くなり、すでにその前に、ソ連外務省からのママたちに対する解雇命令も立ち消えになっていた。赤の広場の廟からスターリンのミイラが撤去され、レトナの丘のスターリン像も爆破された。

それで、ついにわたしのボリショイ劇場付属バレエ学校行きが決まったの。その前にソビエト学校に編入してロシア語の授業やソ連式カリキュラムに頭と心を慣らしていくことになった。おかげでシーマチカに逢えた。レオニードは、シーマチカに惹かれていたと思うのよ。

「嘘でしょう。嘘、嘘。いつもモノを見るような、わたしなんかそこに存在しないような虚ろな目を向けられていた」

志摩は言いながら、自分の顔が上気しているのが分かる。

彼の心を独占していたというほどではないけれど、わたしと話をするときに出た唯一の女の子の名前だもの。わたしによく似てるって言っていた。わたしは姉さんみたいだから恋の対象にはならないけれどって言い方をした。わたしは彼の心を占領していた怨念から彼が解放されて、ふつうの男の子みたいに恋をして欲しいなあと思っていたから、シーマチカの方へ関心を向けさせよう、向けさせようって努力してたんだけど。

でも、彼のあの頃の最大最重要なテーマは父親だった。自分の幼少期と母親の悲劇的な死という理不尽な運命を、どうしても受け容れられなくて、父親のせいにして心の安定を保っていた。本人は、そのことに気づいてなかった。でも、恋心とまではいかないかもしれないけれど、シーマチカに対する淡い感情が芽生えて、彼の頑なな心が和らいできたのだと思うの。ある日、そのことに気づいて愕然とした。父親との関係を何とか修復したいと、少しずつ考えるようになってきていた。それなのに、いざ父親と接するとなると、今まで通りのあのゾーッとするような冷ややかな態度から脱皮できない。それで父親がどれほど傷つき苦しんでいるのかも彼は分かるようになっていた。なのに、まともな接し方が出来ない。今日は、今日は、と思っている内に、父親が自殺してしまった。自殺されて初めて、彼は心の底から自分の父親に対する仕打ちを悔いたの。自分の下らない自尊心とか照れのために父親を絶望と悲しみのまま死なせてしまったことで自分を許せなくなった。モスクワの祖母に引き取られるまで、ずーっとわたしが付いていてあげたから、分かるの。可哀想に、自分を責めて責めて放っておくと自殺しそうだった。食事も全く受け付けなくなったの。

「あなたは、父親を追いつめたのと同じやり方で今度は自分を追いつめているのね。そんなことをしても何にもならないってことをお父さんはあなたに教えたかったんじゃないの。その人を憎み追いつめる情熱で、あの非人間的な体制を憎みなさい」

彼を立ち直らせたくて、とても偉そうなことを言ってしまったのだけど、彼には驚くほど効果があった。ほんと。彼はその日から、生きる意欲を取り戻したの。そして、モスクワの祖母のもとへ向かうときには、ほとんどいつものレオニードにもどっていた。でも、眼差しは、とても柔らかくなっていたの。ほら、あそこの写真みたいに。

一九六三年にわたしはボリショイ劇場付属バレエ学校へ編入することになってモスクワへ移住した。モスクワでは、よくレオニードと会った。すっかり大人びて、とても魅力的な青年になっていた。一緒に街を歩いていると、年頃の娘さんたちが彼に熱い視線を注いでいるのが、分かった。でも、彼は無頓着だった。何か重要な問題に関心を持っているようだったが、わたしには話してくれなかった。ただ、父親と同じ哲学の道へ進むと言っていた。

彼のモスクワ大学哲学科合格が決まった一九六七年六月に、わたしはバレエ学校を卒業し、プラハ国立バレエ団に就職することが決まった。レオニードとは、チェコスロバキアに帰ってからも文通を続けた。ちょうど六〇年代半ば頃からチェコスロバキアでは、ソ連べったりのノボトニー政権に対する批判が強まっていたでしょう。わたしが帰国した年の作家同盟の大会では政府批判が噴出した。それが呼び水になって、共産党内の左右対立が激しくなって、翌六八年の一月には、改革派のドプチェクが第一書記に選ばれてしまう。『人間の顔をした社会主義』を掲げる民主化運動が盛んになって、プラハの人々はとても活き活きしてきた。レオニードはすごく関心を持って、手紙でもわたしが詳しく報告するよう促してきた。民主化運動は日を追う毎に盛り上がっていく。

オリガ・モリソヴナは、あの運動の高揚期に亡くなったの。病気ではなくて、老衰だって医者は言っていた。でも、前日まで元気に生徒さんたちを叱りとばしていたのよ。フフフ、享年六六ってことだった。これで老衰なんておかしいわね。バルカニヤ・ソロモノヴナはサンステファノ条約が締結された一八七八年の生まれのはずだから、九〇歳のはずなんだけど、オリガ・モリソヴナにすり替わった時点で身分証明書の年齢は六歳若返って、チェコスロバキア国籍のパスポートを偽造するときに、さらに一八歳もサバ読んだのよ。リラの花が美しく咲き誇る五月だった。先生方や生徒たち、それに生徒の父兄が心から悲しんでくれた。棺にリラの花をいっぱい詰めたの。ただエレオノーラ・ミハイロヴナが寂しそうで不憫だった……あら、コーリャのお父さん、どうなさったんですか。授業中ですから、まだレッスン室の方ですけれど、お呼びしましょうか？

「いやあ、コーリャではなくて、副業の方でやって来ましたんです。こちらの方々、お約束の一九時半にお見えにならないから、迎えに来たんですよ」

先ほどの運転手だった。何ということだ。時間が経つのが速すぎる。

「二〇時二〇分発のモスクワ行きでしょう。一九時五〇分にここを出れば間に合うわ。必ずその時間には、車に乗れるように送り出しますから、もう少し待ってて下さい」

ジーナは運転手にそう言い、志摩たちの方へ向かってものすごい勢いで喋りだした。

「プラハの春」運動はソ連軍とワルシャワ条約軍の戦車によって無惨に鎮圧されてしまったでしょう。ソビエト学校は閉鎖され、駐留ソビエト軍の基地として建物の四隅には、大砲が据え付けられた。エレオノーラ・ミハイロヴナはショックのあまり寝込んでしまった。ソビエト学校が再開されても回復せず、そのままあの世へ旅立ってしまった。でも息を引き取る前に、ほんの一瞬だけ正気に戻ったのよ。わたしが枕元で泣きながら、

「ママ、ママ」

と呼びかけていたら、目をあけて、しっかりとわたしの目を見て言ったの。

「ジーナ、ありがとう。でも、わたしはあなたの母親ではないわ。わたしの娘も夫のシャオツィーも天国にいる」

「そこで会えるわ、きっと」

「いいえ。わたしは自分の娘と自分の夫シャオツィーを死に追いやった女。行き先は地獄だから、永遠に二人には会えないのよ」

「何を言い出すの！」

おそらく脳の奥深く潜在意識の底に封印されていた記憶が、死の直前に活性化して意識の表面に浮かび上がってきたのだと思う。それは、わたしがはじめて見るエレオノーラ・ミハ

イロヴナだった。

「いいえ、ジーナ、聞いてちょうだい。二晩続けて眠らせてもらえなくて意識が朦朧としているときに、尋問官が囁いたの。白状すれば、夫もわたしも情状酌量になるだろうって。馬鹿なわたしは、その一瞬、それを信じてしまって、夫が国民党のスパイでソ連国内に潜入して破壊工作をやっているというでっち上げの証言書に署名してしまった。獄に戻されてから、やっとグッスリと眠る機会を与えられ、目が覚めてから自分の過ちに気づいて愕然とした。何とか証言を取り消そうと次の尋問の機会を待ったが、すでに署名したわたしに尋問官はもう用が無かった。何度要求しても却下されていた再尋問がようやくかなった夜、わたしは必死になって、先の自分の証言を取り消してくれと懇願した。尋問官は、すでに調書は上部機関に上がっているので覆らない、と言った。それでも跪き、泣き叫んで懇願するわたしに、尋問官は、引導を渡した。

『いい加減にしろ、もう手遅れなんだ』

『……………』

『お前の亭主は、つい今し方、処刑されたよ』

わたしはその場で気を失い転倒したらしい。気がついた時には、両脇を抱えられて、尋問室から引きずり出されるところだった。次の瞬間、夫を卑劣に裏切った妻から産まれてくる子供が不憫になった。その子が背負う十字架の重さに身体が震えた。

『お願いです!!』

自分でもビックリするような悲鳴だった。わたしは、ただちに堕胎してくれと懇願し、これは速やかに認められて、監獄付属病院に運ばれたの」

「そのときの尋問官がボリス・アントノヴィッチだったの？」

「彼は尋問官の助手をしていて、一部始終を見ていた。尋問官はその後粛清されて銃殺されたらしい。アルジェリアではわたしの方からボリス・アントノヴィッチに近づいたのよ。自分の恥ずべき罪を他言されるのが死ぬほど怖かったから。彼は女に汚い男だったけど、最後までわたしの秘密を守ってくれた。わたしの名誉を守ってくれた。でもその罪もわたし自身からは隠せない。わたしはそれを見まいとしてきたけれど、最後の審判の前では隠せない……」

そこまで言うと、エレオノーラ・ミハイロヴナは、もう一度わたしのことをしっかりと見据えて、何か囁いた。もう、声にはならなかったけれど、

「さようなら、ジーナチカ、幸せになるのよ」

と言ったのが分かった。優しい灰色の瞳が閉じられて、二度と開かれることは無かった。

その翌朝、エレオノーラ・ミハイロヴナは、冷たくなっていた。本来背負わなくてもよい罪を引き受けて、残りの人生全てを捧げてあがなったエレオノーラ・ミハイロヴナの魂は、シャオツィーと生まれなかった赤ちゃんのもとへ行ったに違いないと、死後の世界を信じないわたしでさえ、その悲しい亡骸を前にして、念じずにはいられなかった。

各国で、『プラハの春』に連帯する抗議行動があったけれど、ソ連では全く音沙汰無かっ

た。でも、後になって、モスクワの赤の広場でプラカードを掲げて抗議した人たちがいたことを知ったの。その人たちはたちまち逮捕されて強制収容所送りになった。その中にレオニードがいたの。彼に手紙を何度出しても返事がないので、電話をしたら、お祖母《ばあ》さんが出て来て泣きじゃくっていた。盗聴を警戒して要領を得ない話だったけれど、そのことを知ったの。

一〇年後に刑を終えて戻ったときに、彼は父親譲りの頑健な身体を完全に壊していた。心臓も肝臓も腎臓もダメになっていた。もう長くない、と医者に言い渡されたらしい。唯一の肉親である祖母も亡くなっていた。昔の友人たちも彼のことは忘れているか、近付いて当局に怪しまれるのを恐れて避けていた。それでわたしは、彼のそばに行こうと決心したの。わたし以外にそばにいてあげられる人がいないんですもの。プラハのバレエ団からは猛反対されたけれど、ボリショイ・バレエ学校時代のクラスメートに口をきいてもらって、モスクワ市内のバレエ団に就職した。そして、彼と強引に結婚したの。彼には正規の就職口は一切閉じられていて、公園や道路の臨時雇いの清掃員の口しか無かった。でも、具合の悪いのを押して黙々と仕事をこなしていた。

「これは、僕の選んだ運命だし、この仕事は心を売り渡さなくてもいいからとても気に入っている」

と言ってね。結局、入退院を繰り返し、二年後に逝ってしまった……ああ、シーマチカにカーチャ、もう時間だわね。訪ねてきてくれて嬉しかった。

ジーナは、志摩とカーチャを代わる代わる何度も抱擁し、接吻してから、涙でグシャグシャになった顔を恥じるように上を向いて、

「じゃあ、わたしはレッスン室に顔を出さなくてはならないから、車のところまで送らないわよ」

と言い置いて部屋を出ていった。

志摩とカーチャに涙を拭う暇は無い。片手でオーバーを着込み、もう一方の手で帽子をかぶりながら、外に飛び出した。全速力で走っていこうとしたところで、立ち止まった。外はもう真っ暗であったが、右手の教室の電灯が窓から漏れて凍てついた雪面を照らしていた。走れば、転倒するのは目に見えている。お互い支え合いながらゆっくりと雪面を踏みしめていく。

「ああ、神様！　これぞ神様が与えて下さった天分でなくてなんだろう、そこの眉目秀麗な神童！　あたしゃ感動のあまり震えが止まらなくなるよ」

カーチャと顔を見合わせた。オリガ・モリソヴナの反語法だ。しゃがれ声もイントネーションもそっくり。Rもフランス語風にタンが絡まったみたいなRだ。威勢がよくて、どことなく滑稽なオリガ・モリソヴナの罵詈《ばり》雑言《ぞうごん》を投げつけられると、何だか浮き浮きしてくる。ジーナは血はつながっていないはずだけれど、まぎれもなくオリガ・モリソヴナの娘だと志摩は思った。

オリガ・モリソヴナの全てが反語法だったのだなとも思えてくる。まるで喜劇を演じているかのような衣裳や化粧や言動は、その裏のむごたらしい悲劇を訴えていたのだろうか。

「えっ、もう一度言ってごらん、そこの天才少年！　ぼくの考えでは……だって!!　フン、七面鳥もね、考えはあったらしいんだ。でもね、結局はスープの出汁になっちまったんだ。分かった!?」

また聞こえてきた。思わず吹き出してしまう。その瞬間に思った。オリガ・モリソヴナの反語法は、悲劇を訴えていたのではなくて、悲劇を乗り越えるための手段だったのだ、と。

「おーい、絶体絶命だぞー」

あれ、これはジーナの濁声よりさらに野太い。声の方角も違う。前方で運転手さんが声を張り上げて手を振っていた。志摩はカーチャとともに車に向かって走り出した。

対談

『反語法』の豊かな世界から

池澤夏樹
米原万里

■ドゥ　マゴ文学賞に選んだわけ

池澤　ドゥ　マゴ文学賞の選考を引き受けたときは、なかなか大変なことになったと思いました。選考委員が一人しかいないから、全責任が双肩にかかってくる。僕だって賞にふさわしい作品を見つけ出したい。でもその一冊に出会えなかったらどうしよう、そんな不安の思いとともに一年を過ごしました。

日本では今、年間およそ六万点というおそろしい数の本が出ていますが、ご存じの通り、なかなかいい作品には出会えない。候補を次々挙げては読んでいくことを繰り返しながら、ある時点で『オリガ・モリソヴナの反語法』に出会って、ああ、よかった、これで大丈夫だと思って欣喜雀躍しました。この作品は、僕が頭の中で考えていたドゥ　マゴ賞の条件をすべてクリアして、なおかつその上に大きな価値が乗っている。選考委員の見栄から言っても、こういうものを選べて運がよかったです。今年出してくださった米原さんにまず感謝しました。

何がそんなにいいかというと、まず、話として格が大きい。日本の本はだんだん話が痩せてきて、やたら長いだけの本は多いけれども、中身が充実した上で一定のサイズの本は少ない。その中でこれは単にページ数ではなくて、ぜんたいとしてとても豊穣な印象を与える。

これは基本的には謎解き物語です。もう若くない女性が自分の子供のころを思い出して、プラハでの学校生活に隠されたある不思議な謎をかつてのクラスメートと解いていく。そこに生き生きとした活発な少女たちの学校生活の思い出が重なってくる。謎を解いていくうちに、一風変わった魅力的なある女性の秘密が少しずつ明かされる。しかもその秘密はソ連という実に奇妙な国の歴史と社会構造にそのままつながっている。二重、三重、四重にからくりが構成されていて、それが大変におもしろい。また細部の描写の細かさに驚かされました。強制収容所でどういう暮らしが営まれていたか、どのような苦労があったかが、読んでいて身につまされる。ひしひしと迫ってくる。それでいながら、全体のトーンがものすごく若い。子供たちの話から始まるだけでなく、ある年齢になって崩壊後のロシアを再訪して謎解きをする主人公シーマチカも若い。その若さによって、旧ソ連のどうにもしようのない闇の濃さがうまく中和されて、明るさと暗さが対照的になって、どちらもくっきりと際立つ。このあたりが本当によくできている。

米原　反語法じゃないでしょうね（笑）。あまり褒められると不安になるではないですか。ところで、常々疑問に思っていたんですけれども、池澤さんて、もしかして四つ子じゃないですか。大量に本を読んで文芸時評や書評を書かれる池澤さん、世界各地に神出鬼没して旅行記を書かれる池澤さん、いかにも理系の明晰で透明感のある時評やエッセイを書く池澤さん、そして小説を書く池澤さん。一人じゃとても間に合わない。もしかしてここにいる人は四つ子の一人なんじゃないかしら。四つ子の一人はこれだけ絶賛しても、他の三人はたして同意しているのかどうか、私としてはやはりかなり不安になります。

池澤　じゃあ、欠点のほうも言いましょうか（笑）。いろいろ欠点もあるんです。まず、タイトルがわかりにくい。候補作になったことを事務局の方に電話で伝えたときに、『オリガ・モリソヴナの反語法』では、一度聞いたのでは書き取れない。もっと覚えやすくしてもよかったのではないか？　しかし、考えてみれば、『オデッセイ』や『源氏物語』、『アンナ・カレーニナ』、『カラマーゾフの兄弟』、『オリバー・ツイスト』、『イワン・デニーソヴィッチの一日』、また池澤某の書いた『マシアス・ギリの失脚』、どれも主人公の名前がタイトルになっている。そういう意味では、これは文学の王道をいっている……。あ、褒めることになっちゃった（笑）。

米原　ちゃんとご自分の作品を紛れ込ませるところがさすが（笑）。池澤さんの作品は、どれを読んでも非常に静かで、穏やかで、それでいながら、かなり本質的に過激できついことを言っているんですよね。池澤さんの書かれたものを読むと、自分はいつもこけおどしで、ひどく大げさな言葉を使いながら、あまり大したことを言っていないなあと恥ずかしくなります。だから、こういう厳しい目をもった方に選んでいただいたのは光栄です。

■罵倒語の豊富さ

池澤　お書きになる気持ちはずっと前からお持ちだったんですか。この話、いかにもずっと温めてきたネタのような気がするんだけれど。

米原　実は、「すばる」で言葉に関するエッセイの連載を依頼されたんです。私はすでに言葉についてのエッセイはずいぶん書いていましたので、反復にならないように新しい角度から書こうと思って、かなり悩みました。ののしり言葉について書こうかなとチラッと思ったんですが、するとオリガ・モリソヴナの罵詈雑言が次々に思い出されてくる。でもオリガ・モリソヴナのことは、エッセイではなくて小説で書かなくては表現できないと思ったんです。ずっと昔から書きたいと思っていて、始め方と終わり方だけ最初から決まっていたんです。で、それを書いちゃったんですよ。エッセイではなくて小説のつもりではあったんですが、小説になっているかどうか自信がなくて、おそるおそる原稿を送りました。そしたら、受け入れてもらえただけでなく、連載が終わったらすぐ本にしてくださいと言われた。編集者って人を励ますのがうまいですね。それでとても勇気づけられて書き続けたんですけれども、一年の約束が三年に延びてしまいました。

池澤　でも、この作品は、三分の一まで進んだところで急に終わろうとしても無理だったでしょうね。次々と話が膨らんで延びていく。ずいぶん欲張った作者だという気もします。

米原　きっと、小説としては純情無垢な処女作だからですよ。次の作品のことを考えないで、蓄えたものを全部ここで使っちゃった。

池澤　その量感が結果としてとてもいいんだな。僕は読んでも読んでも終わらない話が好きだから。いろいろな話題が出てきて、あちらこちらへ話が飛ぶけれど、でもとてもうまくまとまっている。ついでだからもう一つ欠点を言いますと、これを読むと口が悪くなるんですね。僕はもともと穏やかな言い回ししか知らない人間だったのに（笑）。例えば、自衛隊をイラクへ出すと決めちゃって、いざ行く段になったら、なるべく安全な場所へと言い出してますが、あれなんかはこの本に出てくる「去勢ブタはメスブタにまたがってから考える」の典型的な例ですよね。そういうふうに使えるんだなと思った。ロシア語は罵詈罵倒の表現が豊かで、みんなが当然のこととして受けとめているんですね。

米原　ロシア人はそれを誇りに思っているような節《ふし》がありますね。ゴーリキーはロシア語が世界で最も罵詈雑言の多い言語だと威張っています。彼は別にロシア語以外の言語をちゃんと知っていたわけではないんですけれども、妙に自信タップリにそう言っている。ところが、それを裏付けるような事実に遭遇したんです。今はサハ共和国になっていますが、昔はヤクート共和国と呼ばれていた、シベリアの寒極地域に住む民族がいます。このヤクート民族の民話をひもといてみると、伝説や昔話に、ゾウとかラクダとかヤシの木とか、南の植物や動物ばかりが登場するんです。「ヤクート」という民族名は、となりのブリヤートモンゴルの言葉で、「最果てのさらに果て」という意味なんですけれども、昔はおそらく南方にいて、攻撃的な民族に追われて北上して、寒過ぎてだれも領地を奪おうとしないところに落ちついた民族なんです。大黒屋光太夫という漂流民の足跡をたどるテレビ番組の取材の通訳で、このヤクート共和国に行ったんですが、なんとこのヤクート語には、ののしる言葉が一切ない。じゃあ、けんかするときどうするんだと聞いたら、そのときだけロシア語でやると言っていました（笑）。それぐらいにロシア語は罵詈雑言が豊かだということなんですね。

池澤　日本語も罵倒語が少ないですね。

米原　私もそう思っていたんですけれども、それは標準語だけなんですって。知人に方言の専門家がいまして、その人によると、日本語でも、方言の罵詈雑言はものすごく豊富だと。尽きない泉だと言っていました。

池澤　翻訳していると、英語にもいろいろ悪い言葉があるんです。それを日本の標準語にすると、みんな気が抜けたものになってしまう。

米原　それに説明訳すると、よけい気が抜けちゃいますしね。ロシア文学の翻訳者も苦労してます。きっと方言に蓄えられたののしり言葉の宝庫の中から蘇らせる必要がありますね。ののしり言葉が豊かなとても魅力的な小説とか戯曲を書くことで。

池澤　だから、この作品での褒め殺しというか、褒めに褒めておだて上げてから梯子《はしご》を外すというやり方は、日本語でも可能なんだなと思って読みました。

米原　褒めているのか、けなしているのか、とても微妙なところがあって、私も時々反語法を使うんですけれども、通じなくて相手に喜ばれたりします。

■共産主義のほうが「自由」だった

池澤　共産圏での学校生活の雰囲気って、ほんとうにこんなふうだったんですか。

米原　私は中学二年の三学期に日本に帰ってきたんですが、もう受験モードになっていて恐ろしくつまらなかった。授業も退屈だし、学校は規則ずくめだし。ところが、私を取り囲んだクラスメートたちが、米原さんがいたのは共産主義社会だから、きっととても不自由だったんでしょうねと言うんです。プラハの学校は、ここよりもずっと自由で、色彩豊かで、みんな個性的でおもしろかったと思ったけれども、それをうまく伝えられなかった。

池澤　「知らない世界のこと」って、みんな一言で片づけて、それで安心してしまう。でも、その中で生きている人たちは、実は苦しんだり、悲しんだり、喜んだり、悩んだりしながら生活している。この小説を書いたのは、もしかしたら、あのときのクラスメートたちに答えられなかったことを、どうしても伝えたいという気持ちが大きかったからかもしれません。

米原　日本は実は社会主義の極みの国だとよく言われる。お互い同士の規制の仕方というか、右見て、左見て、同じことをしていれば安心というこの雰囲気は、いったん外へ出てから振り返ると、ひどく不自由なものに思えます。

池澤　帰ってきたときにはすごく不自由に感じました。日本からプラハに行ったときより、帰ってきて日本の学校に入ったときのカルチャーショックのほうが大きかったですね。みんな違って当然だというのがプラハの学校の考え方で、だから何か共通点を見つけるととても喜ぶんですが、日本の場合は、みんな同じが当然で、みんな同じになることが幸せで、それから外れると劣等感を持ったり、不幸だと考えてたりする。だから違うのが許せない。それが最大のショックでした。

池澤　僕は三十で海外へ出て、三年ほどギリシアで過ごして帰ってきたんですが、そのときも戻った日本は居心地が悪くて、半年ぐらいノイローゼに近い状態だった。

米原　でも、日本を出るまでは居心地よかったんですか。

池澤　出る前は、まあ、いろいろ不満はあったけれども、それは不満でしかなかった。それに対して、帰ってきたときは、本当に入り口が見つからないというか、おかしくなっていました。道を歩いていて向こうから人が来るでしょう。普通、スーッとすれ違うわけですよ。それができなくて立ちすくんじゃう。

米原　それは重症ですね。

池澤　路上でもそうだったし、文化的なことでも全部そう。「なんでこの国では……」と言っては嫌われていた。とても戻りにくい国だと思いました。

米原　ただ、外国に行ったときの自由は、ある意味ではそこに根を張って生きていないことによる自由でもあるんですよ。そこのしがらみにとらわれると、またいろいろな人間関係とか、上下関係とかに結構苦しむんだと思うんです。旅行者というか、一時的なお客さんだから味わえる自由でもあるような気がするんですけれどもね。

池澤　税金を払っていないし、選挙もしていないということはよくわかっていたんですけど。

米原　日本はやはり自分の国だから、外国にいたときの気楽さはない。基本的にはここに一生住んで、ここで死ぬと考えるから、いろいろなことが気になるんだと思います。でも、池澤さんは、それ以後、ずっと旅行ばっかりされているでしょう。

池澤　旅行ばっかりしているけれども、大体帰ってきています。

米原　でも、いま住まわれているのは、生まれ故郷の北海道からもはるか遠く離れた沖縄ですよね。

池澤　なるべく東京から遠くにいようと思って。ただ、このところ僕は日本という国、日本人と日本文化と日本語のことを非常に気にするようになりました。日本とは何かというビッグ・クエスチョンがずっとついて回っている。だから外から見たり、中から見たり、出たり入ったりすることになるんだと思う。

米原　イラクにも行かれましたでしょう。しかも戦争の直前に。あの行動力には驚きました。

池澤　もうすぐ開戦と言われていた時期でしたけれども、いい国でした。のんびりしていて、食べるものがおいしくて、みんな優しくて。

米原　その直後に書かれた『イラクの小さな橋を渡って』という本は、実に簡潔な、でもその分、想像力を大きく羽ばたかせてくれる詩のような作品でしたね。

池澤　旅行記ですし、しかも大急ぎで。ともかく早く本にしたかった。あのとき、だれもあの国の中のことを知らなかった。新聞記者も行っていなかったし。たまたま僕が行ったものだから、見ちゃった以上は伝えなければと思った。時期が時期だし、急いで本にしました。だから僕にしては薄い本になったんです。

■フィクションは難しい？

米原　本当は私、ノンフィクションを書きたかったんです。そのほうが迫力があるし、そもそもオリガ・モリソヴナは、実在した先生ですから。ソビエト当局が「彼女を解雇しろ」と校長に命令したのに対して、先生たちが、彼女がすばらしい教師で、彼女を失うことはいかに大きな損失かという、電文にしてはあまりにも長過ぎる嘆願文を書いた。そこに私の知っている先生たちの署名があった。ロシア外務省の資料館で、それを読んだときには、もう涙がとまらなかったですね。これを追求していって、資料を当たって、本当にあったことを書けば、感動的なノンフィクションになると思ったんです。ところが、それ以後、まったく資料が出てこない。出てこない以上は、その周辺資料を読むしかない。それであいう物語になりました。

池澤　それはそれでわかるけれども、ノンフィクションにしないでこういう形のフィクションになって、僕はすごくよかったと思います。『オリガ・モリソヴナの反語法』はフィクションとして成功している。その一番の理由は、やっぱり子供たちの生き生きした感じですね。あれがあるから暗い一方の話にならない。ノンフィクションは、決めつけとは言わないけれども、ある視点を例証するために素材を積み上げていくでしょう。どうしても印象が一方的になる。それに対して、ソ連にもプラハにも子供たちはいたし、暗い雰囲気だけじゃなくて、明るく騒ぐ場面もあったし、それこそ当時の日本より生徒はずっと勝手なことをしていた。それから、いろいろな催しで盛り上がる。ああいうところがあって全体としてとてもよい形の本になったと思います。

米原　ありがとうございます。でも、フィクションは大変しんどいと思いました。ノンフィクションのほうがずっと手間ひまかかるとそれまで思っていたんですよ。直接現場に行って、実際にあったことを調べなければならない。フィクションはそれを省ける、と。ところが、かなり事実を固めていないと、本当らしい嘘はつけないんですね。ノンフィクションでも、エッセイでも、ほんとうのことを書いているはずの作品はわりと嘘を紛れ込ませやすいんですよ。でも、フィクションで嘘をつくのは、何かとても恥ずかしかったです。自分の本質が嘘のつき方に出てしまうような気がして。

池澤　普通は嘘をついちゃいけないと教えられて育って、大体守っている。その点、小説は、いきなりありもしない人間を創造してそれに何かさせてしまう、嘘の塊だから、そこの敷居がなかなか越えられない。万引きに似ていますね（笑）。してはいけない、でも、うまく盗めると、だんだん大胆になってくる。この作品も、確かにフィクションにするのは大変だったと思うけれども、米原さんが持っていらっしゃる素材、例えばプラハの学校のこととか、ロシア人の性格についての経験が、実になめらかにつながって、嘘にしなければいけなかった部分が後で見えないぐらいうまくできています。

■良心に忠実なロシア人

池澤　この本を読んでから、ロシア人の性格について考えているんです。倫理的に非常にきちんとした正しい人と、堕落した人の両方がいるでしょう。どこの国でもそうだけれど、その対比が特に甚だしい気がした。

米原　私もそう思います。日本人は、悪人も小粒ですよね。悪がほぼ等分に分配されている感じがします。道路公団の藤井総裁が「悪」の権化のように見なされてましたけれど、石原伸晃長官の口が滑ったおかげで、道路公団という「悪」の背後には、族議員とかゼネコンとか、地もとへの利権誘導をはかる業者、選挙民までにいたる小粒な「悪」がいっぱいいると……。最近では、藤井総裁のほうがスッキリと人相がよくなってきて、石原伸晃の貧相が目立ってきたりする（笑）。究極の極悪人が一人だけいるわけではなくて、悪がシステム的に分散されている。それこそが資本主義国の悪だと思うんです。スターリン時代のソビエトのような独裁体制の国は、悪い人は絶望的に悪い。その一方で、こんなに人がよくて大丈夫なのかと心配になるほどいい人がたくさんいます。でも、猜疑心を持たないいい人が巨悪を許す、という点では、いい人の罪も重い。

池澤　今年僕は、ヨーロッパ中心で選んでいるユリシーズ賞という、ルポルタージュ文学の賞の選考委員をやりました。この間、ベルリンで授賞式があったんですが、選考委員十人全員文句なし、これ以外はありえないと一等になったのが、アンナ・ポリトコフスカヤという、ロシアの女性ジャーナリストが書いたチェチェンのリポートだったんです。今、チェチェンはあれだけ荒れていますよね。そこへ彼女は五十回行っている。ロシアの兵士は、知られては困る情報を探りにきたスパイと見なしていじめにかかるし、チェチェン側は、ロシア人だと警戒して排除する。本当に死ぬような思いをしながらそれでも行って、何とかそれを報道していく。ロシアではまだ本になっていなくて、まずフランス語の本のほうが先に出た。

米原　彼女はインターネットでずっとリポートを発表していますね。愛読してます。エリツィンがチェチェンで失敗したのは、ジャーナリストを野放しにしたせいだ。敵の兵士を殺すより前に、ジャーナリストを殲滅《せんめつ》せよ、とＫＧＢ出身のプーチン大統領は檄を飛ばした。それで男性の書き手はどんどん弾圧されて、今、女性の書き手ががんばっているんですよ。

池澤　この間、授賞式で初めて会ったんです。アンナは英語を話さない。授賞式は英語で進行していて、壇上の誰かが冗談を言って笑うと、英語がわからない人も、ここは笑うんだなと思ってちょっと顔を緩める。そのときも彼女はむっとしているのね。下の順位の賞から発表していくから、最後に残った人が一等ということになるでしょう。自分の番になったとき、初めてにっこり笑ったんですけれども。あの、わかっていないのに笑ったふりなんかできるかという妥協のない感じがすごくよくてね。とても気が強そうで。あれだけの仕事の背景には、チェチェン問題はロシアの恥だから、止めなければいけないという倫理観の裏付けがはっきりある。受賞のあいさつでも、賞をいただけるのは大変うれしい、この賞がきっかけになってチェチェンの事態が一日でも早く終わるかもしれないからと、全然パーソナルでない言い方をしていた。ほんとうに立派な人だなと思いました。

米原　それはロシア人のいいところですね。何よりも自分の良心に忠実であろうとする。だれが何と言おうと流されない。そういう人は前からいたんだけれども、ペレストロイカ以降のロシアでは、その存在が公然と私たちの目や耳に届くようになってきた。崩壊後のロシアは不幸のほうが多いように思えるけれども、これはすごくいい面ですね。

■社会主義は人間を商品化しない

池澤　「社会主義」という言葉は今や地に落ちてしまった感があります。ただ、振り返ってみると、やっぱり僕は若いころ社会主義を信じていたし、理想主義の旗としての社会主義は確かにあった。この本ではそれを、だめな面も含めて詳しく書いている。例えば、アルジェリアから来た子が、自分の国が解放され、植民地でなくなったので帰っていくでしょう。植民地からの脱却とか、「自由」とか「解放」という言葉が、こんなに輝いてもいたんだなと思いました。

米原　最近イラクでの戦況が思わしくなく、テロに脅かされることが多くなったアメリカのホワイトハウスで、その昔、フランスで上映禁止になった「アルジェの戦い」が上映されたということですが、あの「アルジェの戦い」という映画を見ると、いつもアルジェリアのアレックスのことを思い出します。映画の最後にアルジェリアがフランスから独立をかちとる場面が出てくるでしょう。すると、あのときのプラハの学校での喜びようを思い出すんです。ベネズエラのゲリラの息子は両親と帰国後すぐに銃殺されてしまったという報が届いて、みんなで声を出して泣きました。ソ連という国は、いろいろ過ちも犯しました。でも、今のようなアメリカの一元的な支配ではなく、それに対抗する存在があったことで、そのどちらにも属さない国や地域や運動体が、かなり元気に活動できたんだなという気がしますね。アメリカが変なことをするとソ連が文句を言い、ソ連が変なことをするとアメリカが文句を言うという冷戦時代は、今に比べるとなかなかいい面もあった気がしてきます。

池澤　少なくとも、資本主義的なやりたい放題をチェックするための社会主義的仕組みというのは、機能していたわけでしょう。だんだん崩れてきたけれども。

米原　それから、例えば、バレエのような芸術が、西側に来ると商品になってしまうんですね。商品になって媚びてだめになっていく。それがソ連にはなかった。それと、才能に対するひがみとか嫉妬がほとんどなかった。世界最高のチェロ奏者と言われているロストロポーヴィチについて通訳したことが何度かあるんですが、彼がもう亡命十六年目になったころ、殺されてもいいからロシアに帰りたいと言って、コンサートが終わった後、ウォツカをがぶ飲みして泣き出しちゃったんです。ロシアにいる間は才能があるだけでみんなが愛し、支えてくれたけれども、西側に来た途端にものすごい足の引っ張り合いと嫉妬で、自分はこういう世界を知らなかったから、それだけで心がずたずたになっていると言っていました。彼にとって、才能は自分のものじゃなくて、神様が与えてくれたものなんです。モスクワ高等音楽院に入って、あまり練習しないのにすごくうまく弾けて、一生懸命努力しているのに自分より下手な人がいる。自分が努力して得たものならそれは自分のものだけれども、これは神から与えられたものだから自分のものではない。そう考えるわけです。

池澤　本人だけではなくて、周囲がみんなそう考えるんですか。

米原　みんなもそう考えているんです。私はプラハの学校時代のことを思い出したんですが、歌や絵がうまい子がいると、先生たちが自分のことのように大騒ぎして喜ぶし、生徒も、その子と同じ教室にいて同じ空気が吸えるだけでとても幸せになるんです。劣等感を持たなくて済むし、人の才能をすごく喜ぶ、そういう雰囲気の場所でした。その感じが日本に帰った途端になくなりました。ペーパーテストでみんな同じ基準で評価をされるでしょう。選択式とか○×で、だれが答えても同じ答えになる。自分は世の中にたった一人しかいない、かけがえのない人間だという自覚を持たないように持たないように、日本の教育はできているんですよ。機械でも採点できるテストをやらされているから。でも、ほんとうは一人一人みんな違うから、それを発見してあげるのが先生やクラスメートの役割ですよね。

池澤　確かにそれがこの国の重苦しさですね。競争社会の、人がものさしで計れるという前提の重苦しさ。すべてが数字に置きかえられてしまう。

米原　人間を商品として考えないところが、社会主義のいいところだと思います。

■小説の自伝的要素

池澤　さらに突っ込んだ質問なんですが、踊りは、この本で書かれているぐらいの意気込みでやっていらしたんですか。その面ではこの作品はどこまでが自伝なんですか。

米原　これは私の夢なんです。中学ぐらいまでは、踊りで食べていけたらこれほど幸せなことはないと思っていましたが、バレエは美貌とスタイルが才能の一部ですから……。でも、キャラクターダンスだったらいけるかもしれないとは思っていました。だから、大学でも民族舞踊研究会をつくって、学園祭のたびに踊りを披露して、踊れそうな男の子をつかまえて、「あなた、才能ある」と口説いてコサックダンスを踊らせたりしていました。テレビ局が学園祭特集をやるとき、民族舞踊なんて映像的にいいから、毎年フジテレビの学園祭特集に出ていましたよ。いろいろな大学に呼ばれて、交通費だけ出してもらって踊りに行っていました。

池澤　じゃあ、ある程度まで現実の裏付けのある記述なわけですね。次に、こういうおもしろい大きなフィクションかノンフィクションかをお書きになる予定はありますか。

米原　オリガ・モリソヴナという舞踊教師はプラハの学校にたしかに実在しましたが、それ以前の彼女の運命は虚構です。本書は基本的にはフィクションです。ただ、あのアルジェリアの少年にはモデルがいます。彼を追跡して書きたいんですよ。アルジェリアは今また不幸になっているでしょう。アルジェリアの少年と、東ドイツの少年と、それからハンガリーの少年と、今度は男の子三人の物語を書きたいんですけれども、これ、調べるの結構大変だなと、始める前からちょっとぞっとしています。

二〇〇三年一〇月二〇日
Bunkamuraにて
〔構成／松浦泉〕

オリガ・モリソヴナの反語法　注

注1　ルート・フォン・マイエンブルク　大島かおり訳『ホテル・ルックス　ある現代史の舞台』晶文社アルヒーフ　一九八五年。

注2　Галина Евгеньевна Степанова, Казахстанский Алжир, Простор No. 9, 1989.（ガリーナ・エヴゲニエヴナ・ステパノワ「カザフスタンのアルジェリア」『プロストール（自由な広々とした空間）』誌一九八九年第九号所収、邦訳なし）に記述されていることと、米原が一九九五年一〇月七日から九日にかけて直接、著者にインタビューして聞き書きしたこと、及びフィクションを合成している。

注3　Московский антифашистский центр, Бутовский полигон 1937–1938, книга памяти жертв политических репрессий, Москва, 1997.（モスクワ反ファシズムセンター編纂『ブートヴォ処刑場一九三七〜一九三八　政治的粛清の犠牲者追悼の書』モスクワ　一九九七年、邦訳なし）。

注4　Жак　Росси,　СПРАВОЧНИК　ПО　ГУЛАГУ,　Исторический　словарь　советских пенитенциарных институций и терминов, связанных с принудительным трудом, Overseas Publications Interchange LTD, London, 1987.（邦訳　ジャック・ロッシ　染谷茂校閲　内村剛介監修　梶浦智吉、麻田恭一他訳『ラーゲリ（強制収容所）註解事典』恵雅堂出版　一九九六年）。

注5　Ф. М. Бурлацкий, Вожди и советники, Политиздат, Москва, 1990.（F・M・ブルラツキイ『指導者と補佐官たち』政治文献出版局　モスクワ　一九九〇年、邦訳なし）がモデルである。

注6　Владимир Ф. Некрасов, Берия: конец карьеры, Москва, 1991.（邦訳　ヴラジーミル・F・ネクラーソフ編　森田明訳『ベリヤ　スターリンに仕えた死刑執行人　ある出世主義者の末路』クインテッセンス出版株式会社　一九九七年）の編者の文中に引用されている、当時のソ連邦検事総長ルデンコによるベリヤ尋問速記録。

注7　Wittlin T., Commissar, London, 1973.（邦訳　タデシュ・ウィトリン　大沢正訳『ベリヤ　革命の粛清者』早川書房　一九七八年）。

注8　Лариса Н. Васильева, Кремлевские жены, Москва, 1993.（ラリサ・H・ワシリエワ『クレムリンの妻たち』モスグワ　一九九三年、邦訳なし）。

注9　Аджубей А. И., Те десять лет, Москва, 1989.（A・И・アドジュベイ『あの一〇年間』モスクワ　一九八九年、邦訳なし）。

注10　Проскурин А., Возвращенные имена, Москва, 1989.（A・プロスクーリン編『戻ってきた名前』モスクワ　一九八九年、邦訳なし）の名称のみを借りたが、本書は被銃殺者リストではない。被銃殺者リストが実際に刊行され始めるのは、九三年以降。

なお、粛清の犠牲者救援と事実究明を目的とする社会団体メモリアル（Центр социальной помощи и благотворительности МЕМОРИАЛ, г. Москва）の、マリヤ・コンスタンチノヴナ・マカロワ（Мария Константиновна Макарова 父親を粛清で銃殺されている）さんには、粛清に関する資料集めとラーゲリ帰還者へのインタビューの手配で大変お世話になった。ワレリヤ・オットヴナ・ドゥナエワ（Валерия Оттовна Дунаева 両親を粛清で銃殺され、弟とともに孤児院で育つ）さんには、ご自身の孤児院時代の体験を詳しく語っていただいた。

参考文献

日本語書籍

『赤いツァーリ　スターリン、封印された生涯』エドワード・ラジンスキー　工藤精一郎訳　NHK出版　一九九六年
『赤い流刑地』アンソニー・オルコット　太田正一訳　勁文社　一九八六年
『明るい夜　暗い昼』エヴゲーニヤ・ギンズブルグ　中田甫訳　集英社文庫　一九九〇年
『続明るい夜　暗い昼』エヴゲーニヤ・ギンズブルグ　中田甫訳　集英社文庫　一九九〇年
『続々明るい夜　暗い昼』エヴゲーニヤ・ギンズブルグ　中田甫訳　集英社文庫　一九九〇年
『海を渡ったサーカス芸人　コスモポリタン沢田豊の生涯』大島幹雄　平凡社　一九九三年
『夫ブハーリンの想い出』アンナ・ラーリナ　和田あき子訳　岩波書店　一九九〇年
『回想と反省　文学とコミンテルンの間で』エルンスト・フィッシャー　池田浩士訳　人文書院　一九七二年
『GUIDE BOOKソ連』日ソツーリストビューロー　一九八八年
『革命の堕天使たち　回想のスターリン時代』アイノ・クーシネン　坂内知子訳　平凡社　一九九二年
『ガン病棟』アレクサンドル・ソルジェニツィン　小笠原豊樹訳　新潮社　一九八六年
『きみの出番だ、同志モーゼル』ワレンチン・スコリャーチン　小笠原豊樹訳　草思社　二〇〇〇年
『国民国家のエルゴロジー　「共産党宣言」から「民衆の地球宣言」へ』加藤哲郎　平凡社　一

九九四年
『国立ボリショイバレエ学校　日本公演一九九三パンフレット』一九九三年
『国立ボリショイバレエ学校　日本公演一九九七パンフレット』一九九七年
『コミンテルン人名事典』B・ラジッチ、M・M・ドラチコヴィチ　勝部元、飛田勘弐訳　至誠堂　一九八〇年
『コミンテルンの黄昏一九三〇―一九三五年』E・H・カー　内田健二訳　岩波書店　一九八六年
『サーカスと革命　道化師ラザレンコの生涯』大島幹雄　平凡社　一九九〇年
『さまざまな生の断片　ソ連強制収容所の二〇年』ジャック・ロッシ　外川継男訳　成文社　一九九六年
『JICインフォメーション』第一〇九号　JIC国際親善交流センター　二〇〇一年
『支那に於ける抗日運動とコミンテルンの活動』日本文化協会　一九三七年
『支那に於けるコミンテルンの活動』内閣情報部監修　一九三七年
『シベリアの女囚たち』島村喬　宮川書房　一九六七年
『シベリア漂流　玉井喜作の生涯』大島幹雄　新潮社　一九九八年
『収容所群島1〜6』ソルジェニーツィン　木村浩訳　新潮社　一九七四（〜一九七七）年
『スターリン極秘書簡　モトロフあて一九二五年―一九三六年』ラーズ・リー、オレーグ・ナウモフ、オレーグ・フレヴニュク編　岡田良之助、萩原直訳　大月書店　一九九六年
『スターリン時代　元ソヴィエト諜報機関長の記録』ワルター・クリヴィツキー　根岸隆夫訳　みすず書房　一九八七年
『スターリンという神話』ユーリイ・ボーレフ　亀山郁夫訳　岩波書店　一九九七年

『スターリンの大テロル　恐怖政治のメカニズムと抵抗の諸相』O・フレヴニューク　富田武訳　岩波書店　一九九八年
『スターリン秘録』斎藤勉　産経新聞ニュースサービス／扶桑社　二〇〇一年
『スターリン謀殺　スターリンの死の謎』アブドゥラフマン・アフトルハノフ　田辺稔訳　中央アート出版社　一九九一年
『聖地ソロフキの悲劇　ラーゲリの知られざる歴史をたどる』内田義雄　NHK出版　二〇〇一年
『ソヴェート滞在記』勝野金政　千倉書房　一九三七年
『ソ連極秘資料集　大粛清への道』アーチ・ゲッティ、オレグ・V・ナウーモフ編　川上洸、萩原直訳　大月書店　二〇〇一年
『ソ連国立ボリショイ劇場バレエ学校　日本公演一九八五パンフレット』一九八五年
『闘う白鳥　マイヤ・プリセツカヤ自伝』マイヤ・プリセツカヤ　山下健二訳　文藝春秋　一九九六年
『中国革命に生きる　コミンテルン軍事顧問の運命』姫田光義　中央公論社　一九八七年
『父フルシチョフ解任と死　上・下』S・フルシチョフ　福島正光訳　草思社　一九九一年
『東欧革命と社会主義』加藤哲郎　花伝社　一九九〇年
『凍土地帯　スターリン粛清下での強制収容所体験記』勝野金政　吾妻書房　一九七七年
『長い旅の記録　わがラーゲリの二〇年』寺島儀蔵　日本経済新聞社　一九九三年
『二〇世紀を超えて　再審される社会主義』加藤哲郎　花伝社　二〇〇一年
『破滅のマヤコフスキー』亀山郁夫　筑摩書房　一九九八年
『磔のロシア　スターリンと芸術家たち』亀山郁夫　岩波書店　二〇〇二年
『プラハからの道化たち』高柳芳夫　講談社　一九七九年

『プラハの春』春江一也　集英社　一九九七年
『フルシチョフ』V・アレクサンドロフ　杉山市平訳　平凡社　一九五八年
『フルシチョフ回想録』ストローブ・タルボット編　タイム・ライフ・ブックス編集部訳　タイムライフインターナショナル　一九七二年
『フルシチョフ最後の遺言　上・下』N・フルシチョフ　佐藤亮一訳　河出書房新社　一九七五年
『フルシチョフ　封印されていた証言』N・フルシチョフ　ジェロルド・シェクター、ヴャチェスラフ・ルチコフ編　福島正光訳　草思社　一九九一年
『フルシチョフ秘密報告「スターリン批判」』N・フルシチョフ　志水速雄訳・解説　講談社学術文庫　一九七七年
『ベリヤを売った男たち』アラン・ウィリアムズ　朝河伸英訳　早川書房　一九八〇年
『ベリヤ　革命の粛清者』タデシュ・ウィトリン　大沢正訳　早川書房　一九七八年
『ベリヤ　スターリンに仕えた死刑執行人　ある出世主義者の末路』ヴラジーミル・F・ネクラーソフ　森田明訳　クインテッセンス出版株式会社　一九九七年
『ホテル・ルックス　ある現代史の舞台』ルート・フォン・マイエンブルク　大島かおり訳　晶文社アルヒーフ　一九八五年
『ボリショイ劇場のバレー学校』ボチャルニコワ・ガボーウィッチ　川越史郎訳　外国語図書出版所
『ボリショイバレエへの招待』山本成夫、野崎韶夫　講談社　一九八三年
『モスクワで粛清された日本人　三〇年代共産党と国崎定洞・山本懸蔵の悲劇』加藤哲郎　青木書店　一九九四年

『ユカリューシャ　奇跡の復活を果たしたバレリーナ』斎藤友佳理　世界文化社　二〇〇二年
『ラーゲリ（強制収容所）註解事典』ジャック・ロッシ　内村剛介監修　恵雅堂出版　一九九六年
『私は、スターリンの通訳だった。第二次世界大戦秘話』ワレンチン・M・ベレズホフ　栗山洋児訳　同朋舎出版　一九九五年

ロシア語書籍

Аджубей А. И., Те десять лет, М., 1989.
Артизов А. Н., Сигачев Ю. В., Хлопов В. Г., Щевчук И. Н. Реабилитация : как это было. Документы президиума ЦК КПСС и другие материалы. В 3-х томах, том 1, Март 1953 – февраль 1956, М., Международный фонд “Демократия”, 2000.
Берия С. Л., Мой отец – Лаврентий Берия, М., 1994.
Бондаревский С., Так было..., М., “Киви-Норд”, 1995.
Бурлацкий Ф. М., Вожди и советники, М., Политиздат, 1990.
Бухарина Б. Х., Ушёл в бессмертие, М., “Юрид. Лит.”, 1991.
Васильева Л. Н., Кремлевские жены, М.-Мн., “Вагриус”, “Выш. шк.”, 1993.
Волкогонов Д. А., Триумф и трагедия, Политический портрет И. В. Сталина, М., Изд-во Агенства печати Новости, 1989.
Гендрин Л., Исповедь любовницы Сталина, Пер. С английского В. В. Зубилова, Минск, “КРОК УПЕРАД”, 1994.
Гнедин Е., Выход из лабиринта, М., “Мемориал”, 1994.

Зенькович Н. А., Тайны кремлевских смертей, М., “Надежда Лтд”, 1995.

Зенькович Н. А., Покушения и инсценировки : От Ленина до Ельцина, Изд. ОЛМА–ПРЕСС, 1998.

Жухрай В. М., Сталин : Правда и ложь, М., Сварогъ, 1996.

Каримова Р., Ферганский танец, Ташкент, Изд-во лит. и искусства им. Гафура Гуляма, 1973.

Краскова В. С., Кремлевские дети., Минск, “Беларэст”, 1995.

Кокурин А. И., Петров Н. В., Лубянка. ВЧК–ОГПУ–НКВД–НКГБ–МГБ–КГБ. 1917–1960. Справочник, М., Международный фонд “Демократия”, 1997.

Кокурин А. И., Петров Н. В., ГУЛАГ. Главное управление лагерей. 1918–1960, М., Международный фонд “Демократия”, 2000.

Кузин А. Н., Малый срок, М., “Рудомино”, 1994.

Марченко А. Т., Живи как все., М., “Весть”, 1993.

Наумов В. П., Сигачев Ю. В., Лаврентий Берия. 1953. Стенограмма июньского пленума ЦК КПСС и другие материалы, М., Международный фонд “Демократия”, 1999.

Носова В., Балерины, М., “Мол. Гвардия”, 1983.

Степанова Г. Е., Казахстанский Алжир, Простор No.9, 1989г.

Уварова Е. Д., Эстрадный театр : миниатюры, обозрения, мюзик-холлы(1917–45), М., “Искусство”, 1983.

Альманах. Россия, XX век, Документы, 2001 No.1–No.4, М., Международный фонд “Демократия”, 2001.

Альманах. Россия, XX век, Документы, 2002 No.1–No.6, М., Международный фонд “Демократия”, 2002.

Бутовский полигон 1937–1938 гг., М., Ин-т экспериментальной социологии, 1997.

Проскурин А., Возвращенные имена, М., Изд-во Агенства печати Новости, 1989.

Выставка “Соловецкие лагеря особого назначения 1923–1939, М., “Мемориал”, 1990.

Расстрельные списки, М., 1993.

Русская советская эстрада 1930–45, М., “Искусство”, 1977.

Русский балет. Энциклопедия, М., “Большая Рос. Энциклопедия”, “Согласие”, 1997.

Советский балетный театр 1917–1967, М., “Искусство”, 1976.

Театр ГУЛАГа, М., “Мемориал”, 1995.

Эстрада России, М., “РОССПЭН”, 2000.

解　説

亀山郁夫

奇跡

米原万里『オリガ・モリソヴナの反語法』は奇跡である。

これだけの愛とこれだけの苦しみ、これだけの笑いと怒り、そしてこれほどの痛みと不条理の思いを誘いだすことのできる本に、ぼくはこれまで出合ったことがなかった。鼻白ませるようなてらいや、気どりが、ない。非情きわまりない体制下に生きた人々の悲しい行く末や、壊れかけた魂たちのピュアな輝きを語りついでいくために必要なものが揃い、あってはならないものは殺ぎ落とされている。それらの絶妙なバランスのなかに、この本の輝きがある。

しかし、タイトルから、この小説がはらむすさまじい迫力と深さをあらかじめ予測できる読者は少ないかもしれない。その意味でいうと、少し損をしている。ぼく自身も、その中身を量りかねて手にとるのをしばらく憚った読者の一人だったのだから。

ところが、ある時、ふとしたきっかけでこの本を手にしてから、わずか二分と経たないうちに、ぼくはもう『オリガ・モリソヴナの反語法』とオリガ・モリソヴナの虜だった。

「それにしても、どうだいこの足、惚れ惚れするじゃあないか。五〇女の足に見えるかい」

耳たぶにじかに肉声が突き刺さるような生きのいいセリフ——。

オリガ・モリソヴナの、この、毒舌とナルシシズムを等しく隠しもつみごとな倒錯ぶりこそ、作家米原万里の真骨頂でもあるから、当然のことながら、この、型破りな主人公には、作者のもう一つの自我（alter ego）が二重写しされている。そして、約八十年にわたるタイムスパンをもつこの物語の終わりに、読者は、さわやかなカタルシスの感覚とともにこう確信するはずだ。『オリガ・モリソヴナの反語法』以外、この小説のタイトルはありえない、と。

機内に持ち込むべからず

思い出すことがたくさんある。

二〇〇三年の冬、フランクフルト行きルフトハンザ機に乗り込んだぼくは、かなり遅めのランチタイムが終わり、機内の雰囲気がざわざわと和らぐのを待って、この本を開いた。すでに三分の一ほどのページの余白には、おびただしい書き込みがあった。それらは、自分でいうのも変だが、『オリガ』に対する格別な愛と執着のしるしだった。なにも特殊な理由があったわけではなく、ただ、読みはじめるとまもなく、右手がおのずからボールペンを要求しだしたのだ。旅の道連れで、アールデコ風の美しいカバーがヨレヨレになるのは忍びなかったが、ページの余白が痣だらけになり、ページの隅がどんなに不恰好に痛んでも、少しも惜しいと思わなかった。何といってもそれは、愛と執着のしるしだったから。

時速九百キロ、高度一万メートルの轟音のなか、うねるようにして押し寄せてくるクライマックスにぼくはなんども涙をぬぐった。読後の印象が強すぎて、ベルリンやドレスデンの町がすっかり色あせて見えたことも覚えている。帰りのチケットを（どうやら）機内のどこかに置き忘れ、大騒ぎしたことも、今となっては懐かしい思い出である。

読書の喜びとは、まさにそんなふうな経験を言うのだろうが、反語法の毒に心地よくなじんでいる読者に向かって、「奇跡である」などと大げさに切り出したのは、いささか無用心すぎたかもしれない。

まずは余白のメモの抜書きから――。

「トリックスター・スヴェータ」「カーニバル感覚」「不条理とStalinology」「新境地」「おとぎ話とロマンの合体」「扇情的」「多言語空間」「時間進行が抜群」「魂が群れをなして移動する」「ロシアは、記憶のエッセンス」「ドストエフスキー、死の家」「衝撃的」「翻訳すべき！」「最後の小説」。

今にしてみるとずいぶん手前勝手な読み方をしていたと恥ずかしくなるが、それらの一つ一つには、そのときに自分が感じた何かがしっかり裏書きされている。「ドストエフスキー、死の家」を例に一つだけ種明かしを試みる。本文四五四～四五五ページ、ブティルカ監獄の獄房でオリガ・モリソヴナとバルカニヤ・ソロモノヴナが入れ替わる場面である。ドストエフスキーの『死の家の記録』にもこれに似たエピソードが出てくる。ただし、ドストエフスキーは、帝政ロシアに生きた無名の囚人たちの人命の軽さを印象づけるエピソードとしてこれを引き合いに出したにすぎなかった。他方、米原は、メロドラマ仕立てのこのエピソードを、小説全体の劇的な転換点に位置づけている。思えば、スターリン時代とは、その恐ろしげな形相の裏側で、自己犠牲と善意に支えられた無数のメロドラマを生み出した時代であった。だからこのエピソードは、メロドラマという以上の迫真、リアリティを帯びるのである。

ミステリーと共感力

物語の主人公は、ロシア語の通訳を生業とする弘世志摩――。「雪解け」から間もない一九六〇年代初め、プラハのソビエト学校に学んだ彼女の脳裏に、一人の老舞踏教師をめぐる謎めいた記憶が古傷のように疼く。反語法を駆使して子供たちを逞しく育て上げる彼女の腕は天下一品。門下からはボリショイ劇場さえ狙えるほどの優れたダンサーが巣立った。そんな彼女の前で、ある日、太りじしの大男がすれ違いざま転倒したところから、志摩やその幼い仲間たちは好奇心の鬼になった……。

年齢不詳のバレエ教師オリガ・モリソヴナとは果たしてだれであったか。ソヴィエトの崩壊を経て、すでに四十を過ぎた志摩は、その真実を見極めたいと願ってモスクワに飛び、アルカイヴでの探索や、幼なじみとの再会をとおして、オリガの驚くべき運命をつぶさに知る。交錯する三つの時空間――。ソヴィエト崩壊後のモスクワ、一九六〇年代プラハ、そしてスターリン時代のラーゲリ。符丁のように飛び交う意味不明の「アルジール」。「アルジェリア」を意味するこのロシア語が（北アフリカの旧仏植民地とは縁なく）、オリガと、オリガの傍らに影のように寄り添うエレオノーラの過酷な運命をつなぐものの略称であることが明らかになるとき、興味つきないこのルーツ探しは、最高レベルのミステリーへと一転する。

一言、「共感力」とでもいえばよい。ぼくがすごいと感じたのは、登場人物一人ひとりに対する作者の真摯な目配りである。ミステリーの生命線であるプロットの手綱をしっかりと握り、余分のディテールを殺ぎ、登場人物一人ひとりを、物語の空間に自由に遊ばせている。そのことは、逆に、彼らの来し方行く末を、曖昧さのかけらなく語りきっているという証でもある。作者のそのけなげな心意気こそ、『オリガ』が、ミステリーにしてミステリーならざる、メロドラマにしてメロドラマならざる「奇跡」のゆえんとぼくは叫びたいのだ。みごとな調教師にして、みごとな女騎手――。オリガ・モリソヴナが米原万里のもう一人の「自己」であるとした先ほどの仮説は、この説明からも明らかだろう。

メロドラマ的想像力と五感の共振

しかし、ぼくがかつてある雑誌で、この小説を二〇〇二年度のベストワンに推し、「女ドストエフスキーの誕生」と「持ち上げた」のは、それとはまた別の理由だった。その時、ぼくの念頭にあったのは、ストーリーテラーとしての抜群の才覚でも、人物一人ひとりを描き切る丹念な筆遣いでもなかった。遅まきながらも第一作にしてこれだけの高みに彼女を押し上げることを可能にした力について、なぜかぼくは、ドストエフスキーの小説に息づく扇情的かつ衝撃的なエネルギーを連想していたのだ。改めて言い直すなら、メロドラマ的想像力——。

ぐらりとさせられたエピソードを一つだけあげておきたい。フィナーレに近い部分、オリガの「一人娘」ジナイーダが語る長い回想がある。そのなかに、秘密警察長官ベリヤの下でかつて悪事を働き、オリガとエレオノーラの行く末に呪わしい役割を果たしたミハイロフスキー大佐に、エレオノーラが思いもかけず「ありがとう」と一言つぶやくシーンが出てくる。それから数ページ後で、この謎めいたセリフにまつわる驚くべき真実が明らかにされる。スターリンの地獄で、死刑執行者と死刑囚が共有しあった、ささやかな「友情」——。小説的真実というのは、まさにこのことをいうのではないか。

しかし、「女ドストエフスキー」の意味は、こうしたメロドラマ的想像力に尽きてしまうわけではない。人物一人ひとりが人一倍のアイロニーを抱え、みごとなまでに自分たちの人生を演じている。にもかかわらず、小説全体に溢れかえる一体性の感覚——。文芸学者バフチンのいう「カーニバル感覚」というのとも違う。曖昧にしか表現できなくて悔しいのだが、人物たちの魂が、アイロニーや個体性の殻を破ってマッスとして動き、ついには一に溶け合ってしまいそうな予感。敢えていうなら、ドストエフスキーの小説（『貧しき人々』『ネートチカ・ネズワーノワ』『虐げられた人々』『未成年』）にあふれる、何かしら宗教的ともいえる感覚に近く、二十世紀に例を探れば、パステルナークの『ドクトル・ジヴァゴ』が体現する、言葉に尽くしがたい恩寵の感覚に似ている。眼と耳と鼻と舌と皮膚を、つまり五官をおのずから沸き立たせるようなこの不思議な力を、あるいは、根源的な飢えと根源的な満足の感覚の共振と呼ぶことができるなら、これは、僭越ながらも、作家・米原が天から授かった稀有なる資質でもある。

フィクションの「実力」、最後の小説

と、ここまで書いてきて、ぼくはようやく、余白の最後のメモ「最後の小説」の意味にたどり着く。

スターリン時代のロシアが経験した悲劇を、ドキュメンタリータッチのフィクションに仕立て、涙と笑いのドラマに織り上げた小説がかつての日本の文学にあったろうか。もしあったなら、教えてほしい。ソルジェニーツィン(『イワン・デニーソヴィチの一日』『収容所群島』)、ギンズブルグ(『明るい夜 暗い昼』)、シャラーモフ(『コルイマ物語』)の翻訳をとおして、ぼくらは、たしかにこの時代のラーゲリの内実を事こまかく知ることができた。しかしそれらが、翻訳の壁を越え、どこまでぼくらの血肉たりえたかといえば、じつに心もとない。しょせんは、彼の地の、彼の人々の物語というところにとどまっていたのではないか。理由はかんたんである。ぼくらの想像力が、文字をとおしてラーゲリを追体験できるだけの初々しさとキャパシティを失ってしまったのだ。

スターリン時代に現出した人間と運命を、わがことのように、わがこととして語りえた小

説は、『オリガ』以前にない。ページの余白に「翻訳すべき！」と書いたとき、ぼくは率直にこの小説を、ラーゲリを経験したロシアの作家たちに読んでもらいたいと思ったのだった。ラーゲリを知らない作家にも、スターリン時代の何たるかを語りうるという事実を彼らに知ってもらいたかった。そしてなにより、フィクションという形式のもつ、端倪《たんげい》すべからざる実力をである。ラーゲリ経験者によるラーゲリ小説が、結局は書かれた「事実」の追体験にとどまるなら、小説としておのれの命をすみやかに涸らすだろう。現代には、それなりのスタイルによるラーゲリ小説が求められているのである。

米原が持ちこんだ方法は新しい。涙と笑いに満ちたこの小説を、たんなるミステリー、たんなるメロドラマに終わらせないために、彼女は徹底してアーカイヴ資料にこだわった。その意味で『オリガ』は新しい時代におけるラーゲリ小説の一つのあり方を示したといってもいい。ためしに、巻末の文献リストをごらんいただこう。この小説の背後に広がる闇の深さが、じつは、「並」の歴史家なら読まないこれらの文献からほの見えてくる。歴史をメロドラマにすり替えるな、という非難が、その辺りの歴史家あたりから飛んできそうである。しかし、この世には、歴史の資料を読み、なおかつ人間の魂にまつわる根源的な何かを学ぶことのできない歴史家がどれほど多いことか。米原万里は歴史家以上に勉強しているのである。

しかし、こう息巻いて書いても、「最後の小説」の意味は少しも明らかにならない。ぼくがあの余白のメモで言おうとしていたのは、ごく単純なことだった。一九九一年に永久に消え去った国家の、文字通り「ウ・トポス」(「どこにもない場所」)と化した似非《えせ》ユートピアの光と影を、これ以上ゆたかに経験させてくれる小説は、今後二度と現れえないだろうという予感、言い換えるなら、「最初の」小説が「最後の」小説となるかもしれないという予感である。

オリガ・モリソヴナは、二十世紀ロシアに生きた心ある知識人、アーティストの総体的なシンボルである。そして反語法（ないし、ぼく流にいう二枚舌）とは、彼らの良心がひそかに生き延びるための最後のよりどころであり、その、ちいさく尖った舌先こそ、全能のスターリン権力が死ぬほど忌みきらい、恐れつづけた力だった。

ぼくには『オリガ』がいま、文学というジャンルの最後のあがきのように見えてならない。そのような予感とともに、ぼくはこの文章の冒頭で「奇跡」と一言書いたのだ。世代、言語、国境を超え、スターリン時代に生きた人々の記憶を風化させないためにも、長く読み継がれてほしい一冊である。

この作品は二〇〇二年十月、集英社より刊行されました。
文庫化にあたり、「『反語法』の豊かな世界から」（「すばる」誌二〇〇四年一月号）を加え、再編集しました。

巻頭地図製作／金城秀明

集英社文庫　目録（日本文学）

唯川恵　今夜は心だけ抱いて
唯川恵　天に堕ちる
唯川恵　手のひらの砂漠
湯川豊　須賀敦子を読む
行成薫　名も無き世界のエンドロール
行成薫　本日のメニューは。
行成薫　僕らだって扉くらい開けられる
雪舟えま　バージンパンケーキ国分寺
雪舟えま　緑と楯ハイスクール・デイズ
柚月裕子　慈雨
夢枕獏　神々の山嶺《いただき》(上)(下)
夢枕獏　黒塚　KUROZUKA
夢枕獏　ものいふ髑髏《どくろ》
夢枕獏　秘伝「書く」技術
養老静江　ひとりでは生きられない　ある女医の95年
横幕智裕　周良貨／能田茂・原作　監査役　野崎修平

横森理香　凍った蜜の月
横森理香　30歳からハッピーに生きるコツ
横山秀夫　第三の時効
吉川トリコ　しゃぼん
吉川トリコ　夢見るころはすぎない
吉木伸子　スーパースキンケア術　あなたの肌はまだまだキレイになる
吉沢久子　老いをたのしんで生きる方法
吉沢久子　老いのさわやかひとり暮らし
吉沢久子　花の家事ごよみ　四季を楽しむ暮らし方
吉沢久子　老いの達人幸せ歳時記
吉沢久子　吉沢久子100歳のおいしい台所
吉田修一　初恋温泉
吉田修一　あの空の下で
吉田修一　空の冒険
吉田修一　作家と一日
吉田修一　泣きたくなるような青空

吉永小百合　夢の続き
吉村達也　やさしく殺して
吉村達也　別れてください
吉村達也　セカンド・ワイフ
吉村達也　禁じられた遊び
吉村達也　私の遠藤くん
吉村達也　家族会議
吉村達也　可愛いベイビー
吉村達也　危険なふたり
吉村達也　ディープ・ブルー
吉村達也　生きてるうちに、さよならを
吉村達也　鬼の棲む家
吉村達也　怪物が覗く窓
吉村達也　悪魔が囁く教会
吉村達也　卑弥呼の赤い罠
吉村達也　飛鳥の怨霊の首

集英社文庫　目録（日本文学）

吉村達也　陰陽師暗殺
吉村達也　十三匹の蟹
吉村達也　それは経費で落とそう
吉村達也　[会社を休みましょう]殺人事件
吉村達也　OL捜査網
吉村達也　悪魔の手紙　ヨコハマOL探偵団
吉村龍一　旅のおわりは
吉村龍一　真夏のバディ
よしもとばなな　鳥たち
吉行あぐり　吉行和子　あぐり白寿の旅
吉行淳之介　子供の領分
與那覇潤　日本人はなぜ存在するか
米澤穂信　追想五断章
米原万里　オリガ・モリソヴナの反語法
米山公啓　医者の上にも3年
米山公啓　命の値段が決まる時

リービ英雄　模範郷
隆慶一郎　一夢庵風流記
隆慶一郎　かぶいて候
連城三紀彦　美女
連城三紀彦　隠れ菊(上)(下)
わかぎゑふ　秘密の花園
わかぎゑふ　ばかちらし
わかぎゑふ　大阪の神々
わかぎゑふ　花咲くばか娘
わかぎゑふ　大阪弁の秘密
わかぎゑふ　大阪人の掟
わかぎゑふ　大阪人、地球に迷う
わかぎゑふ　正しい大阪人の作り方
若桑みどり　クアトロ・ラガッツィ(上)(下)　天正少年使節と世界帝国
若竹七海　サンタクロースのせいにしよう
若竹七海　スクランブル

和久峻三　あんみつ検事の捜査ファイル　夢の浮橋殺人事件
和久峻三　女検事の涙は乾く　あんみつ検事の捜査ファイル
和田秀樹　痛快！心理学　入門編　—なぜ僕らの心は壊れてしまうのか
和田秀樹　痛快！心理学　実践編　—どうしたら私たちはハッピーになれるのか
渡辺淳一　白き狩人
渡辺淳一　麗《うるわ》しき白骨
渡辺淳一　遠き落日(上)(下)
渡辺淳一　わたしの女神たち
渡辺淳一　新釈・からだ事典
渡辺淳一　シネマティク恋愛論
渡辺淳一　夜に忍びこむもの
渡辺淳一　これを食べなきゃ
渡辺淳一　新釈・びょうき事典
渡辺淳一　源氏に愛された女たち
渡辺淳一　マイ センチメンタルジャーニイ
渡辺淳一　ラヴレターの研究

集英社文庫　目録（日本文学）

集英社文庫

オリガ・モリソヴナの反語法《はんごほう》

2005年10月25日　第1刷
2021年2月6日　第8刷

定価はカバーに表示してあります。

著者　米原万里《よねはらまり》

発行者　徳永　真

発行所　株式会社　集英社
東京都千代田区一ツ橋2-5-10　〒101-8050
電話　【編集部】03-3230-6095
【読者係】03-3230-6080
【販売部】03-3230-6393（書店専用）

印刷　大日本印刷株式会社

製本　大日本印刷株式会社

フォーマットデザイン　アリヤマデザインストア　マークデザイン　居山浩二

本書の一部あるいは全部を無断で複写複製することは、法律で認められた場合を除き、著作権の侵害となります。また、業者など、読者本人以外による本書のデジタル化は、いかなる場合でも一切認められませんのでご注意下さい。

造本には十分注意しておりますが、乱丁・落丁（本のページ順序の間違いや抜け落ち）の場合はお取り替え致します。ご購入先を明記のうえ集英社読者係宛にお送り下さい。送料は小社で負担致します。但し、古書店で購入されたものについてはお取り替え出来ません。

© Yuri Inoue 2005　Printed in Japan
ISBN978-4-08-747875-4 C0193